粤菜烹饪大全

张佩仪／编著

YUECAIPENGRENDAQUAN

色鲜味美　营养丰富　配料精巧　通俗易懂

新世纪出版社

图书在版编目(CIP)数据
粤菜烹饪大全/张佩仪 编著.—广东:新世纪出版社,2006.11
ISBN7-5405-2633-5

Ⅰ.粤… Ⅱ.张… Ⅲ.烹饪—食谱 Ⅳ.R.22
中国版本图书馆 CIP 数据核字(2006)第 026541 号

粤菜烹饪大全

张佩仪 编著

出版发行 新世纪出版社
经　　销 全国新华书店
印　　刷 北京宏业印务有限公司
开　　本 880×1230mm 1/32
印　　张 14
印　　数 1—3000
版　　次 2006 年 11 月第 1 版
印　　次 2006 年 11 月第 1 次印刷
书　　号 ISBN7-5405-2633-5/TS·3
定　　价 25.00 元

目录

禽蛋奶菜烹饪法

猪牛羊肉菜烹饪法

野味海鲜干货菜烹饪法

淡水鱼菜烹饪法

斋菜烹饪法

煲仔菜烹饪法

炖品烹饪法

目录

羹汤烹饪法

粥品烹饪法

甜露品烹饪法

粉面饭烹饪法

禽蛋奶菜烹饪法

广州文昌鸡

原料:光鸡项1只,鸡肝500克,火腿75克,郊菜300克,盐、味精、湿生粉、绍酒、麻油、花生油等适量。

制法:将鸡洗净,放入微滚(虾眼水)的二汤锅内,用文火浸约十五分钟至刚熟,取出晾干后,起肉去骨,斜切成日字形共24片。

将鸡肝片浸熟,取出切成24片,盛在碗中,将火腿肉切成与鸡肉同样大小的薄片24片。将鸡肉片、火腿片、鸡肝片间隔开排在长形碟上,砌成鱼鳞形(分3行,每行8件。将鸡肉片、火腿片和鸡肝片连在一起为一件),连同鸡的头、翼、尾摆成鸡的原形,隔水蒸热取出。

用武文火烧镬下油,放郊菜、精盐、二汤,炒至九成熟倒人笊篱沥去水。将镬放回炉上,下油,放入效菜,用湿生粉调成芡汤打芡,取出放在鸡的两侧排成4行。

用武文火起镬下油,溅入绍酒,加入上汤、味精,用湿生粉成苋,最后加入麻油和包尾油拌匀,淋在鸡肉上,即可上席。

清远白切鸡

原料:清远毛鸡项1只(约1 100克),姜蓉、葱白丝各60克,精盐、生油等适量,备芥末浆2小碟。

制法:将毛鸡削好,洗净备用。用武火将清水烧至微滚,改用文火,将鸡放入微滚水中浸没五分钟,将鸡起出,倒出膛内水,使鸡身温度保持一致,再放入锅内清水浸没五分钟,按上述方法重复一次,再放入清汤内续浸至仅熟,捞起后放入冷开水中浸没冷却三十分钟,然后用洁净毛巾将鸡身上水分吸去,扫上熟生油,斩件上碟,砌回鸡形。

将姜、葱、盐拌匀,分盛2小碟。烧锅下油,将油烧滚,淋在盛上姜、葱、盐的小碟上，与滚油拌匀，可跟2小碟芥末浆一起，拌鸡上席。

花雕肥鸿

原料：肥嫩光鸡项（小母鸡）750克，肥猪肉片75克，姜块（捶裂）40克，葱条40克，淡汤125克，花雕酒100克，蚝油50克，蜜糖30克，味精10克，精盐适量，猪油（或花生{由）25克。

制法：将光鸡放入沸水中烫约两分钟，捞起再略滚，捞起晾干将蜜糖涂在鸡身上，晾干。在淡汤中加入味精、精盐、蚝油及剩下的蜜糖，调成味汁备用。

用武火烧热砂锅，放入肥猪肉片，煎出油后，把上述处理好的鸡放入，煎至两面呈金黄色，即加入姜、葱拌匀，倒人花雕酒，略煎片刻放入味汁，加锅盖用武火焖十分钟，将锅端离火位，将鸡覆转后把锅端回火位焖十分钟。

将鸡取出切块，在碟中砌成鸡形，淋上热的原汁。

香麻炸鸡

原料：肥鸡1 100克，精盐11克，蜜糖30钱，味精20克，炒芝麻10克，葱丝7克，姜蓉50克，淡二汤50克，花生油2500克。

制法：鸡宰洗干净，挖去眼，用精盐10克、味精10克涂在鸡腹内。把芝麻5克、葱丝35克、姜蓉35克混合拌匀，塞人鸡腹内，然后用针将鸡腹切口处缝合。用沸水将鸡烫过，然后涂上蜜糖皮，挂起晾干。

将鸡盛于盘中，放入烘炉中烘至八成熟，然后放入100摄氏度的花生油中，用文火浸至鸡皮呈大红色，待鸡身全熟时，取起斩件，放在碟中砌成鸡的形状。

取姜蓉15克、葱丝40克、芝麻5克，与鸡腹中取出的姜葱蓉混和后，加入味精10克、精盐0.7克，溅入沸花生油50克、沸二汤50克，拌匀后分成三小碟，与鸡同上席。

葱油番液鸡

原料：肥鸡750克，芥菜胆400克，芡汤40克，精盐11克，味精10克，绍酒15克，湿蹄粉15克，麻油0.5克，淡二汤550克，姜蓉50克，葱丝55克，猪油55克。

制法：把鸡宰洗干净，吸干水分，用味精、精盐各5克、姜蓉、葱丝匀涂鸡身，蒸熟，原汁及姜、葱留下待用。芥菜胆用沸水烫时，隔起。用猪油起镬，溅入绍酒5克，二汤500克，精盐5克，把芥菜胆煨过，隔起吸干水。

用猪油起镬，放入芥菜胆，溅入绍酒(10克)、芡汤，加湿蹄粉(2克)打芡，落包尾油拌匀，取起。

将蒸熟的鸡斩件，在碟中排成鸡形，围上菜胆。在原汁及姜、葱中加二汤(50克)、味精(2克)、湿蹄粉(12克)打芡，再加入麻油和包尾油推匀后倒出，淋在鸡身上。

注："上汤"制法：枚肉1 750克，牛肉1 250克，老光鸡1 250克，火腿750克，清水1 500千克，味精75克，精盐50克：

先将肉类斩好，和老光鸡等同放在汤煲里，注入清水，先用旺火煲至滚后，随用文火熬，以暗涌起菊花心为度，熬4小时便成：起汤时，先用铁壳撇去汤面油和滤去团状的渣滓，随将味精、精盐放在汤盆里，面放筛，把洁净大毛巾铺放在筛内，将熬好的上汤倒在毛巾里隔渣便成(熬得上汤1 000克)。

"二汤"制法：熬完上汤的原料，细骨2 000克，鸡鸭骨1 500克，清水1 150千克，白糖50克，精盐75克。

将熬完上汤的原料加入细骨、鸡鸭骨、清水，熬一小时，起汤时，加入白糖、精盐便成(熬得二汤1 000克)。

生炸手撕鸡

原料:光鸡750克,鸡肾、肝共120克,味精7克,生抽25克,老抽10克,精盐5克,净蛋15克,生粉175克,喼汁15克,精盐10克,姜汁酒10克,猪油150克。

制法:把光鸡烫过,用味精(7克)、生抽(25克)、精盐(2克)把鸡腌过。用姜汁酒(10克)、精盐、味精少许把肾、肝腌过,用蛋拌匀再上干生粉。鸡身匀涂老抽。把猪油烧至140摄氏度,放入整只鸡浸炸(如火过旺,要把镬端离火位),熟后捞起。再放入肾、肝炸至熟,捞起,再返炸至肾、肝硬身。

将炸鸡起肉,拆去骨,把骨斩成件,放于碟中,把鸡肉切成粗条,排放在鸡骨上面,砌回鸡的头、脚、颈,用肫、肝围边。与淮盐、喼汁同上席。

碧绿骨香鸡

原料:鸡肉球300克,菜远300克,鸡骨200克,姜花0.5克,绍酒15克,净蛋15克,干粉60克,精盐4克,芡汤45克,湿蹄粉20克,蛋白15克,胡椒粉和麻油各少许,花生油500克(耗油125克)。

制法:把鸡骨斩成件,用精盐拌匀,再加净蛋、湿蹄粉(5克)拌匀,然后拍上干粉。在芡汤中加入胡椒粉、麻油少许、湿蹄粉(10克)调成碗芡。

武火烧镬,放入菜远,加入精盐少许,把菜炒至九成熟,隔起。

在鸡肉球中加入蛋白及湿蹄粉(5克)拌匀。

把花生油烧至130摄氏度,下鸡骨炸至呈金黄色,取起,再返炸至酥脆。

起镬,下新的花生油,烧至油温100摄氏度时,下鸡肉球"拉嫩油”，去油后，下姜花、菜远、鸡球，溅入绍酒，加碗芡炒匀，再加麻油少许、包尾油拌匀上碟，以炸鸡骨围边。

蒜子瓦罉鸡

原料：光鸡750克，肥猪肉片75克，辣椒粒20克，葱粒15克，姜片和葱条各40克，切去头尾的蒜子50克，绍酒50克，蚝油50克，老抽20克，白糖10克，味精10克，精盐少许，淡二汤200克，湿蹄粉15克，胡椒粉少许，麻油少许，猪油25克。

制法：把光鸡烫过，去净细毛后，再烫一次，然后涂上老抽。

武火烧瓦罉，下猪油煮至沸时，放入蒜子炸透，去油后，放人肥猪肉、姜片、葱条，下鸡煎至两边呈金黄色，溅入绍酒，加二汤，调入味精、精盐、蚝油、白糖等各味料，把鸡焖至熟。把鸡斩件，砌于碟中。

武火烧镬，下猪油、辣椒粒、葱粒、焖鸡的原汁、胡椒粉，加湿蹄粉打芡，再加麻油和包尾油拌匀，倒出淋在鸡面上。

香麻卷菜鸡片

原料：鸡片300克，菜远450克，姜花少许，香麻肉卷125克，芡汤45克，精盐少许，蛋白15克，干粉15克，湿蹄粉25克，绍酒15克，胡椒粉少许，麻油少许，花生油1000克。

制法：把香麻肉卷切成棋子形，再拍上千粉。在鸡片中加入蛋白、湿蹄粉（一钱）拌匀。在芡汤中加入麻油、胡椒粉、湿蹄粉（四钱）调成碗芡。

把花生油煮至80摄氏度，将已拍上千粉的香麻肉卷炸至呈金黄色，去油后，下菜远加精盐炒至九成熟，隔起。

把油烧滚，下鸡片“拉嫩油”，去油后，下姜花、菜远、鸡片，溅入绍酒，加碗芡炒匀，再加包尾油拌匀便成。

果汁焗鸡件

原料：光鸡 110 克，果汁 20 克，青豆仁（豌豆仁）5 克，洋葱粒 5 克，绍酒 15 克，净蛋 60 克，生粉 75 克，菠萝半罐，味精、生抽少许，花生油 250 克。

制法：把光鸡斩成件，每件重约 25 克，用味精、生抽腌过，再加入蛋和生粉拌匀。

武火烧镬，下花生油，把鸡件排于镬中，煎至两面呈金黄色，立即下青豆仁、洋葱粒，溅入绍酒炒匀，再加果汁、包尾油拌匀上碟，以菠萝围边。

金华鸳鸯鸡

原料：白切熟鸡肉 250 克，熟火腿片 30 克，芫荽少许，熟火腿蓉少许，鸡皮 25 克，虾胶 80 克，郊菜 30 克，淡上汤 200 克，味精、精盐适量，胡椒粉、麻油少许，绍酒 15 克，湿蹄粉 15 克，干生粉 5 克，芡汤 25 克，猪油 75 克。

制法：熟鸡肉用斜刀切成“日”字形厚件，每件鸡件拼一片火腿片排于碟中，把鸡皮切成“日”字形件，扫人干生粉，酿上虾胶，扫滑表面，贴上火腿蓉及芫荽，蒸熟后排在碟中。

鸡肉件拼火腿片和酿鸡皮在碟中的排法是，第一行上边四件为鸡肉件拼火腿片，下边四件为酿鸡皮；第二行上边四件为酿鸡皮，下边四件为鸡肉件拼火腿片，第三行的排法与第一行相同。最后把鸡头、鸡翼排上，砌成鸡形。

用猪油起镬，下郊菜加精盐（适量）炒至九成熟，隔起。再下猪油、郊菜、芡汤，溅绍酒，再加湿蹄粉 5 克炒匀，取起，分三行伴于鸡边。

用猪油起镬，溅入绍酒，加上汤，调入味精、精盐、胡椒粉，用湿蹄粉打芡，再加麻油和包尾油拌匀，取出淋在鸡上面。

榆耳川鸡片

原料：湿榆耳20克，川汤料（短菜远、鲜笋花、菇片）一份，鸡片300克，淡上汤1 500克，胡椒粉少许，淡二汤1 000克，姜汁酒15克，精盐5克，味精15克，湿蹄粉10克，火腿片一片，猪油25克。

制法：湿榆耳先用沸水烫过，再用姜汁、酒、精盐煨过。川汤料用沸水略滚过，放入窝中。鸡片用湿蹄粉拌匀，用沸二汤滚熟，放入窝中川汤料上面。火腿片放在鸡片上面，榆耳围于边。

洗净镬，倒人上汤，调入精盐、味精，烧沸后去泡沫。另外，撒胡椒粉于鸡片上，再淋上刚煮沸的上汤。

滚煨鸡片要水煮沸后下料。所用川汤一定要清。

竹笙穿鸡片

原料：湿竹笙150克，川汤料（即短菜远、鲜笋花、菇片）1份，鸡片300克，淡上汤1 500克，胡椒粉少许，淡二汤1 000克，绍酒15克，精盐7克，味精15克，湿蹄粉15克，火腿片1片，猪油15克。

制法：把竹笙切成段，用沸水烫过。用猪油起镬，溅入绍酒，倒人二汤，下竹笙滚煨。

把川汤料滚熟，盛人汤窝内。鸡片用湿蹄粉5克拌匀，滚熟后放进窝内川汤料上面，竹笙围于鸡片边，火腿片放在鸡片上面，再撒上胡椒粉。

洗净镬，放入上汤，调入精盐和味精，煮沸后去泡沫，淋入窝里。

肥嫩珠圆鸡

原料:肥嫩光鸡项(小母鸡)1 只,重约 750 克,芥菜胆 400 克,蟹黄 150 克,蟹肉 50 克,虾胶 180 克,淡上汤 175 克,绍酒 15 克,味精 6 克,精盐 11 克,芡汤 40 克,湿蹄粉 20 克,胡椒粉少许,麻油少许,淡二汤 250 克,花生油 750 克,猪油 250 克。,

制法:将光鸡洗净,用精盐涂匀鸡身,蒸熟后,拆去腔骨和“四柱骨”(翼骨和腿骨),切成件,在碟中砌成鸡的形状。

将芥菜胆滚过。用猪油起镬,倒人淡二汤,加精盐适量将芥菜胆煨过,隔起。用猪油起镬,下芥菜胆,溅入绍酒(10 克)、芡汤(20 克)炒匀,再加包尾油拌匀,取起伴于鸡边。

将虾胶制成虾丸。武火烧镬,倒人花生油,烧至 70 摄氏度时,下虾丸拉油至熟,捞起盖于菜胆上。倒去油,在镬中加入上汤 35 克、芡汤 20 克、胡椒粉 0.5 克、湿蹄粉 5 克,再加麻油和包尾油拌匀,取起淋于虾丸及菜胆上面。

把蟹黄用沸水烫过,滤干水。武火烧镬,倒人猪油,烧至 70 摄氏度后下蟹黄“拉嫩油”,捞起,去油,再下蟹肉,溅入绍酒(5 克),加上汤 140 克,调入味精、精盐、胡椒粉少许,用湿蹄粉(15 克)打芡,再加麻油,包尾油与蟹黄拌匀,取起淋在鸡上面。

脆皮糯米鸡

原料:毛鸡 1 只(约重 1250 克),大糯米 100 克,瘦猪肉粒 750 克,生鸭肫粒 75 克,湿冬菇粒 25 克,火腿粒 25 克,姜片、葱条各两条,绍酒 15 克,淡二汤 75 克,虾片 25 克,葱花少许,菇米 10 克,味精 5 克,精盐 5 克,胡椒粉少许,净蛋 75 克,干生粉 125 克,湿蹄粉 10 克,白糖、老抽、麻油适量,花生油 1250 克。

制法:糯米用清水浸透,再用沸水煸两次。瘦肉粒用干生粉

(10 克)拌匀,鸭肫切成有花纹粒,与瘦肉粒同用沸水滚熟。毛鸡放血,烫火,去毛,切去鸡脚,除去全部骨头及内脏为全鸡。

用花生油起镬,下糯米、瘦肉、肫粒、菇粒、火腿粒炒匀,调入味精、精盐、白糖、胡椒粉适量,溅入绍酒(5 克)、二汤拌匀。

把上述各料取出,放入鸡肚里,鸡颈牵过翼夹打结,滚过,在鸡身上扎针孑 L 后,盛于汤窝里,加入姜片、葱条、绍酒(10 克)、味精、精盐、沸水适量,加盖炖炝,取起。

武火烧镬,倒人花生油,烧至 120 摄氏度时下虾片炸过。

用鸡蛋与干生粉(75 克)调成蛋浆,匀涂鸡身,再拍上生粉。把花生油烧至 120 摄氏度,下糯米鸡浸炸至透,捞起,倒去油,倒人炖鸡原汁,加入菇米、葱花、胡椒粉、湿蹄粉,调入老抽、麻油拌匀,取起盛于碗里,再分成三小碟上席。

将炸好的全鸡剖切成两半,每半边再切成两条,每条切成五件,放在碟上砌成鸡形,炸虾片围边。

酸姜炒鸡片

原料:鸡肉 350 克,酸姜芽 350 克,辣椒件 50 克,蒜蓉少许,葱段 5 克,芡汤 35 克,蛋白 10 克,湿蹄粉 15 克,绍酒 15 克,麻油少许,花生油 750 克。

制法:鸡肉切成薄片,加入蛋白和湿蹄粉(5 克)拌匀候用。在芡汤中加入湿蹄粉(10 克)和麻油(少许)调成碗芡。酸姜芽挤去酸醋。

武火烧镬,倒人花生油,至 140 摄氏度时,下鸡片拉油至熟,捞起。倒出油,下辣椒件、蒜蓉、葱段、姜芽炒匀,再下鸡片,溅入绍酒,加碗芡炒匀,再加麻油、包尾油炒匀上碟。

豉汁鸡翼球

原料：鸡翼850克，蛋白15克，葱段5克，蒜蓉、姜米少许，芡汤35克，老抽、味精、胡椒粉、麻油少许，湿蹄粉25克，豉汁10克，白糖少许，绍酒10克，猪油750克。

制法：鸡翼去骨便成烹制鸡翼球原料，在鸡翼球原料中加入蛋白、湿蹄粉（10克）拌匀候用。

将芡汤、豉汁、白糖、老抽、胡椒粉、麻油、味精、湿蹄粉（15克）混匀，调成碗芡备用。

武火烧镬，放入猪油，煮至120摄氏度后，下鸡翼球料拉油，捞起。去油，下姜米、蒜蓉、葱段、鸡翼球，溅入绍酒、碗芡炒匀，再加包尾油炒匀上碟。

脆皮炸鸡腿

原料：鸡腿8只重约600克，菠萝半罐，芫荽5克，白卤水500克，糖浆50克，辣椒米、蒜蓉、葱米少许，糖醋100克，麻油少许，湿蹄粉10克，花生油1 000克。

制法：鸡腿用白卤水浸熟，涂上脆皮鸡糖浆，用叉叉好，挂于通风处晾干。

武火烧镬，放入花生油，烧至130摄氏度时，下鸡腿炸至呈大红色，捞起。去油，下糖醋、麻油、辣椒米、葱米、蒜蓉和湿蹄粉拌匀，分盛为三小碟，跟炸鸡腿同上席。

在一大碟中央排上菠萝，再将鸡腿（原只或斩件）排上碟，中心放入芫荽。

五彩金凤鸡

原料:光鸡750克,五柳料200克,菠萝半罐,糖醋150克,蒜蓉、葱米、辣椒米各适量,湿蹄粉15克,花生油1500克。

制法:武火烧镬,倒人花生油,烧至130摄氏度。将已浸白卤水并涂上脆皮鸡皮鸡糖浆的鸡盛于笊篱中(鸡肚向上),先用油淋透鸡腹,再浸入油镬将鸡身炸至大红色,取起,倒去油,下糖醋(100克)、辣椒米、蒜蓉、葱米,加湿蹄粉(10克)打芡,分盛三小碟上席。

用花生油起镬,放入糖醋50克、湿蹄粉(5克)煮沸后下五柳料略煮。

炸鸡拆去腔骨,斩成小件放入大碟中,以五柳料围边,再用菠萝围边上席。

葵花丹凤鸡

原料:嫩鸡750克,鸡蛋100克,虾胶150克,凤眼润200克,蟹肉175克,蟹黄150克,淡上汤320克,胡椒粉、麻油各少许,湿蹄粉30克,味精6克,精盐10克,绍酒15克,猪油10克。

制法:鸡蛋磕开盛在碗内,加入精盐适量,将鸡蛋打透,文火烧锅,放入猪油,下蛋液煎成蛋皮(形似薄饼),切成正方形小块,把虾胶放在蛋皮上,再卷成直径约半寸的圆柱形,蒸熟,斜切成薄片(称为葵花卷)二十四件。

光鸡去净绒毛后,用精盐6克,味精少许涂匀鸡肚,盛于碟中蒸熟,待凉后去骨,切件排于碟中,砌成鸡形,放回头翼,再将凤眼润切片围于鸡旁,将葵花卷盖在凤眼润片上。

用沸水将蟹黄烫过,滤干水。用猪油起锅,再放入猪油,下蟹黄"拉嫩油"(油温控制在70摄氏度),隔起。去油,溅入绍酒,加淡上汤(250克),下蟹肉,调入精盐、味精、胡椒粉少许,再加湿蹄粉

(25 克)、麻油少许和包尾油拌匀,然后下蟹黄拌匀,取起淋于鸡面上。

用猪油起镬,加入淡上汤(170 克)、湿蹄粉(5 克)、麻油(少许)和包尾油拌匀,取起淋于葵花卷上。

纸包鸡丝

原料:粗鸡丝 200 克,熟腊肠丝 50 克,蛋白 10 克,洋葱丝 200 克,湿冬菇丝 50 克,绍酒 15 克,精面粉 15 克,麻油少许,味精 5 克,白糖、精盐、胡椒粉适量,湿蹄粉 10 克,米纸十六张,喼汁、淮盐、蛋粉浆适量,脆浆 150 克,花生油 1 500 克。

制法:鸡丝用蛋白、湿蹄粉拌匀。

用花生油起镬,下洋葱丝爆香后铲起。武火烧镬,倒人花生油,下鸡丝拉油,油温控制在 80 摄氏度,捞起,倒去油,下已爆香的洋葱丝、冬菇丝、腊肠丝、鸡丝,溅入绍酒,调入味精、精盐、白糖、胡椒粉,加麻油,用精面粉和水调匀打芡。

将上述制好的鸡丝料分成十六份,每份用米纸一张包好,用蛋粉浆糊住包口,然后上脆浆。

武火烧镬,倒人花生油,烧至 120 摄氏度,下纸包鸡丝炸至呈象牙色,捞起上碟,与喼汁、淮盐同上席。

雪耳扒鸡腰

原料:熟鸡腰 500 克,干雪耳 25 克,芡汤 15 克,淡上汤 500 克,味精 5 克,白糖 1 克,精盐 6.5 克,绍酒 15 克,淡二汤 1 000 克,胡椒粉 0.5 克,麻油 0.5 克,湿蹄粉 25 克,姜汁 15 克酒 15 克,花生油(或猪油)100 克。

制法:雪耳用凉水浸透,再用沸水炯过,剪去脚,用沸水略滚,再用淡二汤(400 克)加精盐(4 克)煨过,隔起。

用花生油起镬，下雪耳，溅入绍酒（5 克）、芡汤，再加湿蹄粉（10 克）和包尾油炒匀，取起。

烧沸二汤 300 克，加入姜汁酒，把鸡腰焗过；换人新的二汤 600 克，重焗一次鸡腰，炯后剪去鸡腰上的筋。用花生油起镬，溅入绍酒（10 克），加入淡上汤，调入味精、白糖、精盐（2.5 克）、胡椒粉，下鸡腰，再加湿蹄粉（15 克）、麻油和包尾油拌匀，取起放于碟中，以雪耳围边。

火腿穿凤翼

原料：鸡翼 700 克，菜远 34 条，火腿肉 15 克，蛋白 12 克，姜花少许，生粉 10 克，湿蹄粉 15 克，芡汤 35 克，麻油、胡椒粉少许，绍酒 15 克，猪油 750 克。

制法：将每只鸡翼切成三件（即三段），翼尖的一段不要，脱出翼骨。

将火腿肉切为长约九分、宽约半分的条状。菜远长约一寸八分。

在芡汤中加入胡椒粉、麻油、湿蹄粉调成碗芡备用。蛋白与鸡翼拌匀后再加生粉拌匀，在鸡翼中穿上火腿条及菜远。

用沸水把穿鸡翼略烫过，隔起。武火烧镬，放入猪油烧至 80 摄氏度，下穿鸡翼拉油，捞起。倒去油，再下姜花、穿鸡翼，溅入绍酒、碗芡，再加包尾油炒匀上碟。

果汁煎鸡脯

原料：鸡肉 500 克，净鸡蛋 60 克，果汁 200 克，味精、生抽少许，生粉 60 克，虾片 20 克，绍酒 15 克，花生油 750 克。

制法：将鸡肉切成大片，用刀背把鸡肉片捶松，再改切为长约一寸二分、宽约九分、厚约一分的小件（鸡脯）。先用味精、生抽腌过，再加净蛋、生粉拌匀。

武火烧镬，倒人花生油，烧至120摄氏度时，下虾片炸至身脆（注意边炸边翻动），捞起，倒去油。把鸡脯排在油镬中，半煎炸至鸡脯身硬，去净油，溅入绍酒，再加果汁、包尾油拌匀上碟，以炸好的虾片围边。

薯片煎软脯

原料：鸭脯250克，薯仔（马铃薯）500克，绍酒25克，姜、葱各6克，生抽0.5克，净蛋35克，干生粉45克，精盐40克，西汁100克，食粉0.5克，花生油1000克。

制法：薯仔去皮后切成薄片，先用水洗净，再放进清水（500克）中加精盐（40克）浸三十分钟，隔起，滤干水，放进180摄氏度的油中浸炸至呈金黄色。

用姜、葱、食粉、生抽提前把鸭脯腌好，然后去掉其中的姜、葱，加入净蛋和生粉拌匀。

武火烧镬，倒人花生油，把鸭脯排在锅里，煎至两面呈金黄色后，去油，溅入绍酒，加西汁、包尾油炒匀上碟，以炸薯片围边。

京酱大鸭

原料：煲好的红鸭1只，湿草菇75克，京酱50克，绍酒15克，菜远400克，淡二汤60克，麻油、胡椒粉、味精、白糖、精盐各适量，芡汤30克，湿蹄粉15克，老抽5克，蚝油5克，红鸭汁60克，花生油500克。

制法：将红鸭拆骨加入红鸭汁回热，然后倒出红鸭原汁，把鸭覆转在碟中。

武火烧镬，倒人花生油，下菜远，加精盐3克炒至九成熟，隔起。再用花生油起镬，下炒过的菜远，溅入绍酒（5克）和芡汤，加湿蹄粉(10克)炒匀,再加包尾油拌匀,取起,围在鸭边。

武火烧镬,下花生油,把京酱炒匀,溅入绍酒(10克),红鸭原汁,加淡二汤,下草菇,调入精盐、味精、白糖、胡椒粉、老抽、蚝油等味料,再加湿蹄粉(5克)、麻油、包尾油拌匀,取起淋在鸭上。

注:红鸭汤制法:无底白汤(无咸味的猪骨汤)6 500克,蚝油450克,精盐50克,味精150克,浅色酱油450克,白糖300克,深色酱油300克。

先将无底淡汤倒在锅里烧滚后,加入蚝油、精盐、味精、浅色酱油、深色酱油、白糖便成。

菜胆杏脯鸭

原料:杏仁250克,光鸭750克,芥菜胆(长约三寸六分)400克,枚肉(即猪脊肉)粒60克,火腿粒10克,湿冬菇25克,姜米少许,淡二汤700克,芡汤40克,绍酒25克,姜片5克,葱条5克,胡椒粉、麻油少许,味精5克,白糖0.5克,精盐10克,湿蹄粉25克,老抽15克,炸杏仁60克,花生油1 000克。

制法:枚肉粒用湿蹄粉一钱拌匀,滚熟。杏仁用沸水烫过,去衣后再烫过。

武火烧镬,倒人花生油,加入姜米、枚肉粒、杏仁、冬菇、火腿粒,调入味精、精盐、白糖适量,溅入绍酒(10克),加入淡二汤(100克)煮成馅料。

光鸭起全鸭,把馅料放入鸭肚内,鸭颈打结后,略滚熟,在鸭身上扎针孔,再涂上老抽15克。

武火烧镬下油,烧至140摄氏度时下鸭,炸后盛于钵中,再加姜片、葱条,绍酒(5克),味精、精盐少许,淡二汤(150克)或沸水(150克),把鸭炖念后,倾出原汁,把鸭覆转放于碟中(鸭肚向上)。

把菜胆烫过。用花生油起镬,放下菜胆,溅入绍酒(10克),加淡二汤(400克),调入精盐(0.5克)煨过,滤干水。再起锅,下菜胆,加芡汤,湿蹄粉(10 克),包尾油抖匀,取起围于鸭边。

用花生油起镬,倒入红鸭汤和二汤(50 克),调入味精、白糖、老抽、胡椒粉,加湿蹄粉(10 克)打芡,再加麻油和包尾油拌匀,取起,淋在鸭身上。

将炸杏仁研成芝麻般大小,撒在鸭上。

注:用芥菜、生菜或白菜制成,切去老叶、菜头,留用菜芯中最嫩部分为菜胆。

杏脯烧鸭

原料:拆骨红鸭 1 只,炸杏仁(研成末)60 克,净蛋 60 克,干粉 150 克,菠萝半罐,糖醋 60 克,辣椒粒、蒜蓉、葱米少许,湿蹄粉 5 克,麻油少许,花生油 1000 克。

制法:把拆骨红鸭放在碟上。在净蛋中加入干粉 60 克调成蛋浆。用蛋浆匀涂鸭身,然后拍上干粉。

把花生油烧至 140 摄氏度,下鸭炸至鸭身脆熟,取起切成 24 件,排在碟上,用菠萝围边,鸭面上撒上炸杏仁末。

用油起镬,调入糖醋、辣椒米、蒜蓉、葱米,用湿蹄粉打芡,加麻油、包尾油拌匀,分盛三小碟,与鸭同上席。

菜胆莲黄鸭

原料:光鸭 750 克(一只),咸蛋黄 6 只,罐头莲子 200 克,芥菜胆(长约三寸六分)400 克,枚肉(即脊里肉)粒 60 克,姜米少许,冬菇粒 25 克,淡二汤 700 克,芡汤 40 克,姜葱各 5 克,味精 6 克,老抽 10 克,精盐 5 克,绍酒 15 克,胡椒粉、麻油少许,湿蹄粉 25 克,白糖少许,花生油 1 000 克。

制法:用沸水把莲子烫过,枚肉粒与湿蹄粉(5 克)拌匀,略滚熟。

光鸭起全鸭候用。菜胆先用沸水烫过，再用淡二汤(400克)加精盐煨过。

用花生油起镬，下姜米、枚肉粒、莲子、冬菇粒，调入味精、精盐、白糖炒匀，溅入绍酒10克，再加淡二汤100克拌匀取起，同咸蛋黄一起放入全鸭腹内，将鸭颈打结，在鸭身上扎针孔，略滚熟，涂上老抽10克。

下花生油，用武火烧镬，把油烧至高温时下全鸭，炸至鸭身呈大红色，取起，盛于钵中，加入姜、葱、绍酒(5克)、老抽、精盐、味精适量，淡二汤(150克)，把鸭炖念，倾出鸭原汁，把鸭覆转(鸭肚向上)放入碟中。

用花生油起镬，下芥菜胆，加芡汤和湿蹄粉(10克)打芡，再加包尾油拌勾，取起围于鸭边。

再起镬，倒人炖鸭原汁，加淡二汤50克，调入味精、白糖、胡椒粉、麻油、老抽少许味料，用湿蹄粉(10克)打芡，再加麻油、包尾油拌勾，取起淋在鸭上。

香菇葱油鸭

原料：光鸭750克(一只)，湿冬菇25克，芥菜胆400克，洋葱150克，火腩150克，虾米50克，老抽10克，淡二汤600克，味精8克，白糖0.5克，精盐8克，麻油、胡椒粉少许，芡汤40克，湿蹄粉25克，姜、葱各5克，绍酒5克，花生油(或猪油)100克。

制法：光鸭起全鸭候用，虾米用水浸过洗净，洋葱和火腩分别切成件。

用花生油起镬，在洋葱、火腩、虾米、冬菇中，调入味精、白糖、精盐适量，然后下镬炒匀，再溅入绍酒(5克)炒匀，取起放入鸭肚内，将鸭颈打结，在鸭身上扎针孔，把鸭略滚熟，涂上老抽。

把花生油倒进镬内，烧至油温为130摄氏度时，下鸭炸至鸭身呈金黄色后，取起放入钵里，加入姜、葱、淡二汤(150克)、绍酒(10

克)、味精、精盐、老抽少许,将鸭炖埝,取出,倾出原汁后,覆转放于碟中,鸭肚向上。

芥菜胆先用沸水烫过,再用淡二汤(400 克)加精盐煨过。再起镬,倒人花生油,下菜胆,加芡汤,湿蹄粉(15 克)打芡,再加包尾油拌匀,取起围于鸭边。

用花生油起镬,倒人炖鸭原汁,加淡二汤(50 克),调入胡椒粉、味精、老抽、白糖,用湿蹄粉(10 克)打芡,再加麻油、包尾油拌匀,取起淋于鸭面上。

菜胆糯莲鸭

原料:光鸭 1750 克(一只),大糯米 100 克,罐头莲子 100 克,枚肉(脊里肉)粒 55 克,熟火腿粒 10 克,姜米少许,冬菇粒 25 克,姜、葱各 5 克,芥菜胆 400 克,淡二汤 500 克,芡汤 40 克,精盐 6 克,绍酒 15 克,味精 6 克,老抽 10 克,湿蹄粉 20 克,干生粉 5 克,胡椒粉少许,麻油一分,白糖一分,花生油或猪油 1 000 克。

制法:用清水浸泡大糯米候用,肉粒用干生粉一钱拌匀,略滚熟。莲子与大糯米分别用水略滚过。

光鸭起全鸭候用。用花生油起镬,下枚肉粒、火腿粒、姜米、莲子、大糯米、冬菇,调入精盐、味精,加淡二汤(50 克)同煮,煮后取出,放入鸭肚里,将鸭颈打结,在鸭身上扎针孔,再放进镬内略滚熟,取出涂上老抽 8.5 克。

武火烧镬,倒人花生油,烧至 130 摄氏度左右时,下全鸭炸至鸭身呈金黄色,取起盛于钵中,再加入姜、葱、绍酒(5 克)、味精、精盐、老抽(适量)和沸水,将鸭炖至炝后,倾出原汁覆转于碟中。

把菜胆滚过,再起镬,下菜胆,溅入绍酒 10 克,倒人淡二汤 400 克,加精盐把菜胆煨过,煨后取起,吸干水分。再用花生油起镬,下菜胆,加芡汤、湿蹄粉(10 克)打芡,再加包尾油拌匀,取起,围在鸭边。

在炖鸭原汁中调入淡二汤(50克)、白糖、老抽、味精、胡椒粉少许,加湿蹄粉10克打芡,再加麻油、包尾油拌匀,取起淋于鸭上。

月映圆鸭

原料:红鸭1只,芥菜胆(长约三寸六分)400克,虾胶150克,绍酒15克,芡汤40克,淡二汤450克,淡上汤100克,味精4克,鸭汤150克,湿蹄粉30克,白糖、胡椒粉、麻油、老抽、精盐少许,熟火腿蓉30克,芫荽叶3克,鹌鹑蛋12只,花生油(或猪油)100克。

制法:把红鸭拆去骨,加入鸭汤回热后倾出原汁,把鸭覆转于碟中。芥菜胆先用沸水烫过,再用淡二汤(400克)加精盐煨过。用花生油起镬,下芥菜胆,加芡汤、湿蹄粉(10克)打芡,再加包尾油拌匀,取起围于鸭边。

在12只扫过花生油的味碟中,各磕人1只鹌鹑蛋,分别加入火腿蓉、芫荽叶,用文火蒸熟,脱出后排在芥菜胆上面。

将虾胶制成虾丸,用沸水泡熟后拉油,去油后加入绍酒、味精少许、淡二汤(50克)、胡椒粉、白糖少许、湿蹄粉(5克),与虾胶丸一起拌匀,取起,放于鸭面上。

用花生油起镬,加淡上汤100克,调入味精、精盐、白糖、胡椒粉少许,用湿蹄粉(5克)打芡,取起淋在鹌鹑蛋上面。

取红鸭汁150克,调入味精、胡椒粉、老抽、白糖等味料,加湿蹄粉(5克)打芡,再加麻油、包尾油拌匀,取起淋在红鸭上。

菜胆四式大鸭

原料:红鸭1只,芥菜胆400克,肫球100克,虾丸100克,熟穿鸡翼5只,鲜菇100克,青豆(豌豆)50克,笋花50克,鸭汤100克,淡二汤400,淡上汤100克,芡汤40克,精盐4克,老抽10克,味精4克,绍酒15克,麻油少许,胡椒粉4克,湿蹄粉18克,白糖少许,花生油 100 克(或猪油)。

制法:将笋花及青豆用沸水加精盐一分滚过。芥菜胆用沸水滚过后,再用绍酒、精盐、淡二汤 400 克煨过,煨后取起滤干水分。

将红鸭拆骨加原汁回热后,倾出原汁,覆转放于碟中。用花生油起镬,下菜胆,加芡汤、包尾油拌匀,取起围于鸭边。

虾丸、肫球用沸水略滚过。起镬,将花生油烧至 80 摄氏度,下虾丸、肫球及穿鸡翼拉油至熟,去油后,下鲜菇、青豆、笋花及拉油后的虾丸、肫球,穿鸡翼,溅入绍酒(10 克),加淡上汤(100 克),调入白糖、味精、精盐、胡椒粉五厘等适量味料,加湿蹄粉(10 克)打芡,再加麻油和包尾油拌匀,取起放于鸭上。

在红鸭汤中加淡二汤(50 克),调入味精、白糖、老抽、胡椒粉少许等味料,用湿蹄粉(6 克)打芡,再加麻油、包尾油拌匀,取起淋在鸭上。

月照红梅鸭

原料:红鸭 1 只,芥菜胆 400 克,肫球 600 克,鹌鹑蛋 12 只,鲜菇 50 克,火腿蓉 5 克,芫荽叶少许,淡二汤 500 克,鸭汤 150 克,湿蹄粉 30 克,精盐 3 克,绍酒 15 克,味精 5 克,胡椒粉、麻油少许,芡汤 51 克,白糖少许,花生油(或猪油)125 克。

制法:芥菜胆先用沸水烫过,再用淡二汤 400 克,加精盐煨过,滚煨后取起,滤干水分。用花生油起镬,下菜胆,加芡汤 40 克,湿蹄粉 10 克打芡,再加包尾油拌匀,取起。

把 12 只鹌鹑蛋分磕人 12 只已扫油的小味碟中,蛋面上分别加火腿蓉,芫荽叶适量,用文火蒸熟,脱出候用。

将红鸭拆骨加鸭汤回热后,取出,倾出原汁,把鸭覆转放入碟中,用菜胆围边,把鹌鹑蛋排于菜面上。

用花生油起镬,加淡二汤 100 克,调人味精、精盐、白糖 0. 15 克、胡椒粉适量,加湿蹄粉 5 克打流滴芡,取起淋在蛋面上。

肫球用沸水烫过后拉油(油温80摄氏度),去油后,下鲜菇,肫球,溅入绍酒,再放入芡汤20克,胡椒粉、麻油少许,湿蹄粉5克炒匀,盖于鸭上。再倒人红鸭原汁150克,调入味精、白糖、胡椒粉味料少许,加湿蹄粉10克打芡,再加麻油少许,包尾油拌匀,取起淋在鸭上。

东坡香菇鸭

原料:红鸭1只,菠菜400克,湿冬菇100克,芡汤30克,红鸭汤175克,淡二汤75克,老抽10克,蚝油5克,味精5克,白糖、胡椒粉、麻油少许,绍酒15克,湿蹄粉25克,精盐2克,花生油(或猪油)100克。

制法:菠菜切成约4寸长。红鸭拆骨后加红鸭汤蒸热,倾出原汁,将红鸭覆转放在碟中。

用花生油起镬,溅入绍酒,下菠菜,加精盐五分炒至八成熟,隔起。再用花生油起镬,下菠菜,加芡汤,湿蹄粉10克打芡,再加包尾油炒匀,取起围在鸭边。

在红鸭原汁中,加入淡二汤、冬菇,调入味精、白糖、胡椒粉、蚝油等味料,加老抽,湿蹄粉15克拌匀,再加麻油,包尾油推匀后取出淋在鸭上。

葵花红梅大鸭

原料:光鸭750克(一只),笋花125克,湿冬菇750克,淡上汤750克,淡二汤750克,味精10克,精盐7克,肫球250克(刻成梅花状),胡椒粉少许,火腿片60克,绍酒15克,花生油(或猪油)25克。

制法:把光鸭洗净,浸熟,漂冷后起肉,斜刀切成长约一寸二分、宽约六分、厚约二分的小件,湿冬菇也用斜刀切成片(选大冬菇

1只留用),笋花用沸水烫过。

在一大碗中央放进大冬菇1只,再将火腿片、鸭肉、冬菇、笋花夹在一起斜排在大冬菇周围成向日葵形状,再加淡上汤100克回热。

回热后,将排好的葵花鸭反转盛在窝中,撒上胡椒粉。把肫球滚熟,用花生油起镬,下肫球,溅入绍酒炒匀,取起,放于鸭边。在淡上汤(650克)、淡二汤中调人精盐、味精,烧沸后倒出淋人鸭中。

芝麻炸鸭脯

原料:鸭脯500克,芝麻250克,净蛋85克,干粉100克,菠萝半罐,味精5克,食粉4克,白糖2克,米酒25克,生抽5克,姜、葱各15克,花生油(或猪油)1000克。

制法:把芝麻洗净、烘干。

用食粉、白糖、米酒、生抽、味精、姜、葱把鸭脯腌过。

腌过鸭脯后,去掉姜、葱,加入净蛋、干粉拌匀,两面沾上芝麻。

把花生油烧至100摄氏度,下鸭脯炸至呈蛋黄色,取起上碟,菠萝围边。

拆烩红鸭丝

原料:红鸭肉丝300克,枚肉(脊里肉)丝150克,笋丝100克,湿冬菇丝60克,韭黄75克,红鸭汤750克,淡上汤750克,湿蹄粉50克,绍酒15克,味精10克,精盐5克,胡椒粉少许,老抽5克,蛋白7克,花生油500克。

制法:笋丝用沸水烫过。枚肉丝与蛋白、湿蹄粉(7克)拌匀,然后"拉嫩油"(油温控制在80摄氏度),去油后,溅入绍酒,加红鸭汤及上汤,下红鸭丝、笋丝、湿冬菇丝,调入味精、精盐、胡椒粉,待微沸时推人湿蹄粉(45克),再下老抽、肉丝、韭黄,加包尾油拌匀便成。

糖醋鸭块

原料：光鸭（切块）500克，辣椒件50克，葱段50克，蒜蓉2克，净蛋40克，糖醋300克，麻油少许，精盐4克，干粉150克，湿蹄粉25克，花生油1000克。

制法：鸭块先用盐水拌匀，再用湿蹄粉（10克）、净蛋拌匀，然后拍上干粉。

把花生油烧至130摄氏度，下鸭块炸至呈金黄色，取起。再武火烧油，下鸭块返炸至身脆，取起，倒去油，放入辣椒、葱段、蒜蓉和糖醋，待烧至微沸时，加入湿蹄粉（5克）、麻油、包尾油和鸭块炒匀。

菜胆扒大鸭

原料：光鸭750克（一只），菜胆400克，鸭汁150克，淡二汤75克，芡汤40克，老抽5克，湿蹄粉25克，绍酒15克，胡椒粉、麻油少许，味精3克，白糖2克，精盐5克，花生油1000克。

光鸭切去翼、嘴及“尾臊”，在鸭背用刀划个“十”字形切口，上老抽，放进温度240摄氏度的油镬中炸至鸭身呈大红色，然后将红鸭煲至炝，取起拆骨，放回原汁回热，倾出原汁将鸭覆转于碟中（鸭肚向上），放回头颈。

把芥菜胆滚煨过，吸干水。用花生油起镬，下菜胆，溅入绍酒、芡汤，加湿蹄粉（10克）拌匀，再加包尾油，拌匀取起，围于鸭边。

用花生油起锅，倒人鸭汁、淡二汤，调入味精、精盐、白糖、胡椒粉等味料，再加剩下的老抽、湿蹄粉（15克）、麻油和包尾油拌匀，取起淋于鸭上。

荔蓉烧鸭

原料:红鸭1只,荔蓉馅250克,净蛋75克,菠萝半罐,菇米10克,葱花适量,淡上汤100克,鸭汁50克,干粉150克,湿蹄粉7克,蚝油5克,绍酒15克,味精3克,老抽、胡椒粉、麻油、白糖少许,花生油(或猪油)100克。

制法:红鸭拆去骨后,在腹内拍上千粉,酿上荔蓉馅,然后将净蛋和干粉调成的蛋粉浆涂于鸭肉两面,再拍上千粉。

把花生油烧至140摄氏度,下鸭炸至鸭身酥脆、呈金黄色时,取起,切成24件,砌回鸭形,排于碟中,用菠萝围边。

用花生油起镬,溅入绍酒、淡上汤和鸭汁,调入味精、蚝油、胡椒粉、老抽、白糖,加湿蹄粉打芡,再加麻油、包尾油、菇米、葱花,拌匀后分盛三小碟,与鸭同上席。

笋炒鸭片

原料:鸭片350克,薄笋片450克,大料头(葱段、姜花或姜片、蒜蓉)一份,老抽4克,芡汤45克,蛋白15克,精盐6克,麻油、胡椒粉少许,绍酒15克,湿蹄粉25克,白糖2克,花生油(或猪油)100克。

制法:鸭片用蛋白加湿蹄粉(5克)拌匀。

在芡汤中加入麻油、白糖、精盐、老抽、胡椒粉,与湿蹄粉(20克)调成碗芡。

笋片用沸水加精盐(5克)烫过后,挤干水。

把花生油烧至140摄氏度,下鸭片拉油,去油后下笋片炒透,然后下料头和鸭片,溅入绍酒、碗芡炒匀,再加包尾油拌匀。

柱侯蒸鸭

原料:光鸭750克(一只),芋头(去皮)250克,蒜蓉2克,米酒25克,老抽5克,麻油1克,淡二汤100克,湿蹄粉10克,柱侯酱125克,花生油(或猪油)100克。

制法:把柱侯酱、蒜蓉、米酒混合拌匀后,放入鸭腹内,用针缝合切口,鸭身涂上老抽。然后用花生油起镬,下鸭煎过,取起,鸭腹向上盛放在碟中,以芋头伴边,然后用中火蒸至熟。

倾出蒸鸭原汁,将芋头排于碟底,鸭斩件后砌于芋头上面。

在蒸鸭原汁中加入淡二汤、麻油、湿蹄粉打芡,再加包尾油拌匀,取起淋于鸭面上。

香骨鸭片

原料:鸭片300克,鸭骨200克,菜远300克,姜花2克,蛋白15克,净蛋25克,干粉75克,芡汤40克,老抽2克,绍酒15克,湿蹄粉15克,精盐4克,胡椒粉、麻油少许,花生油1 000克。

制法:鸭片用蛋白加湿蹄粉(5克)拌匀。鸭骨斩件加精盐拌匀,再加由净蛋和干粉调成的蛋粉拌匀,然后拍上千粉。

芡汤中加入胡椒粉、麻油、老抽和湿蹄粉(10克)调成碗芡。

把花生油烧至130摄氏度,下鸭骨炸透,取起,再下镬返炸至呈金黄色,取起,去油后下菜远,加精盐炒至九成熟,隔起。

武火烧镬,倒人新花生油,烧至120摄氏度时,下鸭片拉油至熟,取起,去油后下姜花、菜远、鸭片,溅入绍酒、芡汤,再加包尾油炒匀上碟,用炸鸭骨围于边。

菠萝炒鸭片

原料:菠萝与酸子姜共450克,鸭片450克,蒜蓉2克,葱段50克,辣椒50克,芡汤25克,糖醋25克,精盐2克,蛋白15克,绍酒15克,湿蹄粉25克,胡椒粉、麻油少许,猪油750克。

制法:把菠萝去皮起钉,去心后切成中片,姜芽挤去酸醋。在芡汤中加入糖、醋、麻油、胡椒粉、湿蹄粉(15克)调成碗芡。

鸭片用蛋白加湿蹄粉(10克)拌匀。

武火烧镬,倒人猪油,下鸭片拉油(油温控制在120摄氏度),去油后下辣椒、蒜蓉、葱段、酸姜芽和鸭片,溅入绍酒、碗芡,下菠萝炒匀上碟。

牡丹西施鸭

原料:红鸭1只,虾胶200克,蟹黄150克,蟹肉75克,生粉100克,淡上汤250克,绍酒25克,麻油、胡椒粉、白糖、精盐少许,味精4克,湿蹄粉20克,芫荽叶5克,菠萝半罐,花生油1000克。

制法:红鸭拆骨后在腹内拍上千生粉,把虾胶酿人腹中,压平后再拍上干粉。

把花生油烧至140摄氏度,下整鸭炸至香脆,取起,切成24件,砌回鸭形,排于碟中。

蟹黄用沸水烫过,滤干水后下镬“拉嫩油”(油温控制在70摄氏度),隔起,去油后下蟹肉,溅入绍酒、淡上汤,调入味精、精盐、白糖、胡椒粉,用湿蹄粉打芡后,下蟹黄,再加麻油、包尾油拌匀,取起淋在鸭面上,用菠萝和芫荽叶围边。

银湖西施鸭

原料:红鸭1只,虾胶200克,蟹肉125克,蛋白75克,熟火腿蓉5克,生粉15克,淡上汤250克,绍酒25克,麻油、胡椒粉、白糖、精盐、味精适量,湿蹄粉20克,荔枝20个,花生油1000克。

制法:与上述"牡丹西施鸭"菜式基本相同。但银湖芡不用蟹黄,而用蟹肉和蛋白。最后撒上熟火腿蓉,再用荔枝围边。

红梅珠圆鸭

原料:红鸭1只,虾胶150克,肫球(刻成梅花状)150克,鸡蛋1只半,番茄200克,笋花100克,青豆(豌豆)50克,干生粉150克,胡椒粉、麻油、白糖适量,绍酒25克,湿蹄粉20克,淡二汤175克,鸭汁200克,味精2克,精盐2克,芫荽叶5克,花生油1000克。

制法:红鸭拆骨后内外涂上蛋粉浆(由鸡蛋和生粉调成),再拍上干粉,放进140摄氏度花生油中炸至香脆,取起,切成24件,排于碟中。

笋花用沸水烫过。

虾胶制成虾丸,肫球用沸水滚熟后"拉嫩油"(油温控制在80摄氏度左右),去油后溅入绍酒、淡二汤,下笋花、青豆、肾球、虾丸,调入味精、精盐、白糖、胡椒粉少许,加湿蹄粉(10克)打芡,取起放在鸭面上。

用花生油起镬,倒人鸭汁,调入味精、精盐、白糖、胡椒粉少许,用湿蹄粉(10克)打芡后,再加麻油、包尾油拌匀,取起淋在鸭面上。用生番茄(经过消毒处理)围边,将芫荽叶围于最外边。

果汁百花鸭

原料:红鸭1只,菠萝半罐,茄汁175克,虾胶200克,糖醋75克,淡二汤5克,白糖3克,精盐2克,味精3克,湿蹄粉15克,胡椒粉、麻油少许,生粉2克,花生油1000克。

制法:红鸭拆骨后在腹内扫上生粉,酿上虾胶,再扫上生粉。武火烧镬,倒人花生油,烧至140摄氏度时下酿鸭炸至身硬,取起,切成24件,砌回鸭形,排于碟中。

在茄汁、糖醋、淡二汤中调入精盐、味精、白糖、胡椒粉等味料,用湿蹄粉打芡,再加麻油、包尾油拌匀,取起淋于鸭面上,用菠萝围边。

威化香酥鸭

原料:光鸭1只(约1 250克),姜25克,葱50克,八角3克,丁香2克,味精25克,精盐25克,威化25克,老抽50克,绍酒25克,麻油少许,湿蹄粉5克,蒜蓉5克,葱米5克,菇米15克,花生油2500克。

制法:光鸭去净绒毛,吸干水分,用精盐(10克)、味精(10克)、绍酒(10克)匀涂鸭身;把姜、葱拍裂,加精盐(15克)、味精(12克)、绍酒(15克),再加入八角、丁香,混匀后放入鸭腹内,用中火炖至炝(约1.5小时)。

将鸭去净腹内各料后,涂上老抽。把花生油烧至200摄氏度,下鸭炸至呈大红色,取起,原只放在碟中。再炸威化,取起围于鸭边。

在油镬中倒人炖鸭的原汁,加入蒜蓉、葱米、菇米,调入味精、剩下的老抽,用湿蹄粉打芡,再加麻油、包尾油拌匀。分盛三小碟,与烹好的鸭同上席。

生根鸭脯

原料:鸭肉350克,油炸生根350克,冬菇25克,蒜蓉、姜米少许,干粉7克,湿蹄粉10克,老抽10克,味精10克,白糖3克,精盐5克,淡二汤400克,绍酒15克,姜汁酒15克,胡椒粉、麻油少许,蚝油10克,食用枧5克,白醋25克,花生油750克。

制法:将鸭肉切成为厚片(厚约二分),捶松后切件,即为鸭脯。

鸭脯用精盐2克加干粉拌匀,放进140摄氏度油镬中炸过,隔起,去油后下姜米、冬菇、蒜蓉、鸭脯,溅入绍酒、淡二汤,调入味精、老抽、白糖、蚝油等味料,炆过后取起鸭脯,放入碗里。

油炸生根先用沸水烫软,再用含有食用枧的热水洗去油,放进白醋中稍泡后,挤干水分,再放在清水中漂洗,挤去枧和醋,然后用沸水烫过,待冷后切成件。

用花生油起镬,溅入姜汁酒和开水把生根滚过,隔起。再起镬,用精盐4克把生根煨过后,隔起,吸干水。把生根放于鸭脯面上蒸透。倒出原汁,把蒸好的生根鸭脯覆转放入碟中,武火烧锅,放入花生油,放进原汁,加胡椒粉、湿蹄粉打芡,再加麻油、包尾油拌匀,淋于鸭脯面上。

凤果炆鸭脯

原料:鸭脯350克,凤果350克,湿冬菇15克,蒜蓉、姜米少许,淡二汤400克,干粉7克,湿蹄粉10克,绍酒15克,老抽5克,蚝油10克,味精7克,白糖20克,精盐5克,麻油、胡椒粉少许,花生油500克。

制法:在凤果的硬壳上用刀划一"十"字形切口,放进水中煮过,连水加盖浸泡一段时间,再取出剥去壳和内衣,略蒸炝候用。

鸭脯用精盐4克(或生抽)腌过,加入干粉拌匀。

武火将花生油烧至140摄氏度，下鸭脯炸过，去油后下姜米、湿冬菇、蒜蓉、鸭脯，溅入绍酒，加淡二汤（300克），调入味精（5克）、精盐、老抽、蚝油、白糖适量，下风果炆过。炆后取起，把鸭脯放在碗内，风果放在鸭脯面上，连汁蒸透后，倒出原汁，覆转放于碟中。

用花生油起镬，加入原汁、淡二汤（100克）、胡椒粉，味精和湿蹄粉打芡，再加老抽、麻油、包尾油拌匀，淋在鸭脯面上。

竹笙柴把鸭

原料：火鸭肉100克，熟鸡肝90克，湿竹笙60克，笋条50克，芥菜骨100克，湿冬菇100克，蔬菜梗50克，淡上汤700克，淡二汤250克，绍酒10克，味精、精盐、胡椒粉少许，花生油（或猪油）15克。

制法：把各种原料切成长约一寸二分的长条，蔬菜梗撕成细丝，把各原料捆成一把，套入竹笙中，称为“柴把鸭”。

用花生油起镬，溅入绍酒、淡二汤，加精盐把“柴把鸭”煨过，煨后取起排在碗里，再加上汤100克略蒸过，倒出原汁，覆转放在锅里。

烧沸上汤（600克），调入味精、精盐、胡椒粉少许，拌匀后淋在“柴把鸭”上。

姜炒鸭片

原料：鸭片350克，酸姜芽350克，辣椒件50克，葱段5克，蒜蓉2克，蛋白10克，糖醋17克，芡汤17克，麻油少许，湿蹄粉25克，绍酒15克，花生油750克。

制法：把酸姜芽所含酸醋挤干。

在芡汤中加入湿蹄粉（15克）、麻油、糖醋调成碗芡。

用蛋白加湿蹄粉(10 克),将鸭片拌匀。

武火烧镬,倒人花生油,烧至 140 摄氏度时,下鸭片拉油,去油后,下蒜蓉、辣椒、葱段、酸姜芽炒勾,再下鸭片,溅入绍酒、碗芡,再加麻油、包尾油炒匀上碟。

发菜肘子扒鸭

原料:红鸭 1 只,肘子 400 克(煲念),郊菜 400 克,湿发菜 200 克;芡汤 35 克,精盐 10 克,味精、白糖少许,绍酒 15 克,淡二汤 400 克,湿蹄粉 25 克,鸭汁 150 克,胡椒粉、麻油少许,老抽,姜汁酒 15 克,花生油(或猪油)140 克。

制法:红鸭拆去腔骨、喉骨和其他骨。将其他骨放回鸭腹内,倒人原汁,蒸热。倾出原汁,把鸭翻转放在碟中,再把煲焓的肘子围在鸭边。

用花生油起镬,下郊菜加精盐一钱炒至九成熟,隔去水,再起镬、下郊菜,溅入绍酒、芡汤,加湿蹄粉二钱打芡,再加麻油、包尾油拌匀,取起围在肘子边。

把发菜浸透洗净滚过。用花生油起镬,加入淡二汤(350 克)、姜汁酒、精盐 2.5 克把发菜煨透,隔起,吸干水,围于鸭边。

用花生油起镬,在蒸鸭的原汁中加入淡二汤(50 克)、味精、精盐、白糖、胡椒粉适量,用湿蹄粉(15 克)打芡,再加老抽、麻油、包尾油拌匀,取起,淋在发菜、鸭和肘子面上。

蚝油扒鸭掌

原料:鸭掌 400 克,淡上汤 100 克,鸭汁 100 克,姜汁酒 15 克,蚝油 15 克,老抽 5 克,白糖、胡椒粉、麻油适量,味精 5 克,湿蹄粉 25 克,生粉 50 克,绍酒 15 克,淡二汤 500 克,精盐 30 克,花生油(或猪油)75 克。

制法:鸭掌去衣(膜)、去甲,用精盐25克擦去污物,再用生粉擦至白色,漂净后用水滚至能拆去骨,取起,漂冷后拆去骨和筋。

拆骨后的鸭掌用沸水烫过。用花生油起镬,下姜汁酒、淡二汤、精盐把鸭掌煨过,隔起。

武火烧镬,下花生油,溅入绍酒、淡上汤、鸭汁,加入鸭掌,调入味精、精盐、蚝油、老抽、白糖、胡椒粉等味料,加湿蹄粉打芡,再加麻油、包尾油拌匀上碟。

北菇扒鸭掌

原料:炖好的北菇100克,鸭掌200克,菜远350克,生粉50克,绍酒15克,淡二汤500克,蚝油10克,老抽10克,白糖、胡椒粉、麻油适量,湿蹄粉25克,芡汤25克,味精4克,姜汁酒15克,精盐35克,淡上汤150克,花生油(或猪油)125克。

制法:鸭掌的处理和滚煨与"蚝油扒鸭掌"方法相同。

武火烧镬,下花生油,下菜远加精盐(4克)炒至九成熟,隔起再起镬,加芡汤、湿蹄粉(10克)打芡,再加包尾油炒匀上碟。

用花生油起镬,下鸭掌,溅入绍酒,加淡上汤,调入味精、精盐、白糖、蚝油、胡椒粉等味料,下北菇,加湿蹄粉(15克)打芡,再加麻油、包尾油、老抽拌匀,取起放于菜远上面。

鲜菇扒鸭掌

原料:鲜菇100克,鸭掌200克,菜远350克,淡二汤500克,生粉50克,蚝油10克,绍酒15克,胡椒粉、麻油少许,湿蹄粉25克,姜汁酒25克,老抽10克,白糖少许,芡汤25克,味精4克,精盐34克,淡上汤150克,花生油(或猪油)125克。

制法:鸭掌的处理和滚煨方法与"蚝油扒鸭掌"相同。

鲜菇去净泥草后,在头部界"十"字形刀口,洗净后用沸水烫过，再用冷水漂冻。

把上述处理好的鲜菇用沸水烫过，再用姜汁酒（10克）、精盐煨过，隔起，把鲜菇顶部刺破，吸干水。

武火烧镬，下花生油，再下菜远加精盐炒至九成熟，隔起。再起镬，下菜远，溅入绍酒（5克），加芡汤、湿蹄粉（10克），再加包尾油炒匀上碟。

用花生油起镬，下鲜菇、鸭掌，溅入绍酒（10克）、淡上汤，调入蚝油、老抽、白糖、味精、精盐（2克）、胡椒粉等味料，加湿蹄粉（15克）打芡，再加麻油和包尾油拌匀，淋在菜远上。

菜远酿鸭掌

原料：鸭掌24只，虾胶360克，短菜远250克，芡汤25克，精盐32克，绍酒15克，姜汁酒15克，干粉55克，湿蹄粉15克，淡上汤125克，淡二汤500克，味精2克，白糖、胡椒粉、麻油少许，熟火腿蓉5克，芫荽叶5克，蛋白10克，花生油（或猪油）90克。

制法：鸭掌的处理和滚煨方法与“蚝油扒鸭掌”相同。待煨过的鸭掌凉后，拍上干粉，酿上虾胶，然后用蛋白扫滑成琵琶形，把火腿蓉、芫荽叶放在虾胶面上，用武火蒸约四分钟，熟后过碟。

用花生油起镬，下菜远加精盐炒至九成熟，隔起。再起镬，下菜远，溅入绍酒、芡汤，再加入湿蹄粉（5克）、包尾油炒匀，取起围于鸭掌旁。

用花生油起镬，溅入绍酒（10克）、淡上汤，调入味精、精盐、白糖、胡椒粉等味料，再加湿蹄粉（10克）、麻油、包尾油，拌匀后淋于鸭掌上。

葵花鸭肫球

原料：改净生鸭肫400克，蛋卷200克，姜花2克，葱榄5克，蒜蓉1克,芡汤35克,湿蹄粉15克,胡椒粉、麻油少许,绍酒15克,淡上汤75克,味精少许,花生油750克。

制法:将鸭肫纵切成两半,去净肫衣,在肫面上刻横直花纹(每刀距离约二分半),然后用水滚熟。

在芡汤中加入湿蹄粉(10克)、胡椒粉、麻油调成碗芡。

武火烧镬,倒人花生油,烧至120摄氏度左右时,下鸭肫球拉油至熟,捞起。倒去油,下葱榄、姜花、蒜蓉、肫球,溅入绍酒(10克)、碗芡,再加包尾油炒匀上碟。

把蛋卷蒸熟,然后用100摄氏度花生油略炸后切成斜厚片,即成葵花瓣形,围于肫球边。

用花生油起镬,溅入绍酒(5克)、淡上汤,调人味精、胡椒粉、湿蹄粉(5克)打芡,再加麻油、包尾油拌匀,淋于葵花面上。

香麻炸鹅脯

原料:鹅脯500克,食粉4克,芝麻250克,姜、葱各15克,味精少许,生抽5克,净蛋90克,生粉100克,米酒25克,菠萝半罐,花生油1 000克。

制法:鹅脯用姜、葱、米酒、生抽、味精、食粉腌制(应提前腌制好)。

鹅脯腌好后,去掉姜、葱,加入净蛋、生粉拌匀。

芝麻用锅烘至香取起,给每件鹅脯蘸上芝麻。

把花生油烧至100摄氏度,下鹅脯炸至呈金黄色,取起上碟,用菠萝围边。

梅子蒸鹅

原料:光鹅2250克(一只),梅子酱450克,酸姜(或酸白瓜)150克,蒜蓉2克,糖醋50克,麻油少许,湿蹄粉10克,淡二汤100

克，老抽 10 克，花生油（或猪油）100 克。

制法：起去鹅的“四柱骨”（翼骨和腿骨）。

把混合梅子酱涂在鹅腹内，再用老抽涂在鹅身上，武火烧锅，下鹅煎至表皮呈金黄色，再用武文火蒸约 45 分钟（蒸时鹅腹向上）。

待蒸熟的鹅冷却后，倒出原汁，斩件放在碟上砌成鹅形，以酸姜（或酸白瓜）围边。

用花生油起镬，加入蒜蓉、蒸鹅原汁、淡二汤、糖醋、剩下的老抽、湿蹄粉、麻油和包尾油，拌匀后取出淋于鹅上。

南乳蒸鹅

原料：光鹅 2250 克（一只），南乳酱 300 克，芋头 500 克，麻油少许，湿蹄粉 15 克，淡二汤 100 克，老抽 15 克，精盐 25 克，花生油（或猪油）75 克。

制法：芋头洗净去皮，切成四件（小个的芋头切成两件）。去掉光鹅“四柱骨”（翼骨和腿骨），用精盐 5 克涂匀在鹅腹部，然后把混合南乳酱涂在鹅腹内，用铁针将腹部切口缝合，与芋头一起用武文火蒸 45 分钟（蒸时鹅腹向上）。

将蒸熟的鹅涂上老抽，待冷却后，倒出原汁，芋头再切成小件，放于碟上，蒸鹅斩件放在芋头面上，砌成鹅形。

用花生油起镬，倒人蒸鹅的原汁、淡二汤，加麻油、湿蹄粉拌匀，再加包尾油拌匀，淋于鹅上。

绿叶炒鹅片

原料：菜远 450 克，鹅片 350 克，姜花 3 克，芡汤 45 克，蛋白 15 克，绍酒 15 克，湿蹄粉 25 克，胡椒粉、麻油少许，精盐 4 克，老抽 2 克，花生油 750 克。

制法:鹅片用蛋白、湿蹄粉(10 克)拌匀。

在芡汤中加入胡椒粉、麻油、湿蹄粉(15 克)、老抽调成碗芡。

用花生油起镬,加入菜远、精盐炒至九成熟,隔起。

把花生油烧至 120 摄氏度,下鹅片拉油,去油后下姜花、菜远、鹅片,溅入绍酒,加入碗芡炒匀,再加包尾油拌匀上碟。

香麻拌火鹅

原料:炒香芝麻 10 克,火鹅(烧鹅)肉 200 克,鹅骨 150 克,酸子姜、时果共 200 克,芝麻酱 15 克,芥末酱 15 克,糖醋 150 克,辣椒件 50 克,蒜蓉 5 克,湿蹄粉 15 克,菠萝(或荔枝)150 克,花生油(或猪油)25 克。

制法:把腌好的子姜、时果切成件。

把火鹅肉斜切成厚片,鹅骨斩成件。

用花生油起镬,放入蒜蓉、糖醋、辣椒湿蹄粉调成芡后盛于碟中,加入芝麻酱和芥末酱混匀,然后加入鹅骨、鹅肉片及酸子姜、时果拌匀。

在碟中先放拌好的腌子姜、时果,再放鹅骨,然后放鹅肉,撒上炒香的芝麻,用菠萝(或荔枝)围边。

糖醋火鹅

原料:火鹅 600 克,辣椒粒 50 克,葱粒 50 克,蒜蓉 5 克,糖醋 250 克,湿蹄粉 15 克,麻油少许,花生油(或猪油)50 克,

制法:将火鹅斩件,放在碟中砌成鹅状。

用花生油起镬,下辣椒、蒜蓉、葱粒、糖醋,用湿蹄粉打芡,再加麻油和包尾油拌匀,淋在火鹅上。

梅酱火鹅

原料:火鹅 750 克,梅酱 150 克,酸姜 200 克,蒜蓉 5 克,糖醋 100 克,湿蹄粉 50 克,麻油少许,花生油(或猪油)50 克。

制法:先把酸姜放于碟上,把火鹅斩件排于酸姜之上。

用花生油起镬,下蒜蓉、梅酱、糖醋拌匀,用湿蹄粉打芡,再加麻油、包尾油拌匀,取起淋在火鹅上。

奶油鹅丁

原料:牛奶 250 克,火鹅肉 200 克,菠萝半罐,青瓜 150 克,红萝卜 100 克,味精 5 克,精盐 6 克,湿蹄粉 25 克,麻油少许,炒芝麻 5 克,白醋 100 克,白糖 25 克,花生油(或猪油)25 克。

制法:青瓜、红萝卜去皮,切成丁,用精盐腌透,挤干水水,再用白醋、白糖、精盐腌制,腌后把水挤干。

用花生油起镬,下牛奶,调入味精、精盐,加湿蹄粉拌匀,成膏状芡,放进雪柜(冰箱)里冻透。

鹅肉、菠萝切成丁粒后,盛于窝内,加进酸瓜、红萝卜、麻油、牛奶芡膏拌匀上碟,面上撒上芝麻。

蚝油鹅脚

原料:煲鹅脚 24 只,蚝油 3 克,味精 3 克,淡二汤 60 克,鸭汤 90 克,老抽、白糖少许,湿蹄粉 10 克,麻油、胡椒粉少许,花生油(或猪油)50 克。

制法:将煲鹅脚回热,倾出原汁,再覆转于碟中。

用花生油起镬,下蚝油、味精、淡二汤、鸭汤、老抽、白糖、胡椒粉,加湿蹄粉打芡,再加麻油和包尾油拌匀,取起淋于鹅脚上面。

煎蛋角

原料:鸡蛋600克,去皮鱼肉250克,叉烧50克,葱粒25克,精盐、味精、生油、白糖、干生粉、胡椒粉、麻油、花生油等适量。

制法:鱼肉剁烂,叉烧切粒,将鸡蛋去壳放在碗中用筷子搅烂,然后再放上鱼肉、叉烧、葱粒、精盐、味精、胡椒粉、麻油和生油、干生粉等调成呈稀糊状。

武火烧镬,下油搪锅,舀一匙羹蛋浆放进镬中,用文火煎至半熟,把它复起成角形。再煎至两面金黄色后,盛起再煎另一块。

银湖映月

原料:鸡蛋10只,瘦叉烧20克。精盐、味粉、芫荽、生粉、淡上汤、花生油等适量。

制法:将鸡蛋去壳,取起其中1只蛋的蛋白,其他蛋加入精盐味粉后搅烂,分别倒人12只小碟(豉油碟内壁涂上生油)内,隔水蒸熟,待冷却后起碟,并排放在菜碟上。

将取起的蛋白打匀,加上汤、生粉、精盐、味粉等拌匀,放人锅内,加入花生油,煮成白芡,淋在蛋上。

将瘦叉烧切成小粒,洒在白芡上,然后拌上芫荽。

炒牛奶

原料:牛奶400克,蛋白250克,虾仁100克,鸡肝100克,猪油100克,炸榄仁25克,火腿粒10克。精盐、湿生粉各少许。

制法:将蛋白搅烂,牛奶放入精盐、湿生粉后,与蛋白调匀,虾仁腌好,鸡肝飞水,然后一同拉同至熟。

用文火烧镬,下油,蛋白牛奶边搅拌边下镬,向着同一个方向炒至半熟(火不宜过猛,油不宜过多)。加入鸡肝、虾仁、火腿粒、包层油,炒熟上碟堆成山形。

炸榄仁撒在菜面上,趁热上席。

炒黄埔蛋

原料:鸡蛋 500 克,猪油 100 克、精盐、味精适量。

制法:将鸡蛋去壳搅烂,加入精盐、味精和猪油 100 克,搅成蛋浆。

将镬洗净、烧热,用猪油搪镬,去油后,倒人四分之一蛋浆,边倒边炒动,使蛋形成布状,至刚熟时上碟。

按上述方法将余下的蛋浆分三次烹制。

炒三黄蛋

原料:咸蛋、皮蛋各 1 只,净鸡蛋 500 克,精盐、味精各 5 克,猪油 50 克,花生油 30 克,葱花 10 克。

制法:先将咸蛋蒸熟,皮蛋蒸至蛋黄实,冷却后去壳,切成丁粒,放在碗内,加入鸡蛋浆、精盐、味精、猪油、葱花,用筷子搅匀。

用花生油起镬,将搅匀的蛋倒人锅内,炒至仅熟,即可上碟。

金银炒滑蛋

原料:皮蛋 4 只,鸡蛋 8 只,苏姜 50 克,花生油 100 克,精盐、味粉、胡椒粉等适量。

制法:鸡蛋去壳,放入大碗内,皮蛋去壳切粒,苏姜切粒。将精盐、味粉、胡椒粉、花生油一起倒人鸡蛋中打透,再加入苏姜粒和皮蛋粒拌匀。

烧镬下油,放入已拌好的蛋炒至仅熟,即可上碟。

芙蓉瑶拄

原料:熟湿瑶柱 100 克,叉烧丝 50 克,笋丝 150 克,湿菇丝 30 克,葱丝 5 克,净蛋 250 克,精盐、味粉、胡椒粉、麻油、花生油等适量。

制法:笋丝用开水滚过,捞起滤去水分。

在净蛋中加入熟瑶柱、叉烧丝、笋丝、湿菇丝、葱丝、精盐、味粉、胡椒粉、麻油搅匀。烧镬下油,倒人已拌匀的鸡蛋,用镬铲拨平修边,成圆形,煎至两面金黄色即可。

鸡蛋煎猪脑

原料:鸡蛋 6 只,猪脑 4 副,姜 2 片,葱 1 条,绍酒 10 克,花生油 100 克,精盐、味粉、麻油、胡椒粉等适量。

制法:先把猪脑的血筋挑除,放在碟上,加入姜、葱、酒、盐,人笼蒸熟,滤去水分。鸡蛋去壳,加味粉、盐、麻油、胡椒粉、猪脑拌匀。

武火烧镬下油,放入拌匀的鸡蛋猪脑,用文火煎至两面呈金黄色,即可上碟。

油炸凤凰量

原料:鸡蛋 6 只,猪瘦肉 400 克,生粉 50 克,马蹄 100 克,葱花 10 克;粉盐、老抽、味粉、胡椒粉、白糖等适量,花生油 1 000 克。

制法:先将鸡蛋煮熟去壳,用盐水腌浸备用。马蹄切成小粒。再将瘦肉剁烂,调入精盐、味精、老抽、白糖、生粉,搅至起胶,加入马蹄粒、葱花,拌匀作皮,将鸡蛋裹上,撒上生粉,放入油镬炸至金黄色,捞出切片(每个切 4 块)上碟。

瘦肉蒸咸蛋

原料:瘦肉300克,咸蛋2只,淡二汤30克,生粉、精盐、味粉、生抽、花生油各适量。

制法:将瘦肉剁烂,加入精盐、味粉、生粉拌匀,搅至起胶,把咸蛋白、花生油加入肉中拌匀,倒放碟上铺平。

用刀面将咸蛋黄压碎,放在肉面上,入笼蒸熟,取出,用淡二汤与生粉调匀,淋在肉面上即可。

鸡蛋蒸鱼片

原料:鸡蛋3只,鱼片200克,花生油50克,淡上汤300克,精盐、胡椒粉、生抽、味粉、葱花各适量。

制法:先将鸡蛋去壳打烂后加入上汤、精盐、味粉,拌匀后倒入大碟,放入笼用文火蒸。

再将鱼片与精盐、花生油拌匀,待笼内水蛋蒸至八成熟时,将鱼片、葱花铺放在蛋面上,再加盖蒸熟。取出后,撒上胡椒粉,淋上生抽、熟油,即可食用。

蛋黄鸡粒蟹盒

原料:咸蛋黄5只,鸡粒蟹肉各50克,鲜虾肉50克,熟澄面100克,干面粉5克,姜米、绍酒、白糖、生抽、味精、胡椒粉、淡上汤、麻油等适量,花生油1 000克。

制法:将姜米、鸡粒、鲜虾肉爆透,溅入绍酒,加入上汤、味粉、白糖、生抽炒熟,放入蟹肉,用干面粉打芡,制成馅料。

将蛋白蒸熟搽烂,加入熟澄面、味粉、猪油、胡椒粉、麻油搓匀,压成24件薄皮。用底面皮各1件,包上馅料,将边捏紧,制成盒形。

将油烧滚，把蟹盒炸至金黄色上碟，跟淮盐、隐汁一起上席。

烘卷筒蛋

原料：牛肉（绞烂）250 克，上肉（绞烂）150 克，净蛋 50 克，净面包 150 克，味精 15 克，胡椒粉 1 克，精盐 10 克，白糖 7 克，去壳熟鸡蛋八只，清水 50 克。

制法：绞肉中加入味精、精盐、胡椒粉、白糖等搓透。先用清水发湿面包，与绞肉拌匀，再加净蛋拌匀，即成肉馅。

将肉馅分为两份，分别铺放在铺平的餐巾上，每份肉馅上排上 4 只熟鸡蛋，卷实后放入烘盘里，将餐巾抽出，便成为卷筒蛋。

将盛有两卷卷筒蛋的烘盘放入炉里烘四十分钟便熟。待冷却后切为 24 件排在碟里上席。

油泡牛奶

原料：牛奶 300 克，蛋白 150 克，淀粉 45 克，鸡柳肉 60 克，蟹肉 75 克，火鸭片 60 克，火腿蓉 5 克，味精 6 克，精盐 3 克，淡上汤，湿蹄粉 10 克，胡椒粉、麻油少许，猪油 1 000 克。

制法：把蛋白充分搅拌，鸡柳肉捶烂与澄面和匀。用味精 5 克、精盐 2 克与牛奶和匀。把牛奶烧热，与处理好的蛋白、鸡柳和匀。

在淡上汤中加入味精、精盐、胡椒粉、麻油、湿蹄粉调成碗芡。

把火鸭肉斜刀切成小榄核片形。

把猪油烧至沸，以除去水分，把沸油倒出，再把镬烧猛，重新把油倒回镬中，待油温升至 80 摄氏度时，把镬端离火位，把已处理好的牛奶徐徐放进镬内，去油后下鸭肉片、蟹肉，放入碗芡，再加包尾油炒匀上碟，将火腿蓉撒在上面。

四喜炒牛奶

原料:牛奶300克,蛋白200克,炸榄仁25克,腌虾仁100克,鸡肝粒50克,生粉30克,味精7克,精盐4克,胡椒粉、麻油少许,火腿蓉5克,猪油500克。

制法:用牛奶50克与生粉调匀,备用。

用沸水把鸡肝粒略烫熟,隔起。

将猪油烧至70摄氏度左右时,下虾仁拉油,下熟鸡肝粒略拉油。

蛋白充分搅抖打透后,去除泡沫,再与炸榄仁、虾仁及鸡肝粒混匀备用。

取牛奶250克,加入味精、精盐、胡椒粉拌匀,烧热,再与上述备用料(牛奶拌生粉,蛋白拌榄仁、虾仁、鸡肝)混和,加入麻油备用。

武火烧镬,下猪油搪镬,再下新猪油25克及上述备用料炒匀,再下猪油15克炒匀,炒至起山形后迅速取起,放于碟中,把火腿蓉撒于面上。

蟹黄蒸牛奶

原料:牛奶450克,蛋白200克,蟹黄150克,蟹肉75克,味精10克,精盐4克,胡椒粉、麻油少许,淡上汤100克,湿蹄粉10克,白醋5克,绍酒15克,猪油500克。

制法:取18寸的大碟一只,扫上猪油。将牛奶烧沸,加白醋、味精(7克)、精盐(4克)。把蛋白打透,去泡沫后与牛奶一起搅匀,倒进碟内用文火蒸熟,取起。

用沸水将蟹黄烫过,滤干水。

武火烧镬,用猪油搪过,再倒人猪油烧至70摄氏度时,下蟹黄拉油，隔起。去油后把蟹肉放进油镬中，溅入绍酒、淡上汤，调入味精(2克)、精盐、胡椒粉少许，用湿蹄粉打芡，下蟹黄，再加麻油、包尾油拌匀，取起铺在牛奶上面。

鲜奶炒虾仁

原料：牛奶300克，蛋白200克，鲜虾仁150克，味精6克，精盐4克，胡椒粉、麻油少许，澄面(或生粉)30克，猪油500克。

制法：取牛奶50克与澄面搅匀，在剩下的牛奶中加入味精、精盐及胡椒粉烧沸。

蛋白充分打透，除去泡沫。

把猪油烧至80摄氏度，下虾仁拉油，再把虾仁与上述已处理好的牛奶和已打透的蛋白一起混匀。

武火烧镬，下猪油(25克)，把上述混匀的各料炒匀，再加猪油(15克)，炒至起山形便可上碟。

鲜虾云山豆腐

原料：腌虾仁300克，淡上汤450克，鸡蛋白200克，味精10克，精盐3克，胡椒粉、麻油少许，湿蹄粉5.6克，猪油500克。

制法：取淡上汤400克，加入味精6克、精盐(3克)烧沸后待用。

把鸡蛋白充分打透，去除泡沫，再与上述上汤一起搅匀。

取18寸大碟一只，扫上猪油，把搅匀的上汤蛋白倒进碟内，用文火蒸熟，取起，便成“云山豆腐”。

把猪油烧至100摄氏度后，下虾仁拉油，去油后加上汤50克，调入味精(2克)、精盐、胡椒粉，加湿蹄粉打芡，再加麻油、包尾油拌匀，取起，铺放在“云山豆腐”上。

火蓉酿白鸽量

原料：白鸽蛋1打，虾胶240克，熟火腿蓉5克，淡上汤150克，芡汤15克，菜远200克，胡椒粉、麻油少许，湿蹄粉10克，绍酒15克，生粉10克，精盐2克，味精2克，白糖少许，芫荽叶5克，猪油（或花生油）75克。

制法：把鸽蛋蒸熟，待冷却后剥壳切成两半，扫人干生粉，酿上虾胶，把虾胶面扫滑，蘸上火腿蓉、芫荽叶，然后用武火蒸熟。

用猪油起镬，下菜远加精盐（2克）炒至九成熟，隔起，滤干水，再起镬，下菜远，加芡汤，湿蹄粉（5克），炒匀后，取起围在蒸熟的酿蛋边。

用猪油起镬，溅入绍酒、淡上汤，调入精盐、味精、白糖、胡椒粉，加湿蹄粉（5克）打芡，再加麻油、包尾油拌匀，取起淋在百花蛋面上。

鲜菇肫球川鸽蛋

原料：白鸽蛋12只，肫球225克，川汤料（笋花20克，短菜远90克、鲜菇片75克），淡上汤1 500克，淡二汤1 000克，精盐7克，味精10克，绍酒15克，胡椒粉少许，猪油25克。

制法：用文火把白鸽蛋蒸熟，取出用清水漂冷后剥壳，浸于150克沸淡二汤中。

用猪油起镬，加淡二汤850克，把川汤料烫熟，盛人窝内，以鸽蛋围边。另把肫球烫熟，隔起，用油起镬，溅入绍酒，把肫球炒过，盛在窝内川汤料面上。

烧沸淡上汤，调入精盐、味精、胡椒粉等味料，待汤再沸时去除泡沫，倒出淋在窝内。

蟹肉酿鹑蛋

原料:鹌鹑蛋1打,虾胶240克,蟹肉100克,蛋白50克,淡上汤100克,胡椒粉、麻油少许,湿蹄粉10克,味精3克,精盐2克,白糖1克,干生粉10克,绍酒15克,猪油或花生油75克。

制法:把鹌鹑蛋蒸熟,冷却后去壳,切为两半,扫上干生粉,酿上虾胶,把虾胶面扫滑,盛在碟上蒸五分钟,熟后过碟。

用猪油起镬,溅入绍酒、淡上汤,调入味精、精盐、白糖、胡椒粉,放进蟹肉,用湿蹄粉打芡,再加蛋白、麻油、包尾油拌匀,倒出淋在虾胶酿蛋面上。

绉纱白鸽蛋

原料:白鸽蛋两打,湿竹笙300克,鲜菇片100克,菜远150克,绍酒25克,淡二汤1000克,生抽、老抽各5克,味精5克,淡上汤200克,精盐7克,胡椒粉、麻油少许,芡汤15克,蚝油5克,湿蹄粉25克,干生粉25克,白糖2克,猪油500克(耗油125克)。

制法:把竹笙改净去花,切成长约一寸二分的小件,先用沸水滚过,再用猪油起镬,溅入绍酒(5克),用淡二汤(500克)加精盐(3克)煨过,隔起,吸干水;鲜菇片用同样方法滚煨。

用猪油起镬,下鲜菇、竹笙,溅入绍酒5克,淡上汤(100克),调入精盐(1克)、味精(3克)、白糖(1克),加湿蹄粉(5克)打芡,再加麻油、包尾油拌匀上碟。

用猪油起镬,下菜远,加精盐炒至九成熟,隔起。再起镬,下菜远,溅入绍酒(5克),加入芡汤,加湿蹄粉(10克)炒匀,取起,围于边上。

把浸熟去壳的鸽蛋取出,上老抽后拍上干生粉。起镬,下猪油,烧至140摄氏度左右时下鸽蛋,把镬端离火位,炸至鸽蛋呈绉纱皮,捞起,去油。在镬中溅入绍酒(5 克),加淡上汤 10 克,调入蚝油、白糖(1 克)、味精(3 克)、胡椒粉、生抽等味料,加湿蹄粉(10 克)打芡,下炸过的鸽蛋,再加麻油、包尾油拌匀,取起,放在竹笙面上。

腰花煎鸽蛋

原料:白鸽蛋 24 只,鸡腰 24 粒,鲜菇 300 克,菜远 200 克,老抽 5 克,白糖 2 克,胡椒粉、麻油少许,湿蹄粉 35 克,绍酒 25 克,蚝油 10 克,淡二汤 500 克,淡上汤 250 克,精盐 4 克,芡汤 15 克,猪油(或花生油)125 克。

制法:把鸽蛋磕开,分盛于碗中,各加精盐适量。

把鸡腰浸熟,剪去筋,浸于开水中。

鲜菇用沸水烫过,再用淡二汤煨过,隔起,把鲜菇顶部刺穿,吸干水。

鸽蛋分 24 次煎,每次煎蛋均放鸡腰 1 只,煎至蛋的两面呈金黄色为止,取起分两行放碟中。

用猪油起镬,下菜远加精盐(3 克)炒至九成熟,隔起。再起镬,下菜远,溅入绍酒(5 克),加入芡汤,加湿蹄粉(10 克)炒匀,取起,围于煎鸽蛋的四周。

猪油起镬,下鲜菇,溅入绍酒(10 克)、调入蚝油(5 克)、老抽(3 克)、白糖(1 克),加淡上汤(50 克)、湿蹄粉(10 克)打芡,再加麻油、包尾油拌匀,取起,围在菜远边。

猪油起镬,溅入绍酒(10 克),加淡上汤(200 克),调入蚝油(5 克)、白糖、胡椒粉、老抽(3 克),加湿蹄粉(15 克),打芡,再加麻油、包尾油拌匀,倒出淋在煎鸽蛋面上。

五柳炒松花蛋

原料:净鸡蛋 400 克,皮蛋两只,五柳料 100 克(切粒),味精 4

克，精盐3克，胡椒粉少许，猪油100克。

制法：把皮蛋稍蒸后去壳，切成小片，用猪油炒过。

在净蛋中调入味精、精盐、胡椒粉，再加猪油(50克)、皮蛋、五柳料粒打匀。

武火烧镬，下猪油搪过，再下猪油及上述已打匀的蛋液，炒至刚熟时上碟。

虾胶炸酿鸽蛋

原料：白鸽蛋九只，虾胶180克，净蛋4克，面包糠100克，干生粉25克，芫荽10克，罐头菠萝150克，花生油1000克。

制法：把白鸽蛋蒸熟，去壳，切成两半，拍上干生粉，酿上虾胶，把虾胶面扫滑，涂上净蛋，拍上面包糠。

起镬，下花生油，烧至80摄氏度时，下虾胶酿鸽蛋，把锅端离火位，待酿鸽蛋浸炸至呈金黄色，取起，盛在碟中，用菠萝围在鸽蛋边，再用芫荽围在菠萝边。

鲜虾炒滑蛋

原料：鲜蛋250克，腌虾仁200克，葱花5克，味精5克，胡椒粉、精盐少许，麻油适量，猪油500克。

制法：把鸡蛋磕破盛在碗中，调人味精、葱花、精盐、胡椒粉、麻油，加猪油(50克)充分打透。

下猪油烧至70摄氏度时，下虾仁拉油至刚熟，隔起，放进蛋液中拌匀。

武火烧镬，倒人猪油，下蛋液拌虾仁，用文火炒至刚熟上碟。

猪牛羊肉菜烹饪法

糖醋猪肉脯

原料：瘦猪肉300克，鱼肉150克，肥猪肉50克，鸡蛋2只，洋葱头50克，辣椒50克。芫荽，蒜蓉，麻油，胡椒粉，味精，精盐，干、湿生粉等各适量。糖醋200克，花生油750克。

制法：将洋葱、辣椒切成件，肥肉切成粒，瘦肉、鱼肉分别剁成蓉。把剁好的肉放在大碗中，加入精盐和味精拌匀，边拌边搅至起胶，然后加入湿生粉、鸡蛋、麻油、胡椒粉、芫荽，拌匀再搅至起胶。最后加入肥肉粒拌匀，唧成约20克重的丸子，放在盛有干生粉的碟上，让肉丸粘满生粉，用手将丸子压成棋子形。

武火烧镬下油，烧至七成热，改用文火，放入肉丸浸炸至熟，即放入洋葱略炸片刻，捞起。去油爆香蒜蓉、辣椒，放糖醋，至微滚时用湿生粉“打芡”，再放入肉脯，炒匀上碟。

酸甜咕噜肉

原料：猪夹心肉400克，青、红辣椒片5克，酸果100克，葱白5克，干、湿生粉共200克，糖醋汁200克，精盐、蒜蓉等少许，生油1 000克，炸虾片12件(块)。

制法：将猪肉切成薄片，用刀拍松，再切成边长2厘米方块，放入碗内，加盐、生油、干生粉腌制后，再一块块拍上干生粉。

烧镬下油，将油烧滚，放入肉片，改用文火浸炸，至九成熟捞出。再用武火将油烧滚，把肉重炸，至肉熟，连油倒出滤干油。再起镬，将酸果、葱白、蒜蓉、青红椒片一起人镬爆炒，倒人糖醋汁烧滚，用湿生粉打芡，再将炸熟的肉片投入，拌匀后上碟，用12件炸片围边，即可上席。

芋头扣肉

原料:五花肉500克,净芋头400克,南乳20克,老抽30克,绍酒15克,白糖15克。花椒、八角末、蒜蓉、湿生粉各适量。淡二汤200克,花生油800克。

制法:将芋头洗净晾干,切成长方形,用滚油炸透。

将五花肉刮洗干净,用汤煮至七成熟,捞起涂上老抽,放入油镬,用武火炸至皮呈红色,取出用冷水漂洗浮油,然后切成跟芋头大小的长方形原件。

将蒜蓉、南乳、花椒、八角末、老抽、白糖和切好的熟肉拌匀,然后将一件猪肉和一件芋头相夹起来排扣在大碗内(肉皮朝下),人笼蒸炝。

将蒸炝的扣肉,倒出原汁,覆盖在碟上。用武火起镬,放入原汁,加入淡二汤、老抽、湿生粉打芡,淋在扣肉上。

腩肉蚊章鱼

原料:干章鱼150克,腩肉500克,姜2片,蒜肉30克,精盐、绍酒、白糖、味精、生抽、湿生粉、老抽、花生油等适量。

制法:把章鱼洗净切件。腩肉洗净切件,加生抽、老抽拌匀,用生油爆炒至金黄色。

烧镬下油,爆香姜蒜,落章鱼,调入精盐、味精、白糖、生抽、溅入绍酒,注入适量清水,用文火炆至八成念,再加入腩肉炊至念身,加入湿生粉打芡,拌匀上碟。

果汁猪扒

原料:瘦肉500克,洋葱粒100克,鸡蛋2只,果汁200克,虾片

25 克，绍酒 15 克，米酒 25 克，干生粉 90 克，姜、葱(捶裂)各 20 克。食粉、生抽各少许，花生油 1 000 克。

制法：将瘦肉去筋，片为厚 3 毫米的大片，再改为长 4 厘米、宽 3 厘米的小件，然后用刀背将肉片两面捶松，用姜、葱、生油、食粉、米酒腌二十分钟，将姜、葱去掉，加入净蛋捞匀，再加生粉拌匀。

武火烧镬下油，至 150 摄氏度时，将虾片炸脆，去油后，将肉片排在镬中，半煎半炸，至肉身硬。再去油，将肉片逐件翻转，煎炸另一边，至身硬，加油烧滚，将镬端离火位，再浸炸至九成熟。将油倒去，加入洋葱粒，溅入绍酒，再加入果汁，用包尾油炒匀上碟，用虾片伴边。

脆炸肉丸

原料：无皮猪肉 400 克，脆浆 250 克，干生粉 20 克。味粉、精盐、胡椒粉、麻油等适量。花生油 1 000 克。

制法：先将猪肉剁烂，加入精盐，边拌边搅至起胶，然后调入味粉、胡椒粉、麻油、干生粉再拌匀，挤成圆形，每粒重 15 克，用武火蒸熟。

将熟肉丸上脆浆。武火烧镬，落油，将油烧滚，把已上浆的肉丸炸熟，倒在笊篱内，去油上碟，与淮盐、喼汁一齐上席。

悲翠肉丸

原料：瘦猪肉 500 克，蛋白 100 克，干生粉 60 克，菜远 300 克。精盐、味粉、胡椒粉、湿生粉、麻油、花生油等适量。淡二汤少许。

制法：先将瘦肉切成肉片，放入盆中加水漂洗三十分钟，捞起肉片，吸干水分，用刀剁烂成蓉，再改用刀背剁至起胶，放入盆内，加入蛋白、干生粉、精盐、味粉、胡椒粉、麻油、花生油，搅匀后搅至起胶。

将肉馅唧成肉丸，滚水下镬，文火浸熟，用笊篱捞起，滤去水分。

烧镬下油，将菜远炒熟，起镬后排放在碟上。

再起镬下油，加入肉丸、二汤，调入精盐、味粉、胡椒粉，用湿生粉打芡，加麻油、包尾油后拌匀，将肉丸连汁铺放在菜远面上。

酸梅蒸排骨

原料：肉排400克，酸梅肉15克，白糖15克，老抽、蒜蓉各5克，豆豉10克，干生粉、花生油各少许。

制法：将肉排洗净，斩成小块，加入酸梅肉、白糖、老抽、蒜蓉、豆豉、干生粉，拌匀后放在碟上，面上加油，放入笼蒸至汁清，即可出笼。

纸包排骨

原料：排骨500克，食用玻璃纸12张(20厘米见方)，精盐、味精、老抽、白糖、胡椒粉、绍酒等适量，姜米、葱花少许，花生油1000克。

制法：将排骨洗净切成2X 1厘米的长方件，加入精盐、味精、老抽、白糖、胡椒粉、绍酒，腌制人味。将腌好的排骨包成约12包。

武火烧镬下油，将包好的排骨放入油镬中炸熟上碟。

糖醋排骨

原料：肉排500克，鸡蛋1只，糖醋300克，辣椒丝30克。蒜蓉、葱段、精盐、干、湿生粉等适量。花生油1000克。

制法：将肉排洗净斩件，加入精盐、干生粉、鸡蛋拌匀，稍腌片刻，再给排骨件拍上干生粉。

武火烧镬下油，至七成熟时，加入已拍上生粉的排骨，用武文火炸至金黄色捞起，散热后回油镬炸至酥脆。

去油后将镬放回火位，先加入蒜蓉、葱段、辣椒丝，再放入糖醋，用湿生粉打芡，芡滚时加入排骨捞匀，再加包尾油拌匀上碟。

蚊排骨

原料：腩排 1 000 克，姜 2 片，葱 2 条，桂皮 1 片，八角 2 粒，精盐、绍酒、老抽、片糖、淡二汤、花生油等适量。

制法：将腩排洗净斩块（5 条骨为 1 块），吸干水，用精盐擦匀，腌二十分钟。

烧镬下油，放下腩排煎至两面皆黄色，加入姜片、葱条、桂皮、八角、绍酒、老抽、二汤、片糖，煮至糖溶而排骨颜色均匀时，加盖炆至骨熟透。取出切为每条骨 1 件，便成。

豉汁蒸排骨

原料：肉排 300 克，豆豉 5 克，独子蒜 1 粒，精盐、白糖、生粉、老抽、葱段、花生油等适量。

制法：将肉排洗净斩件。用刀背将豆豉、独子蒜锤烂成蓉，跟排骨件拌匀，再加入生粉、白糖、精盐、老抽拌匀，最后加入花生油拌匀，铺平，人笼蒸熟，取出加入葱段便成。

南乳炆猪手

原料：净猪手 300 克，南乳 10 克，淡二汤 500 克，白糖、生抽、老抽、蒜蓉（鲜蒜白也可）、味粉、花生油、湿生粉等适量。

制法：先将猪手洗净斩件。

武火烧镬下油，爆香蒜蓉、南乳，加入二汤、白糖、生抽、老抽，把猪手炆念(炆时火力不宜过猛)。加入味粉,用湿生粉打芡,加尾油拌匀,即可上碟。

金钱猪手

原料:猪手 1 000 克,湿冬菇 200 克,绍菜胆 500 克,姜片 2 件,葱条 2 条,老抽、生抽、八角、麻油、胡椒粉、花生油等适量。

制法:将猪手刮洗干净,斩开边,横刀斩断骨筋(皮不要斩断),放在镬中用文火煮熟,取起后用洁净毛巾吸去水分,趁热将老抽涂在猪皮上。

开油镬,将猪手炸至金黄色时捞起去油,将炸好的猪手重放镬中,加入姜葱、八角、老抽、生抽、白糖炆十分钟,加入冬菇,炆至猪手焾时,将猪手、冬菇扣在碗中。

将绍菜胆用油炸过,捞起放在碗中扣焾备用。

再倒出猪手原汁,并把扣好的猪手、冬菇覆置于碟上,将扣念的绍菜胆伴边,用原汁打芡,淋在菜面上。

生菜圆蹄

原料:整理好的猪圆蹄(猪蹄)1 只(约 1000 克),生菜胆 400 克,葱条 2 条,绍酒 15 克,老抽 20 克,湿生粉 20 克,淡二汤 1 200 克,精盐、味粉、白糖、麻油、八角等适量。花生油 2000 克。

制法:将猪圆蹄切成圆形,直径约 18 厘米,在肉上刻上 4 刀成井字形,深度约 4 毫米,然后用火烧去幼毛,放入冷水盆内洗刮干净,取起。

用开水下镬,水量以浸过猪圆蹄为宜,将猪圆蹄浸至七成熟捞起用洁净毛巾抹去水分,趁热将老抽涂在猪皮上,跟着用针在猪皮上扎上小孔。

将花生油烧至八成热,将圆蹄肉放入油镬(皮向下),炸至大红色，取起放在瓦炖盆内（炖盆内用竹笪垫底），加入淡二汤、葱条、八角、精盐、绍酒、味粉、白糖，煲滚后，下老抽再煲1小时至炝，取起，放在瓦钵内（皮向下）回笼蒸热，留回原汁400克备用。

烧镬下油，放入生菜胆，加精盐、二汤爆至九成熟，倒在笊篱滤干水分。将圆蹄覆盖在碟中，以生菜胆伴边。

将原汁400克烧至微滚，加入麻油，用湿生粉打芡，加包尾油拌匀，淋在圆蹄面上便成。

蚝豉烧乳猪

原料：去骨烧乳猪300克，蚝豉100克，发菜50克，柱侯酱、生抽、老抽各30克，精盐、白糖、绍酒、胡椒粉、姜粒、蒜蓉、花生油等适量，淡二汤300克，湿生粉20克。

制法：用清水浸蚝豉一小时后洗净，用水滚煮30分钟捞起，另用姜、葱、绍酒、二汤100克滚煨十五分钟，倒人漏壳滤去水分。把烧乳猪切成长方形。

烧镬下油，放入烧猪、蚝豉，加入余下二汤，调入柱侯酱、生抽、老抽、精盐、白糖、绍酒、姜粒、蒜蓉，用文火炆煮二十分钟上碟，然后按1件乳猪1只蚝豉的顺序排砌在一只盘内。

把发菜浸透洗净，用水加油、盐滚煮十五分钟，捞起揸去水分，然后把发菜放在乳猪蚝豉上，再倒人原汁，整碗隔水蒸六十分钟取起，倒出原汁，把乳猪蚝豉覆于碟上。另起镬用原汁、湿生粉打芡，加包尾油、胡椒粉拌匀，淋在乳猪蚝豉上，即可上席。

添丁姜醋猪脚

原料：猪手2只（约1 000克），姜肉300克，鸡蛋12只，黑甜醋800克，花生油少许。

制法：将姜肉洗净拍裂。猪手刮洗干净斩件，用滚水滚5分钟，再用清水漂洗干净，捞起滤干水分。

将鸡蛋原只煮熟，用清水浸冷后去壳。

烧镬下油，爆香姜及猪手，加入精盐、拌匀，转入瓦镬，加入鸡蛋，注入甜醋，用文火煲焓便成。

白云猪手

原料：猪手 1 000 克，白醋 600 克，白糖 240 克，生姜 30 克，精盐 10 克，糖精、五柳料各适量。山泉水 1 000 克。

制法：猪手去毛剖开两边，斩断大骨留皮相连。将山泉水烧滚，下猪手，用文火煲至仅熟（皮仅可离骨为准）。

将猪手捞起切件，放入流动的泉水中浸漂十二小时，捞起滤干水分。

将白醋、白糖、生姜、糖精、精盐一同煮滚，用瓦盆盛载，取洁布滤过。待醋冷却后，把猪手放入浸泡六小时。

捞起上碟，拌五柳料上席。

大良野鸡卷

原料：肥肉、瘦肉各 500 克，火腿 50 克，鸡蛋 1 只。精盐、白糖、味粉、汾酒、生抽、干生粉等适量。生油 1 200 克。

制法：先将肥肉和瘦肉片切成约 20 厘米长、16 厘米阔的薄片。肥肉片用汾酒腌二十分钟。瘦肉片用精盐、白糖、味粉、生抽、汾酒、鸡蛋拌匀，腌二十分钟。火腿切成幼条。把腌好的肥肉拍上干生粉、铺开，再将腌好的瘦肉拍上千生粉后铺在肥肉上，用火腿条做心卷起成条状，用蛋白开生粉粘口，入笼用武火蒸熟（约二十分钟），取起冷却后，切成棋子形小件，落油镬用文火炸至金黄色上碟，用芫荽伴边，与淮盐、喼汁同时上席。

猪肉酿节瓜

原料:半肥瘦猪肉500克,湿虾米、湿冬菇粒各30克,节瓜4条,精盐、味粉、湿生粉、生抽、淡上汤等适量,花生油1 500克。

制法:将猪肉中的肥和瘦分开,并分别剁烂。在剁烂的瘦肉上加入精盐、味粉拌匀,挞至起胶,再加入肥肉、湿生粉、冬菇粒、虾米,拌匀备用。

节瓜刮去皮,并切去头尾部分(切出的头尾留下备用),挖去瓜瓤,将拌好的猪肉馅酿人瓜膛内,将切出的头尾封口,并用竹签固定。

把酿好的节瓜放在油镬中稍炸片刻捞起。去油后,把节瓜放回镬内,加入上汤,炆念,调入精盐、生抽、味粉,用湿生粉打芡,加麻油、包尾油拌匀,即可上碟。

七彩肉丁

原料:瘦猪肉粒300克,油炸腰果300克,红萝卜粒100克,芥兰粒、鲜笋粒各200克,洋葱粒50克,红、青椒粒共100克,蒜蓉、精盐、味粉、湿生粉、绍酒、麻油、花生油等适量。

制法:先将红萝卜粒、芥兰粒、鲜笋粒用开水滚过,捞起滤去水分。

烧镬下油,将红萝卜粒、芥兰粒、鲜笋粒下镬,调入精盐、味粉炒匀,用湿生粉打芡捞起后倒在漏壳里,滤去水分。

将瘦肉粒用湿生粉拌匀,放入油镬炸至仅熟,倒人漏壳,滤去油分。

烧镬下油,爆香蒜蓉、葱粒和青、红椒粒,再加入瘦肉粒、红萝卜粒、鲜笋粒、芥兰粒,溅绍酒,用湿生粉打芡,加麻油、包尾油炒匀上碟。

红烧肉

制法:将有皮上肉5000克切好,放入汤罉滚至五六成熟,取出过清冷水,晾干水分,用刀在瘦肉部位直划几刀,使肉质容易人味,但不宜过深,以避烧熟变形。

用五香味料85克放在肉面上擦匀,再用吊钩把肉钩起,先用白醋抹过猪皮,再用滚水淋一次,然后抹上糖水。

将肉放入炉内烧十五分钟取出,用特制钉板在猪皮上插孔,然后再人炉烧熟,色泽以大红为佳。

叉烧

原料:半肥瘦猪肉5000克,精盐75克,生抽150克,老抽50克,调味酱25克,白糖315克,汾酒150克。

制法:将猪肉改成厚薄均匀的长条状,放在洁净的瓦盆里,加入上述味料,腌约四十五分钟,用叉烧环将肉逐条穿起,人炉用武文火烧三十分钟至熟,出炉后待热气消除,再淋上糖浆,即可食用。

桂花香扎

原料:腌瘦肉片、冰肉片、煎蛋皮各1件,咸蛋黄3只,芫荽3条,网油1件,泡熟鸭肠3条。糖浆适量。

制法:将腌瘦肉片、冰肉片片成丁方约18厘米、厚约3毫米的薄片,煎蛋皮的长阔规格与此相同,网油改切成长约30厘米、阔约18厘米的片。

先将网油铺平在台面,然后按次序铺上冰肉片、煎蛋皮、腌瘦肉片,顶层铺上芫荽,再将咸蛋黄捏成条状,放在芫荽上,卷成圆筒。用鸭肠在圆筒的头尾烧一周,再用鸭肠环烧扎紧。

用腌叉烧料把圆扎腌约二十五分钟，取出放在炉火上，用武文火烧约二十五分钟至热（用手指捏过，无弹性为熟），取出淋上糖浆，即可切件上碟。

卤水猪蹄

原料：猪脚 1 只（约 700 克），片好冰肉 300 克，瘦肉 400 克，汾酒 20 克，老抽 5 克，生抽 20 克，白糖 20 克，精盐 10 克。

制法：将猪脚内骨和甲骨除去，使脚皮保持猪脚形，将瘦肉筋除去，再片成长 15 厘米、阔 5 厘米、厚 5 毫米的肉片，然后用生抽 10 克，老抽 5 克，白糖 10 克，精盐 5 克，汾酒 10 克腌十五分钟取起，用叉烧环挂起，入炉烘至爽身时取出，冷却后用刀拍扁改成 10 厘米长、5 厘米阔、2 毫米厚的肉片，加入余下生抽、白糖、精盐、汾酒腌十五分钟后备用。

将猪脚皮向下铺平，将瘦肉、冰肉一件夹一件成“麒麟”形直放在猪脚里，将猪脚皮的两端向内反起，跟着用两块长约 15 厘米、阔 5 厘米的木板夹着两侧，用草绳从膝部托起，至脚尖处止，并把膝部的猪皮与肉类修齐，将修出的肉类塞人脚尖处，使扎蹄丰满完整光滑。

将扎好的扎蹄放入卤水罉，用文火浸三十分钟取出，用特制的钉板打孔，再放回卤水掌浸至“够身”取出，冷却后再扎新草，扎时按原来草绳位置扎回原样，扎后再放回卤水罉浸片刻，取出冷却即成。

香烧桂肠衣

原料：肥猪肉 125 克，瘦猪肉 75 克，鸡肝 100 克，肠衣 11 克，白糖 50 克，五香粉少许，精盐 8 克，生抽 20 克，老抽 5 克，汾酒 15 克，姜汁酒 5 克，陈皮末少许。糖浆适量。

制法:将猪肉、鸡肝切成大于豆的小粒(鸡肝用姜汁酒腌过),加入上述味料腌四十五分钟,再加清水50克拌匀作馅,酿人肠衣内,用特制的钉板打孔上环,用滚水淋在肠身上至硬,再入炉烧熟,取出淋上糖浆即成。

冰肉烤蛋肝

原料:猪肝500克,咸鸭蛋5只,糖冰肉325克,生抽、精盐、姜汁各10克,葱汁、汾酒各15克,白糖30克。

制法:将猪肝500克切成5条,每条用长尖刀从厚处直插到尾(不可插穿)成一长孔,落味料腌十五分钟,咸鸭蛋去壳,取蛋黄压扁,整只蛋黄包上冰肉65克后,塞人猪肝孔内,在人口处横插一支竹签,防止脱出。

将冰肉蛋黄肝放入滚水略滚,捞起放入卤水掌滚至八成熟,穿人叉烧环,人炉烤熟,取出淋上糖浆即成。

四色炒肉丝

原料:瘦肉丝300克,鲜笋丝200克,红萝卜丝50克,韭黄50克,青红椒丝30克,炸米粉丝30克,芡汤30克,湿生粉10克,绍酒10克,姜丝、蒜蓉、精盐、麻油、胡椒粉等适量,花生油500克。

制法:将笋丝、红萝卜丝用盐水滚过,捞起滤去水分。

肉丝用湿生粉拌匀,芡汤加麻油、胡椒粉、湿生粉调成碗芡。

烧镬下油,至四成熟,将肉丝拉油至熟,倒入笊篱里,滤去油分。把镬端回火位,随即放入蒜蓉、姜丝、精盐、韭黄、笋丝,红萝卜丝、青红椒丝、肉丝,溅入绍酒,调入碗芡炒匀,加麻油、包尾油,抖匀上碟,将炸米粉放在菜面上,随即上席。

咸蛋蒸肉

原料:咸蛋2只,半肥瘦猪肉300克,味粉、精盐、生粉、生抽、花生油、淡二汤各少许。

制法:将猪肉剁烂,加入精盐、味粉、生粉拌匀,搅至起胶,再加入咸蛋白、花生油,拌匀后放在碟上铺匀。

将咸蛋黄用刀压扁,放在肉面上,人笼蒸熟,取出,用生抽与二汤调匀,淋在肉面上,即可食用。

虾片焗猪肝

原料:猪肝500克,淡上汤50克,姜、葱各15克,油炸虾片12块,食粉少许,生抽、绍酒、茄汁、喼汁、味粉、精盐、白糖、胡椒粉、湿生粉、麻油等适量,花生油1000克。

制法:将猪肝洗净,切成3厘米厚的件,用姜、葱(拍碎)、食粉、生抽拌匀腌二十分钟。

把猪肝放入滚水中拖过,捞起滤去水分,放入油镬拉油后,连油倒人笊篱里。把镬端回火位,溅绍酒,放入上汤,加入茄汁、喼汁、味粉、精盐、白糖、胡椒粉,然后加入猪肝拌匀,稍焖片刻,加湿生粉打芡,加麻油、包尾油拌匀上碟。

菜远炒猪肝

原料:猪肝300克,菜远200克,姜蓉、葱段少许,绍酒10克,精盐、味精、生抽、麻油、胡椒粉、干、湿生粉等适量,花生油50克。

制法:将猪肝洗净切件,吸去水分,用干生粉拌匀。

武火烧镬下油,放菜远,加盐炒熟捞出。再武火烧镬下油,落猪肝炒透捞出。爆香姜、蒜,再放入猪肝、菜远、溅酒,调入精盐、味精、生抽、胡椒粉，用湿生粉打芡，加麻油、包尾油，拌匀上碟。

脆皮猪肚

原料：猪肚 1 个（约 800 克），糯米 150 克，绿豆 100 克，猪肉粒 100 克，冬菇粒 30 克。干生粉 50 克、鸡蛋 100 克，精盐、味粉适量。花生油 1 000 克。

制法：将猪肚洗净后，用滚水浸十分钟，再刮去外衣。糯米、绿豆洗净，浸二十分钟后捞起。

把糯米、绿豆、冬菇粒、猪肉粒放在盆内，加入精盐、味粉拌匀，然后酿人猪肚内，用针线将人馅处密封。最后，将酿好的猪肚煲两小时至炝。捞起待其冷却。

用鸡蛋、干生粉、精盐、味粉调成糊状，均匀涂在猪肚上，再拍上干生粉，把猪肚放在油镬中炸至金黄色，取起切件上碟。

炒猪大肠

原料：猪大肠 500 克，青、红椒共 150 克，湿木耳 50 克，姜片、葱段、蒜蓉各 5 克，绍酒 10 克、生抽 10 克，精盐、味精、麻油、湿生粉适量，花生油 50 克。

制法：将猪大肠洗净煮至八成熟，捞起切三角片，用绍酒、姜片腌过。木耳、青红椒也切成三角片。

烧镬下油，爆香姜、蒜，加青红椒、木耳、精盐、味精，炒熟上碟。

再烧镬下油，落猪大肠爆炒，加入精盐、生抽、绍酒拌匀后加盖稍煮，再加入炒好的配料翻炒，用湿生粉打芡，下包尾油拌匀上碟。

凤眼肝

原料：鲜猪肝 500 克，冰肉 100 克，咸蛋黄 8 只，汾酒 15 克。

制法:将猪肝去净筋络,切成长8厘米、宽3厘米、厚3厘米的条状,再用银肝刀给每条猪肝刺一洞,使之成袋形。把冰肉改成菱形,用汾酒腌过,把蛋黄压扁,包住肥肉,粘上蛋白酿人肝内,用牙签插住,再用滚水滚过,然后放入卤水撑用文火浸二十分钟至熟,即可取出。

脆皮炸肠头

原料:洗净猪大肠头500克,糖醋芡2小碟,麦芽糠15克,白醋50克,绍酒5克,花生油120克。

制法:将大肠头煲炝,改用白卤水滚浸二十分钟,捞起吸干水分,用白醋、绍酒开麦芽糠,把七肠头上色,挂在通风处晾干。

武火烧镬下油,油滚,放入肠头炸至呈大红色,捞起切件上碟,用糖醋芡佐食。

榄仁炒牛肉

原料:腌牛肉125克,榄仁100克,葱段7.5克,姜米1.5克,生油500克,芡汤25克,湿淀粉7.5克,胡椒粉0.05克。

制法:烧镬放油500克,待油烧至3成热,把牛肉放入拉油至熟,倾在笊篱里,滤去油分,把镬放回炉上,将料头、牛肉放在镬中,用芡汤、湿淀粉、胡椒粉调匀为芡,加入榄仁炒匀上碟便成。

核桃、腰果、花生等可代榄仁,制法相同。

鲜笋炒牛肉

原料:牛肉100克,笋片150克,葱段15克,姜片1.5克,生油500克,绍酒10克,芡汤25克,胡椒粉0.05克,湿淀粉7.5克,麻油0.05克,精盐1.5克。

制法：先将笋片加盐滚过，倾在漏勺里，滤去水分，烧镬放油500克，将牛肉放入镬中拉油至熟，倾在笊篱里，利用镬中余油，把料头、笋片、牛肉等放入镬中，溅入绍酒，用芡汤、胡椒粉、湿淀粉、麻油调匀为芡．加上包尾油5克炒匀上碟便成。

冬笋、茭笋、鲜菇等炒牛肉制法相同。

郊菜炒牛肉

原料：牛肉125克，郊菜150克，姜片1.5克，生油500克，芡汤15克，淡汤10克，湿淀粉5克，胡椒粉0.05克。

制法：先将郊菜炒好砌在碟边。烧镬放油500克，将牛肉放人拉油至熟，倾在笊篱里，滤去油分，把镬放回炉上，将料头、牛肉放在镬中，用芡汤、淡汤、湿淀粉、胡椒粉调匀为芡，加上包尾油5克和匀，放在郊菜的中间便成。

薄脆牛肉

原料：牛肉125克，薄脆75克，葱段15克，姜片1.5克，生油500克，绍酒10克，芡汤15克，淡汤10克，胡椒粉0.05克，湿淀粉7.5克。

制法：先将薄脆放在碟中。烧镬放油500克，将牛肉放入拉油至熟，倾在笊篱里，滤去油分，把镬放回炉上，将料头、牛肉放在镬中，溅入绍酒，用芡汤、淡汤、胡椒粉、湿淀粉调匀为芡，加上包尾油5克和匀上碟便成。

韭黄牛肉

原料：牛肉100克，银针100克，韭黄75克，姜片1.5克，精盐0.5克，油500克，芡汤25克，胡椒粉0.05克，湿淀粉7.5克。

制法:先将银针、韭黄放在镬中,加精盐煸至三成熟,倒入漏勺里,滤去水分。烧镬放油500克,将牛肉放入拉油至熟,倒入在笊篱里,利用镬中余油,把银针、韭黄、料头、牛肉等放在镬中,用芡汤、胡椒粉、湿淀粉调匀为芡,加上包尾油5克炒匀上碟便成。

豉汁牛肉

原料:牛肉200克,蒜蓉1克,姜米1克,豆豉泥5克,葱段15克,油500克,绍酒10克,芡汤12.5克,淡汤12.5克,湿淀粉7.5克,胡椒粉0.05克。

制法:烧镬放油500克,将牛肉放入拉油至熟,倒入笊篱里,滤去油分,把镬放回炉上,将料头、牛肉放在镬里,溅入绍酒,用芡汤、淡汤、湿淀粉调匀为芡,加上包尾油5克,胡椒粉炒匀。

椒子牛肉制法相同,但要加上辣椒件同炒。

香炒牛肉

原料:牛肉125克,油条1条,葱段10克,姜片1.5克,油500克,绍酒5克,芡汤20克,淡汤5克,湿淀粉7.5克,胡椒粉0.05克。

制法:将油条切段,每段长3厘米。烧镬放油500克,把油条放入翻炸至脆,捞起,再把牛肉放入拉油至熟,倒在笊篱里,滤去油分,将料头、牛肉放在镬中,溅入绍酒,用芡汤、淡汤、湿淀粉、胡椒粉调匀为芡,加入油条、包尾油5克炒匀上碟便成。

青豆牛肉

原料:牛肉100克,青豆角150克,姜片1.5克,蒜蓉1克,油500克,精盐1克,开水50克,芡汤25克,湿淀粉7.5克,胡椒粉0.

05 克。

制法:用油 15 克起镬,将青豆角放在镬中,加精盐、开水煸至 9 成熟,倒在漏勺里,滤去水分。烧镬放油 500 克,把牛肉放入拉油至仅熟,倒在笊篱里,利用镬中余油,将料头、青豆角放在镬中炒过,加入牛肉,用芡汤、湿淀粉、胡椒粉调匀为芡,加上包尾油 5 克炒匀上碟便成。

菜远、芹菜、芥兰、通菜、荞菜等炒牛肉制法相同。

三冬牛肉

原料:牛肉 100 克,冬笋片 75 克,湿冬菇 40 克,冬菜 25 克,油 500 克,绍酒 10 克,二汤 50 克,精盐 1.5 克,味精 1 克,深色酱油 5 克,湿淀粉 7.5 克。

制法:烧镬放油 500 克,将牛肉放入拉油至熟,倾在笊篱里,把镬放回炉上,把冬笋、冬菇、冬菜等放在镬中,溅入绍酒,注入二汤,用精盐、味精调味,用深色酱油调为浅红色泽,随用湿淀粉打芡,加上包尾油 5 克、牛肉炒匀上碟便成。

冬菇牛肉制法相同。

茄汁牛肉

原料:牛肉 200 克,长葱榄或洋葱 15 克,芡汤 15 克,茄汁 15 克,白糖 5 克,湿淀粉 7.5 克,胡椒粉 0.05 克,油 500 克。

制法:先用芡汤、茄汁、白糖、湿淀粉、胡椒粉调匀为碗芡。烧镬放油 500 克,将牛肉放入拉油至熟,倾在笊篱里,滤去油分,把料头、牛肉放在镬中,将碗芡倒人,加上包尾油 5 克炒匀上碟便成。

咖喱牛肉

原料:牛肉200克,蒜蓉1.5克,辣椒末2.5克,葱粒1.5克,姜米1克,芡汤20克,湿淀粉7.5克,麻油0.05克,油500克,油咖喱15克。

制法:用芡汤、湿淀粉、麻油调匀为碗芡。烧镬放油500克,将牛肉放入拉油至熟,放在笊篱里,滤去油分,把镬放回炉上,将料头、油咖喱放在镬中爆香,放进牛肉,把碗芡倒人,加上包尾油2.5克炒匀上碟便成。

虾酱牛肉

原料:牛肉200克,姜丝1克,葱丝1克,绍酒10克,芡汤12.5克,淡汤12.5克,湿淀粉7.5克,胡椒粉0.05克,油500克,虾酱适量。

制法:烧镬放油500克,将牛肉放入拉油至熟,放在笊篱里,滤去油分,把镬放回炉上,将料头、牛肉放在镬中,溅入绍酒,用芡汤、淡汤、虾酱、湿淀粉、胡椒粉调匀为芡,加上包尾油2.5克炒匀上碟便成。

酸菜牛肉

原料:牛肉100克,烘干的酸菜梗150克,葱段15克,蒜蓉1.5克,豆豉泥7.5克,辣椒件25克,油500克,芡汤17.5克,糖醋7.5克,湿淀粉7.5克,麻油0.05克。

制法:烧镬放油500克,把牛肉放入拉油至熟,放在笊篱里,利用镬中余油,把料头、酸菜梗放在镬里炒透,加入牛肉,随用芡汤、糖醋、湿淀粉调匀为芡,加上包尾油5克、麻油炒匀上碟便成。

五彩牛丝

原料:牛肉丝100克,笋丝75克,洋葱丝50克,冬菇丝25克,青红辣椒丝25克,韭王40克,蒜蓉0.5克,干米粉15克,油500克,芡汤25克,湿淀粉7.5克,麻油0.05克。

制法:将镬烧红,放油500克在镬,待油烧至6成熟,把米粉放入炸至脆,捞起,再将牛肉丝放入拉油至熟,放在笊篱里,利用镬中余油,把蒜蓉、各种配料(除韭王外)放在镬中炒透,加入牛肉丝、韭王,随用芡汤、湿淀粉、麻油调匀为芡,加上包尾油5克炒匀,放在碟中,将炸好的米粉围绕在边便成。

笋炒牛肉丝制法相同,只用姜丝、葱丝为料头便可。

豉汁牛胸尖

原料:腌牛胸尖200克,蒜蓉1.5克,姜米1克,辣椒米2.5克,豆豉泥10克,姜汁酒10克,油500克,芡汤25克,湿淀粉7.5克,麻油0.05克。

制法:将切好的牛胸尖用姜汁酒拌匀,腌十分钟,用油500克起镬,待油烧至四成热,把牛胸尖放入拉油至仅熟,倾在笊篱里,滤去油分,将料头放在镬中爆香,加入牛胸尖,用芡汤、湿淀粉调匀为芡,加上包尾油5克、麻油和匀上碟便成。

豉汁牛服制法相同。

蚝油牛服

原料:牛服500克,葱段25克,姜片2.5克,油1 000克,绍酒25克,芡汤25克,淡汤25克,蚝油10克,白糖10克,深色酱油10克,湿淀粉15克。

制法:将切好的牛腰腌1小时。烧镬放油1 000克,待油烧至四成热,把牛腰放入拉油至仅熟,放在笊篱里,滤去油分,将镬放回炉上,把料头、牛腮放在镬中,溅入绍酒,用芡汤、淡汤、蚝油、白糖、深色酱油、湿淀粉调匀为芡,加上包尾油15克和匀上碟便成。

蚝油牛肉制法相同。

葱榄牛百叶

原料:洗擦干净的牛百叶500克,葱榄15克,姜片2.5克,油750克,芡汤50克,胡椒粉0.05克,湿淀粉15克。

制法:将牛百叶用沸水飞至三成熟,放在漏勺里,滤去水分。烧镬放油750克,待油烧至四成热,把牛百叶放入拉油至七成熟,放在笊篱里,将镬放回炉上,把料头、牛百叶放在镬中,用芡汤、胡椒粉、湿淀粉调匀为芡,加入包尾油15克,炒至仅熟上碟便成。

豉汁牛百叶制法相同,只将料头改为豉汁料便可。

鲜菇牛肉丸

原料:蒸熟的牛肉丸200克,焯熟的鲜菇300克,葱段15克,姜米1.5克,油25克,绍酒10克,精盐1.5克,味精2.5克,蚝油10克,上汤100克,湿淀粉12.5克,胡椒粉0.05克。

制法:先将鲜菇滚煨过,压去水分。用油15克起镬,把鲜菇放在镬中,溅入绍酒,加入精盐、味精、蚝油爆透,注入上汤,放入牛肉丸、料头,用湿淀粉打芡,加上胡椒粉、包尾油10克和匀上碟便成。

菜远牛肝

原料:腌牛肝125克,菜远150克,姜片1.5克,蒜蓉1克,油500克,绍酒10克,芡汤25克,胡椒粉0.05克,湿淀粉7.5克,精盐1克。

制法:先将菜远加盐煸至八成熟,放在漏勺里,滤去水分,再将牛肝用沸水飞至五成熟捞起。用油500克起镬,把牛肉放入拉油至八成熟,放在笊篱里,利用镬中余油,将料头、菜远、牛肝放在镬中,溅入绍酒,用芡汤、胡椒粉、湿淀粉调匀为芡,加上包尾油5克炒匀上碟便成。

豉椒牛腰

原料:牛腰心125克,辣椒件125克,葱段15克,蒜蓉1克,豆豉泥10克,油500克,绍酒15克,芡汤30克,湿淀粉10克,麻油0.05克。

制法:烧镬放油500克,将牛腰心放入拉油至仅熟,放在笊篱里,利用镬中余油,把料头、辣椒件放在镬中,加上牛肝,溅人绍酒,用芡汤、湿淀粉调匀为芡,加上包尾油5克、麻油炒匀上碟便成。

豆豉牛肉

原料:腌牛肉850克,豆豉150克,葱榄10克,蒜蓉2.5克,油500克,绍酒15克,芡汤17.5克,淡汤12.5克,湿淀粉12.5克,麻油0.05克。

制法:将晾干的豆豉放在油里炸至脆。用油500克起镬,把牛肉放入拉油至熟,放在笊篱里,滤去油分,将镬放回炉上,把料头、牛肉放在镬中,溅入绍酒,用芡汤、淡汤、湿淀粉、麻油调匀为芡,放入炸脆的豆豉,加上包尾油7.5克炒匀上碟便成。

蒜子牛肉

原料:牛肉350克,原粒蒜子150克,油500克,芡汤25克,淡汤10克,湿淀粉15克。

制法:先将蒜子放在油里炸至熟捞起,再将牛肉放入拉油至熟,放在笊篱里,滤去油分,把牛肉放回镬里,用芡汤、淡汤、湿淀粉调匀为芡,加入蒜子,加上包尾油10克炒匀上碟便成。

生炒牛肚

原料:牛肚500克,笋片400克,葱段15克,姜片1.5克,蒜蓉1.5克,开水500克,油35克,姜汁酒25克,芡汤(加味)75克,湿淀粉20克,胡椒粉0.05克,麻油0.1克,盐2.5克,食用纯碱粉80克(腌牛肚用)。

制法:先将牛草肚或金钱肚洗干净黑衣,用刀把牛肚直纹切为薄片,用食用纯碱粉拌匀,腌4小时,用清水漂清碱味。

烹调时,先将开水加盐把牛肚至四成熟捞起,滤去水分。随后用油250克起镬,将料头、笋片放在镬中炒透,溅入姜汁酒,用芡汤、湿淀粉调匀为芡,把飞熟的牛肚放入,加上胡椒粉、麻油、包尾油10克炒匀上碟便成。

说明:此品种在烹制时,主要掌握火候,操作要快速,否则,牛肚会变韧。

酸菜牛三星

原料:酸菜茎300克,牛肉100克,牛肝100克,牛百叶50克,葱段15克,蒜蓉2.5克,红辣椒件25克,豆豉泥12.5克,白糖15克,熟油7.5克,油500克,姜汁酒7.5克,绍酒15克,芡汤5克,糖醋25克,湿淀粉15克。

制法:将酸菜茎斜切为片,放在镬中烘干后,加上白糖、熟油炒匀,将牛肝用姜汁酒腌过。烧镬放油500克,待油烧至四成热,把牛肉、牛肝放入拉油至仅熟,放在笊篱里,利用镬中余油,将料头、酸菜片、牛肉等放在镬中，溅入绍酒，加入生的牛百叶，用芡汤、糖醋、湿淀粉调匀为芡，加上包尾油10克炒匀上碟便成。

兰豆炒牛肉

原料：牛肉100克，净兰豆50克，洋葱件50克，芹菜40克，湿云耳25克，姜片(1.5克)，蒜蓉1克，油500克，精盐1克，开水100克，湿淀粉10克，芡汤30克。

制法：用油15克起镬，将洋葱件、兰豆、芹菜放在镬中，加入精盐、开水煸至五成熟，倾在漏勺里，滤去水分。烧镬放油500克，待油烧至四成热，将牛肉放入拉油至熟，放在笊篱里，利用镬中余油，把料头、煸过的配料等，加上牛肉，用芡汤、湿淀粉调匀为芡，加上包尾油5克炒匀上碟便成。

家乡炒牛什、牛百叶、牛肝、牛腰心等制法相同。

果汁牛柳

原料：腌好的牛柳200克，威化15克，蛋浆7.5克，干淀粉100克，油15克，绍酒7.5克，二汤200克，精盐1.5克，味精2.5克，白糖5克，茄汁10克，湿淀粉7.5克，麻油数滴。

制法：先将牛柳用蛋浆拌匀，拍上干淀粉。用油100克起镬，把牛柳铺放在镬中，煎至两面金黄色，以熟为度，放在笊篱里，将镬放回炉上，溅入绍酒，注入二汤，加入精盐、味精、白糖、茄汁，把牛柳放入略浸一下取起，切为件放在碟上，将原汁用湿淀粉打芡，加麻油、包尾油5克和匀淋上便成。

咖喱、蚝油、唿汁等煎牛柳制法相同，只改用调味品便可。

蛋煎牛脑

原料:蒸熟的牛脑半副,净蛋150克,精盐1.5克,味精2.5克,油25克。

制法:将净蛋用碗盛着,加入精盐、味精打匀,把牛脑加入搅匀。用油起镬,将搅匀的牛脑倒在镬中,用铲把牛脑拨匀后搪成圆形,煎至两面金黄色,并略带焦香味,放在碟上便成。

酥炸牛丸

原料:熟的牛丸15个,每个10克。鸡蛋50克,干淀粉75克,油1 500克。

制法:将牛丸用鸡蛋拌匀,再拍上干淀粉。烧镬放油,待油烧至六成熟,把牛丸放在镬中,炸至蛋熟捞起上碟便成。

脆炸牛丸,则将牛丸蘸上脆浆,炸至脆便可。

窝烧牛腩

原料:熟牛腩150克,开水500克,八角1粒,精盐1克,味精1克,浅色酱油10克,姜件1件,油500克,脆浆适量。

制法:先将牛腩洗干净,放在汤掌里煲至焓,取起候冷却,切为粗大的条形,每条约75克,随在镬中注人开水,加入八角、精盐、味精、浅色酱油、姜件,把切为条形的牛腩放入滚十分钟,连渣带水倒在盆里浸着候用。炸时,将牛腩粘匀脆浆,放在油里炸浸至脆,呈象牙色泽,随即捞起切件,放在碟上便成。

酥炸牛脑

原料:熟牛脑150克,鸡蛋100克,干淀粉125克,油1000克。

制法:先将牛脑切为块(如拇指般大),再将鸡蛋加入干淀粉拌匀为糊状,把牛脑放入粘匀。烧镬放油,待油烧至六成热,将牛脑逐块放入炸至蛋黄色,以浆熟为度,捞起放在碟上便成。

蛋浆牛肉

原料:腌牛肉150克,蛋浆75克,面包糠100克,油1 500克。

制法:将牛肉用蛋浆拌匀后,逐件粘上面包糠,用手轻力压匀,使其粘牢。烧镬放油,待油烧至五成熟,将牛肉放入炸至熟,捞起上碟便成。

酥炸牛肉制法相同,但不要粘上面包糠。

牛肉三丝卷

原料:牛肉丝60克,笋丝60克,冬菇丝25克,韭王25克,薄饼3件,油500克,脆浆适量。

制法:先将上述原料炒好候冷,用薄饼卷为卷(扁)形,随粘匀脆浆,放在镬中油里炸至皮脆捞起,切为段(每条三段),放在碟上便成。

茄汁牛扒

原料:腌牛肉150克,洋葱粒50克,鸡蛋50克,干淀粉50克,油1 000克,二汤150克,精盐0.5克,白糖2.5克,喼汁15克,茄汁25克,湿淀粉10克,麻油数滴。

制法:将腌好牛肉剁为米粒形,放在碗中,加入洋葱粒,用鸡蛋、干淀粉搅匀,做成饼形(分为两个),烧镬放油,把牛饼放入油里炸至熟,倒在笊篱里,将镬放回炉上,注入二汤,加入精盐、白糖、喼汁、茄汁,随把炸熟的牛饼放在镬里略浸,用湿淀粉打稀芡,加上麻油、包尾油5克和匀上碟便成。

喼汁牛扒制法相同。

绍菜扒牛饼

原料:牛饼两个约150克,焓绍菜200克,油20克,二汤150克,精盐1.5克,味精1.5克,深色酱油5克,湿淀粉7.5克,胡椒粉0.05克。

制法:用油15克起镬,注入二汤,把炸熟的牛饼放在镬中,用精盐、味精调味,加入绍菜,用深色酱油调为浅红色泽,炆至牛饼身松,随用湿淀粉打较为稀的芡,加上胡椒粉、包尾油5克上碟,上碟时,绍菜在底,牛饼在面。

牛肉扒菜胆

原料:腌牛肉100克,生菜胆200克,油500克,开水500克,绍酒7.5克,上汤150克,精盐2克,味精2克,湿淀粉12.5克,深色酱油2.5克。

制法:用油10克起镬,注入开水,把生菜胆放入焯至六成熟,倾在笊篱里,滤去水分。用油15克起镬,把生菜胆放入镬中,溅入绍酒,注入上汤75克,用精盐1.5克、味精1.5克调味,随用湿淀粉7.5克打芡,加上包尾油5克和匀,排砌在碟中。烧镬放油500克,将牛肉放入拉油至熟,倒在笊篱里,把镬放回炉上,注人二汤75克,用精盐0.5克、味精0.5克调味,将牛肉放入,用深色酱油调色,用湿淀粉5克打芡,加上胡椒粉、包尾油2.5克,放在菜胆上便成。

牛肉扒节瓜

原料:牛肉 100 克,刮净皮节瓜 300 克,绍酒 7.5 克,精盐 2.5 克,开水 400 克,油 500 克,二汤 100 克,味精 0.5 克,湿淀粉 5 克,胡椒粉 0.05 克。

制法:将净节瓜切开两边放在水里滚十分钟,捞起放在瓦钵里,溅入绍酒,加上精盐 2 克、滚水(要浸过瓜面),随后放进笼内蒸至炝,取起放在碟中。烧镬放油 500 克,把牛肉放入拉油至熟,倒人笊篱里,把镬放回炉上,注入二汤,用精盐 0.5 克、味精调味,放入牛肉,用湿淀粉打芡,加上胡椒粉、包尾油 2.5 克和匀,放在瓜上便成。

牛肉扒冬瓜脯制法相同。

牛肉扒豆腐

原料:牛肉 100 克,大豆腐 2 件,油 500 克,绍酒 5 克,二汤 225 克,精盐 2.5 克,味精 2 克,湿淀粉 12.5 克,深色酱油 2.5 克,胡椒粉 0.05 克。

制法:先将豆腐切为厚件,用沸水浸过捞起,用油 10 克起镬,溅入绍酒,注入二汤 150 克,用精盐 2 克、味精 1.5 克调味,将豆腐放入炆透,和湿淀粉 7.5 克打芡,放在碟中,烧镬放油 500 克,把牛肉放入拉油至熟,倒人笊篱里,将镬放回炉上,注入二汤 75 克,用精盐 0.5 克、味精 0.5 克调味,用深色酱油调色,放入牛肉,用湿淀粉 5 克打芡,加上胡椒粉、包尾油 2.5 克和匀,放在豆腐上便成。

牛肉扒绍菜制法相同。

蚝油焗牛肝

原料:腌牛肝200克,威化5克,油500克,绍酒10克,二汤100克,蚝油10克,精盐1克,味精1克,白糖2.5克,湿淀粉7.5克,胡椒粉0.05克。

制法:先将牛肝用沸水略飞过。用油500克起镬,待油烧至四成热,把牛肝放入拉油至六成熟,倒入笊篱里,滤去油分,将牛肝放回镬中,溅入绍酒,注入二汤,用蚝油、精盐、味精、白糖调味,加盖盖着焖至仅熟,用湿淀粉打芡,加上包尾油5克、胡椒粉炒匀上碟,边伴炸威化便成。

茄汁、咖喱等焖牛肝制法相同。

红炆牛腩

原料:牛腩750克,姜100克,蒜蓉25克,油40克,绍酒15克,二汤750克,白糖15克,八角2粒,精盐5克,蚝油7.5克,味精2.5克,深色酱油10克,湿淀粉60克。

制法:先将牛腩洗干净,放入水里滚二十分钟,捞起切块,再将姜用刀拍扁切为碎丁形。用油25克起镬,把蒜蓉、姜碎、牛腩放在镬中爆透,溅入绍酒,注入二汤,加入白糖、八角,随后加盖盖着煲至滚,改用文火煲焗至念,用精盐、蚝油、味精调味,用深色酱油调色,用湿淀粉打芡,加上包尾油15克和匀,放在碟上便成。

茄汁、咖喱等炆牛腩制法相同,只将味料改用便可。

鲜笋炆牛腩

原料:炆念的牛腩125克,榄核形笋件100克,油20克,二汤100克,精盐1.5克,味精1克,深色酱油10克,胡椒粉0.25克。

制法:用油15克起镬,把牛腩、笋件放在镬中,注入二汤,用精盐、味精调味、用深色酱油调为浅红色泽,炆透后用湿淀粉打芡,加上包尾油5克、胡椒粉和匀上碟便成。

冬菇、鲜菇、北菇、茭笋、枝竹等炆牛腩制法相同。

马铃薯炆牛腩

原料:牛腩500克,马铃薯500克,姜100克,蒜蓉25克,油1500克,绍酒25克、二汤750克,精盐5克,味精5克,白糖15克,八角2粒,深色酱油10克,胡椒粉0.05克,湿淀粉50克。

制法:先将刮去皮的马铃薯洗干净切为斧头块,再将滚过的牛腩斩为块。烧镬放油1 500克,待油烧至六成热,把马铃薯放人炸至熟透,倾在笊篱里,利用镬中余油,将姜、蒜蓉、牛腩放在镬中爆透,溅入绍酒,注入二汤,用精盐、味精、白糖、八角调味,用深色酱油调色,加盖盖着煲煽至九成熟,加入马铃薯同炆至念,用湿淀粉打芡,加上胡椒粉、包尾油10克和匀上碟便成。

莲藕炆牛腩

原料:牛腩750克,净莲藕500克,姜100克,蒜蓉25克,油40克,绍酒25克,二汤1 000克,精盐6克,味精5克,白糖15克,八角2粒,深色酱油0.1克,湿淀粉60克。

制法:先将莲藕切开边后用刀拍扁切为块,放在镬中用水滚至念,捞起滤去水分。用油25克起镬,把姜、蒜蓉、斩好的牛腩放在镬中爆透,溅入绍酒,注人二汤,用精盐、味精、白糖、八角调味,用深色酱油调为浅红色,加盖盖着炆焖至八成炝,放人莲藕同炆至念,用湿淀粉打芡,加上包尾油15克和匀上碟便成。

慈姑炆牛腩等制法相同。

蚝油牛腩

原料:切好的牛腩200克,油20克,绍酒10克,二汤150克,精盐1克,浅色酱油5克,蚝油5克,味精1.5克,白糖7.5克,深色酱油7.5克,湿淀粉7.5克,麻油0.1克。

制法:将刮洗干净的牛腩放入汤掌里滚至埝,取起切去腩蛋(另用),然后切为椭圆形片厚5厘米。用油15克起镬,溅入绍酒,注入二汤,放牛腩在镬中,用精盐、浅色酱油、蚝油、味精、白糖调味,用深色酱油调色,用湿淀粉打较稀的芡,加上麻油、胡椒粉、包尾油5克和匀,砌在碟上便成。

茄汁、咖喱等牛腩制法相同,只改用调味料便可。

附:红炊、笋炊、咖喱等炆牛什与炊牛腩的制法相同。

金针煀牛肉

原料:腌牛肉200克,湿金针(黄花菜)75克,湿云耳75克,红枣两个(去核),姜片5克,油55克,二汤150克,精盐2克,味精2.5克,湿淀粉10克,胡椒粉0.05克。

制法:将瓦撑烧红,放入油50克,将姜片、牛肉放在掌中爆过,注入二汤,加入金针、云耳、红枣,用精盐、味精调味,加盖盖着煽至熟,用湿淀粉打芡,加上胡椒粉、包尾油5克和匀原掌上席便成。

冬菜蒸牛肉

原料:腌好牛肉125克,冬菜50克,浅色酱油7.5克,白糖5克,湿淀粉5克,熟油7.5克。

制法:将牛肉、冬菜放在碟中,加入浅色酱油、白糖、湿淀粉、熟油等拌匀,拨平后放入笼内蒸熟便成。

酸笋蒸牛肉

原料:牛肉125克,酸笋100克,白糖10克,浅色酱油7.5克,湿淀粉5克,熟油7.5克。

制法:将酸笋放在碟中,用白糖拌匀,再将腌过的牛肉用浅色酱油、湿淀粉拌匀,铺放在酸笋上,随放在笼内蒸熟,取起,加上熟油便成。

榨菜蒸牛肉

原料:牛肉125克,榨菜100克,浅色酱油7.5克,白糖5克,湿淀粉5克,熟油7.5克。

制法:将榨菜切为片,放在碟中,加上牛肉,用浅色酱油、白糖、湿淀粉、熟油等抖匀,用手按平后,放在笼内蒸熟便成。

梅菜、冲菜等蒸牛肉制法相同。

黄花云耳蒸牛肉

原料:牛肉125克,湿金针(黄花菜)75克,湿云耳25克,精盐1克,味精1.5克,干淀粉7.5克,熟油22.5克,浅色酱油7.5克,湿淀粉5克。

制法:将金针、云耳放在碗内,用精盐、味精、干淀粉、熟油15克拌匀,铺放在碟中,再将牛肉加入浅色酱油、湿淀粉、熟油7.5克拌匀铺在金针的面上,随放入笼内蒸至熟便成。

云耳蒸牛肝

原料:腌牛肝150克,姜片2.5克,湿云耳25克,精盐1.5克,味精1克,绍酒10克,湿淀粉10克,熟油10克。

制法:将牛肝放在碗内,用精盐、味精、绍酒、湿淀粉拌匀,加入姜片、云耳、熟油再抖匀,铺放在碟上,随后放入笼里蒸熟便成。

冬菜蒸牛肉饼

原料:腌牛肉150克,冬菜50克,精盐0.75克,白糖5克,陈皮末0.1克,湿淀粉15克,胡椒粉0.25克,熟油7.5克。

制法:将腌过的牛肉用刀剁为米粒形,用碗盛着,加入精盐、白糖、陈皮末、湿淀粉、胡椒粉,搅挞至起胶,随后将冬菜放入搅匀,加入熟油再搅匀,铺平在碟上,放进笼内蒸熟便成。

冲菜、梅菜等蒸牛肉饼制法柑同,但冲菜、梅菜等要切为米粒形。

生炆羊肉

原料:羊肉600克,姜米、蒜蓉各5克,姜汁酒50克,淡二汤800克,湿生粉30克。精盐、味精、白糖、老抽、麻油、花生油等适量。

制法:将羊肉洗净、斩件(每件约35克)。

烧镬下油,爆香姜米、蒜蓉,加入羊肉爆透,溅入姜汁酒,加二汤、精盐、味精、白糖、老抽,拌匀后加盖,用武文火炆至焓身,用湿生粉打芡,加麻油、包尾油,拌匀上碟。

红炆羊腩

原料:羊腩500克,去皮马蹄6个,湿冬菇30克,冬笋150克,姜100克,蒜蓉30克,萝卜300克。精盐、绍酒、白糖、老抽、蚝油、生粉、淡二汤等适量。花生油100克。

制法：萝卜去皮洗净切件，放入冷水中煲滚，捞起滤水。羊肉切件放入萝卜水中滚5分钟取起，用清水洗干净。

将冬菇揸去水分，姜去皮切厚件，马蹄切片，冬笋去皮，放入水中滚过，取起漂冷后切件。

武火烧油下镬，爆透姜、蒜、羊肉、冬菇、笋件，溅入绍酒，调人味粉、白糖、老抽、蚝油，加入马蹄炒匀，倒人二汤，用文火炆念，加湿生粉打芡，落包尾油，拌匀起镬上碟。

羊片扒鲜笋

原料：羊肉300克，鲜笋400克，姜花、葱榄、蒜蓉各少许，芡汤40克，生粉20克，姜汁酒、绍酒各15克，精盐、麻油、胡椒粉等适量。花生油1 000克。

制法：将羊肉洗净切片，加姜汁酒、生粉拌匀。鲜笋去皮洗净切片，用盐水滚过，捞起滤去水分。

将芡汤、麻油、胡椒粉、生粉调成碗芡。

武火烧镬下油，至100摄氏度时，将羊肉片拉嫩油，捞起，去油。把镬放回火位，落笋片，加入少许精盐，将笋片炒熟，盛在碟上。

再用武火烧油下镬，投人姜花、蒜蓉爆香，再加入羊肉片，葱榄，溅入绍酒，调入碗芡拌匀，加包尾油扒在鲜笋片上。

五彩羊丝

原料：羊肉丝200克，红萝卜、丝50克，鲜笋丝100克，青红椒丝30克，韭黄50克，精盐、味粉、胡椒粉、绍酒、生抽等适量，芡汤50克，生粉30克，花生油500克。

制法：将羊肉丝放入碗内，加少许生粉拌匀，稍腌，放入油镬拉油至熟，捞起去油，把镬放回火位，加入红萝卜丝、鲜笋丝、青红椒丝、精盐，炒透，加入羊肉丝，溅酒，调入各种味料，用芡汤、湿生粉打芡，撒人胡椒粉，加包尾油，拌匀上碟。

薄脆炒羊肉片

原料：羊肉350克，薄脆100克，蒜蓉、姜丝、葱榄各5克，绍酒15克，芡汤40克，湿生粉20克，胡椒粉、精盐、麻油、老油等适量。花生油500克。

制法：羊肉洗净切片，加湿生粉拌匀。

在芡汤中加入胡椒粉、精盐、麻油、老抽、湿生粉调成芡汁。

武火烧镬下油，烧至100摄氏度时，下羊肉片拉油至熟，捞起，去油后，把镬放回火位，爆香蒜蓉、姜丝、葱榄，加入羊肉片，溅入绍酒，炒匀，用芡汁打芡，加包尾油拌匀上碟，用薄脆伴边。

野味海鲜干货菜烹饪法

脆皮乳鸽

原料：乳鸽两只，糖醋 50 克，辣椒米、葱米、蒜蓉共 5 克，菠萝（切成扇形）三两半，糖浆 100 克，湿蹄粉 5 克，白卤水，花生油 1000 克。

制法：乳鸽宰净后，放进煮沸的白卤水中，用文火浸熟，取出后涂上糖浆皮，挂在通风地方晾干。

烧镬下花生油，烧至 150 摄氏度左右时，将乳鸽放入，炸至呈大红色，取去，倒去余油后在镬中加入糖醋和辣椒米、葱米、蒜蓉、湿蹄粉混匀，盛于碗中。

将炸好的乳鸽切件，每只切成六至八件上碟，以菠萝围边，糖醋佐食（或跟喼汁、淮盐佐食）。

菠萝焗乳鸽

原料：肥乳鸽三只，罐头菠萝 175 克，淡二汤 300 克，味精 5 克，生抽 12 克，绍酒 20 克，白糖 1 克，精盐 1 克，麻油 2.5 克，西汁 75 克，湿蹄粉 5 克，花生油 1 000 克。

制法：宰净乳鸽，用生抽 10 克腌十五分钟。然后武火烧镬，下花生油，把乳鸽爆过，再溅入绍酒（10 克）、淡二汤，调入味精、生抽 2.5 克、精盐及白糖，用文火煽至熟，连汁盛起。

把花生油烧沸，将乳鸽炸至金黄色（油温控制在 100 摄氏度左右），捞起去油后，溅入绍酒（10 克）、西汁，将乳鸽炯透，然后捞起切件，每只切成六至八件，排于碟中，用菠萝围边。

在炯鸽的原汁中，调人湿蹄粉打芡，加入麻油，拌匀后淋在鸽面。

珠江百花鸽

原料:乳鸽两只,虾胶360克,夜香花25克,蛋白15克,淡上汤200克,麻油0.5克,干生粉5克,湿蹄粉7克,绍酒10克,味精2.5克,精盐1克,胡椒粉0.5克,猪油50克。

制法:将乳鸽宰净,在腹部下刀剥皮,切去脚、翼及嘴,注意留头。去掉鸽皮内层的膏脂,切下鸽腿皮补贴在上翼窟窿处。用尖刀在鸽皮上戳几个小孔,然后把鸽皮铺在底笪上,撒上干粉,每张鸽皮酿上三两六钱虾胶,再用蛋白将虾胶扫平(中心稍低)。

用武火将处理好的鸽皮虾胶蒸约六分钟即熟,脚、翼另外蒸熟。蒸熟后的酿鸽每只切成12件(共24件),皮向上排于碟中,砌成鸽形,再放上脚及翼尖。

用猪油起镬,溅入绍酒、上汤,调入味精、精盐、胡椒粉,加入湿蹄粉打芡,再加麻油及包尾油拌匀淋于鸽面上,以夜香花围边(秋天可用菊花)。

葱姜蒸乳鸽

原料:乳鸽3只,葱丝35克,姜蓉35克,味精7.5克,精盐11克,郊菜(长约三四寸),淡上汤75克,芡汤400克,湿蹄粉35克,麻油0.5克,绍酒15克,猪油100克。

制法:将乳鸽宰净。将姜、葱、味精、精盐(7.5克)混和拌匀,取一半放入鸽肚内,另一半放在鸽面上,蒸约十一分钟,熟后去掉姜、葱,将每只鸽切成六至八件,排于碟中。

用猪油起镬,加入郊菜、精盐(3克),炒熟,隔起。再起镬下郊菜,溅入绍酒,用芡汤及湿蹄粉打芡,再加包尾油,取出,伴于鸽件边。

在蒸乳鸽的原汁中,加入蒸过的姜、葱,再加淡上汤、味精(3

克)、麻油及包尾油,拌匀淋于鸽件面上。

菜胆莲蓉鸽

原料:白鸽两只,生菜胆 400 克,罐头莲子 600 克,瘦肉 50 克,冬菇 25 克,火腿粒 235 克,芡汤 35 克,姜、葱各 10 克,味精 25 克,精盐 11 克,湿蹄粉,老抽 10 克,绍酒 7.5 克,胡椒粉 1 克,麻油 1 克,白糖 2.5 克,蚝油 5 克,淡二汤 500 克,花生油。

制法:莲子先用沸水烫过,再辗成莲蓉。

把鸽宰净,起全鸽,瘦肉、火腿、冬菇切成细粒。

用花生油起镬,把瘦肉粒炒熟,加入菇粒、火腿粒、莲蓉,调入味精(2.5 克)、精盐(1 克)、白糖(1.5 克)、胡椒粉(0.5 克)、麻油(0.5 克)拌匀,取出分别放入两只鸽肚内,把鸽颈打结,然后用沸水烫过,再在鸽身上扎针孔,涂上老抽,在 140 摄氏度油温下炸至呈金黄色,取起,放在炖盅内,再加入姜、葱、绍酒(5 克)、精盐(2.5 克)、味精(5 克)、加淡二汤,加盖将鸽炖焾。

倾出炖鸽原汁,将鸽覆转放于碟中,鸽腹向上,再用花生油起镬,下精盐(7.5 克)、炒生菜胆,加盖,于镬盖边溅入沸水,至生菜胆六成熟时取起,滤干待用,再起镬,放入生菜胆,溅入绍酒一钱,加进芡汤、湿蹄粉(10 克)炒匀,再加包尾油拌匀,最后伴于炖鸽边。

用油起镬,在炖鸽原汁中放入剩下的老抽、蚝油、白糖、胡椒粉、湿蹄粉(5 克),调为金黄芡,再加麻油和包尾油拌匀淋于鸽上。

菠萝煎鸽脯

原料:鸽脯 250 克,菠萝 100 克,净蛋 35 克,干生粉 65 克,绍酒 15 克,果汁 100 克,味精 2 克,精盐 2 克,花生油 150 克。

制法:将鸽宰净,起肉,切成六片,捶松,再改切成长一寸三分,宽九分,厚约一寸的小件,即为鸽脯:

鸽脯用味精、精盐、绍酒(10克)腌过,加入蛋及生粉拌匀。

武火烧镬,下花生油,把鸽脯排人镬中,半煎炸至呈金黄色,去油溅入绍酒(5克)、果汁,加包尾油拌匀上碟,用菠萝围边。

云腿拼鸽片

原料:鸽片400克,云腿125克,姜花2.5克,葱榄5克,净蛋20克,干粉40克,湿粉20克,绍酒15克,胡椒粉、麻油少许,芡汤30克,花生油750克。

制法:将云腿用沸水烫过,用净蛋拌匀,再拍上干生粉。将花生油烧至80摄氏度时,放入云腿炸至呈金黄色后切成薄片。

在芡汤中加入胡椒粉、麻油、湿蹄粉调成碗芡。

武火烧镬,用花生油搪镬。换上新花生油,烧至约100摄氏度时,放入鸽片,“拉嫩油”至熟,捞起,倒去油,放入姜花、葱榄和鸽片,溅入绍酒,加入碗芡炒匀,再加包尾油拌匀上碟,以炸云腿围边。

菜透炒鸡肝鸽片

原料:鸽片125克,鸡肝125克,菜远350克,姜花1.5克,芡汤35克,精盐3克,湿蹄粉25克,绍酒15克,蛋白10克,胡椒粉、麻油少许。猪油500克。

制法:把鸡肝切成厚片,用沸水烫过,白鸽起肉,切成薄片,加入蛋白和湿蹄粉10克拌匀。

用猪油起镬,放入菜远和精盐,炒至菜远八成熟,隔起。

在芡汤中加入胡椒粉、麻油和湿粉十五调成碗芡。

武火烧镬,用猪肉搪镬。换上新的猪油,把鸽片和鸡肝片放进镬内“拉嫩油”,温度控制在100摄氏度左右,熟后捞起,倒去油后,放入姜花、菜远和肉类,溅入绍酒、碗芡,炒匀。再加入包尾油炒匀上碟。

酿焗禾花雀

原料:腌禾花雀 24 只,虾胶 360 克,淡上汤 150 克,白糖 1.5 克,干生粉 15 克,麻油 0.5 克,蚝油 5 克,老抽 1 克,味精 2.5 克,湿蹄粉 15 克,绍酒 15 克,胡椒粉少许,猪油(或花生油)125 克。

制法:将腌禾花雀背部切开,拍平扫上干生粉,酿上虾胶,扫滑。

武火烧镬,下猪油,把酿好的禾花雀排在镬内,煎至两面呈金黄色,取出排在碟上(酿虾胶的一面朝上)。

用猪油起镬,溅入绍酒、淡上汤,加入白糖、蚝油、老抽、味精、胡椒粉,用湿蹄粉打芡,再加麻油及包尾油,拌匀后取出淋于虾胶面上。

上汤焗禾花雀

原料:腌禾花雀 24 只,姜片、葱条各 10 克,淡上汤 175 克,淡二汤 500 克,味精 4 克,白糖 3.5 克,绍酒 15 克,嗯汁 4 克,蚝油 5 克,麻油少许,胡椒粉少许,湿蹄粉 10 克,柠檬一只,猪油(或花生油)500 克。

制法:武火烧镬,下猪油,烧至 190 摄氏度左右,把腌禾花雀炸过,捞起,去油,用沸淡二汤把禾花雀略烫过。

用猪油起镬,放入姜片、葱条把禾花雀炒匀,溅入绍酒、淡上汤,调入味精、白糖、隐汁、蚝油、胡椒粉,加盖把禾花雀焖熟。用湿蹄粉打芡,再加入麻油和包尾油拌匀上碟,禾花雀腹部朝上,去掉姜、葱,并把柠檬横切为两半伴边上席。

炒鹌鹑松

原料：鹌鹑3只，瘦肉100克，鸡膏50克，肝肠75克，湿冬菇粒25克，鸡蛋黄75克，葱米5克，蒜蓉0.5克，姜米1克，笋米450克，干生粉10克，湿蹄粉60克，芡汤0.5克，绍酒15克，老抽10克，胡椒粉2.5克，麻油2.5克，蚝油10克，生菜片两碟，猪油（或花生油）500克。

制法：把宰净的鹌鹑的头、脚、翼切下并去骨，头切为两半，再将头、脚、翼上干生粉，放进油镬中炸透候用。

把鹌鹑、瘦肉、鸡膏，分别剁烂，再混合成鹌鹑松，肝肠切成米粒般大小。

笋米用沸水滚过，挤1水分后，下镬用文火炒干。

在芡汤中加入蚝油、老抽（5克）、胡椒粉、麻油、湿蹄粉（20克）调成碗芡。

用鸡蛋黄、湿蹄粉（40克）与鹌鹑松拌匀，然后放进镬里炒香，再放入肝肠、湿冬菇粒、葱米、蒜蓉、笋米、姜米，加入老抽（5克）一起炒匀，溅入绍酒，加碗芡炒透，再下包尾油炒匀上碟，砌上头、脚、翼，与已消毒的生菜片两碟一起上席。

冬菇鹌鹑脯

原料：鹌鹑4只，炖好湿冬菇200克，净蛋25克，葱段10克，姜花1.5克，蒜蓉1.5克，淡上汤175克，老抽1.5克，蚝油7.5克，味精4克，精盐0.5克，白糖1克，绍酒15克，麻油0.5克，胡椒粉少许，干生粉3.5克，湿蹄粉5克，花生油750克。

制法：将鹌鹑浸死，烫水脱毛，从背部下刀取出内脏，起去腔骨、“四柱骨”（翼骨、腿骨），把鹌鹑捶松，切件，每只鹌鹑切为六至八件（称鹌鹑脯）。

用精盐与鹌鹑脯拌匀，再与净蛋、干生粉拌匀。

武火烧镬，下花生油，烧至120摄氏度左右时，下鹌鹑脯浸炸至呈金黄色后捞起，倒去余油。放入蒜蓉、姜花、鹌鹑脯，溅人绍酒，加入淡上汤，调入胡椒粉、老抽、蚝油、味精、白糖等，加入湿冬菇拌匀，再加入葱段、湿蹄粉、麻油和包尾油拌匀上碟。

糯米酿鹌鹑

原料：糯米100克，鹌鹑4只，瘦肉粒75克，生鸭肫粒75克，火腿粒25克，湿冬菇粒25克，菇米10克，菠萝半罐，姜片、葱条各10克，净蛋75克，葱花2.5克，味精7.5克，精盐7.5克，干生粉125克，湿蹄粉10克，麻油0.5克，胡椒粉0.5克，绍酒25克，老抽0.5克，花生油500克。

制法：将鹌鹑浸死，烫水脱毛，再由颈部切开小孑L，取出全部骨头及内脏，切出脚，便为全鹌鹑。

瘦肉粒用干生粉25克拌匀；生鸭肫用沸水烫熟；糯米用清水浸透，用沸水煽两次，再用清水洗净。

用花生油起镬，放入处理过的糯米、瘦肉粒、肫粒、火腿粒、冬菇粒，调入精盐(4克)、味精(5克)炒匀，溅入绍酒(15克)拌匀，分成四份，酿人全鹌鹑内，将鹌鹑颈牵过肩夹打结，用水滚过，在鹌鹑身上扎针孔，盛于汤窝内，加入精盐(3.5克)、味精(2.5克)、绍酒(10克)、姜片、葱条、开水，加盖炖至炝。

取净蛋与湿蹄粉5克调成浆，涂在酿鹌鹑身上，再上干生粉。

武火烧镬，下花生油，烧至120摄氏度左右时，下鹌鹑，把镬端离火位，将鹌鹑浸炸至呈金黄色，捞起，倒去余油。然后把炸好的鹌鹑每只切为六件，排在碟中，以菠萝围边。另外将炖酿鹌鹑的原汤倒进镬内，放入菇米、葱花、老抽、胡椒粉，加入湿蹄粉5克，再加麻油和包尾油拌匀，分三小碟跟炸酿鹌鹑上席。

冬菇花胶烩鹧鸪

原料:鹧鸪丝250克,花胶350克,炖冬菇丝50克,瘦肉丝125克,姜、葱各10克,淡上汤1500克,淡二汤500克,湿蹄粉50克,味精90克,精盐10克,绍酒15克,胡椒粉1克,老抽1克,花生油500克。

制法:湿蹄粉10克与鹧鸪丝拌匀,略烫熟后盛于汤窝内,加进淡上汤250克、绍酒10克、味精4克、精盐2.5克、姜葱各5克,把鹧鸪丝炖过后,去掉姜葱,留用。

花胶切成粗丝,先用沸水烫过,再用姜葱各5克、淡二汤、精盐1.5克煨过。

肉丝用湿蹄粉5克拌匀,放进油温为170摄氏度左右的油镬内拉油至熟,捞起,去油。溅入绍酒5克,加入淡上汤125克及处理过的鹧鸪丝、花胶丝、瘦肉丝,调入精盐(5克)、味精、胡椒粉等,再加入冬菇丝,烧至微沸时倒人湿蹄粉40克,加老抽包尾油拌匀上窝。

炸榄仁鹧鸪丁

原料:鹧鸪丁370克,炸榄仁370:克,蛋白15克,葱榄1.5克,姜米1克,蒜蓉1克,绍酒15克,芡汤45克,湿蹄粉2.5克,麻油05克,胡椒粉少许,花生油750克。

制法:鹧鸪丁与蛋白、湿蹄粉(10克)拌匀。

在芡汤中加入湿蹄粉15克、麻油、胡椒粉调为碗芡。

武火烧镬,下花生油,烧至140摄氏度左右时,下鹧鸪丁"拉嫩油"至熟,捞起,去油,放入葱榄、姜米、蒜蓉、鹧鸪丁,溅入绍酒,调入碗芡,再下炸好的榄仁,加包尾油炒匀上碟。

油烧田鸡腿

原料:田鸡腿250克,十字笋350克,净蛋20克,葱段10克,蒜蓉1.5克,姜花1.5克,淡上汤125克,干生粉15克,麻油0.5克,胡椒粉0.5克,老抽2.5克,味精2.5克,蚝油2.5克,白糖1.5克,湿蹄粉15克,精盐2.5克,花生油750克。

制法:在沸水中加入精盐把十字笋烫过,隔起,在田鸡腿中加入精盐、净蛋拌匀,然后拍上干生粉。

武火烧镬,下花生油,烧至100摄氏度左右时,把田鸡腿炸透,捞起,再放入十字笋炸过,捞起,去油。放入姜花、蒜蓉、葱段及炸好的十字笋,溅入淡上汤,调入味精、蚝油、白糖、老抽等味料,再加胡椒粉、湿蹄粉打芡,放入炸好的田鸡腿,加入麻油和包尾油拌匀上碟。

大地鱼田鸡腿

原料:厚竹笋片350克,田鸡腿250克,大地鱼净肉5克,葱段10克,姜花1.5克,蒜蓉1.5克,淡上汤150克,味精3.5克,精盐3.5克,白糖2.5克,绍酒15克,胡椒粉0.5克,麻油0.5克,湿蹄粉20克,花生油750克。

制法:将厚竹笋片用沸水加入精盐2.5克烫过;田鸡腿用湿蹄粉5克拌匀。

大地鱼肉提前炸透,待冷却后研为细末。

武火烧镬,下花生油,烧至100摄氏度时,下田鸡腿拉油,捞起,去油,放入姜花、蒜蓉、葱段、笋片,田鸡腿,溅入绍酒,加入淡上汤,调入味精、精盐(1克)、白糖加大地鱼末(2.5克)、胡椒粉略炆后,再加入湿蹄粉15克、麻油和包尾油拌匀上碟,面上再撒上大地鱼末2.5克。

山瑞鹌蛋

原料:鹌鹑蛋12只,山瑞1只(重约1 250克),烧肉150克,湿冬菇50克,蒜子50克,姜米1克,蒜蓉1克,姜、葱各15克,陈皮米1.5克,绍酒25克,味精5克,精盐5克,老抽15克,白糖2.5克,蚝油10克,生抽10克,胡椒粉5克,麻油0.5克,干生粉10克,湿蹄粉25克,淡二汤750克,花生油1 000克。

制法:鹌鹑蛋用冷水浸没,加盖用文火蒸熟去壳。

将宰净的山瑞去膏油,斩去趾甲,然后将其斩成每件约20克重的小件。

蒜子切去头尾,烧肉也切成件(每件重约15克),大只的冬菇每只切成两件。

山瑞件用沸水烫过。武火烧镬,放入花生油、姜(10克)、葱(10克)、山瑞件炒匀,再用清水洗去膏油,去掉姜、葱,然后加生抽5克,干生粉5克拌匀。

武火烧镬,下花生油,烧至190摄氏度左右时,将山瑞件、蒜子炸过,捞起,倒去油。再放入山瑞、烧肉、姜米、蒜蓉炒匀,溅入绍酒(15克)、淡二汤(400克)、陈皮米、味精(1.5克)、白糖(2克)、蚝油(8克)、老抽(13克)炆过,放入冬菇,拌匀,再排于碗里蒸至念。

把山瑞壳烫熟,洗去"衣",放入汤窝里,加姜(5克)、葱(5克)、精盐(2.5克)、味精(2.5克)、绍酒(10克)、淡二汤(250克)浸没蒸念,取起,脱出山瑞"裙",切件围边。

武火烧镬,下花生油,放入生抽(5克)、干生粉(5克)拌匀的鹌鹑蛋,炸至呈金黄色时捞起,倒去油。倒出蒸山瑞等的原汁,把盛山瑞的窝覆转于碟中,再放入炸过的鹌鹑蛋,撒上胡椒粉。

用花生油起镬,倒人原汁及淡二汤(100克),加入味精(1克)、老抽(1.5克)、白糖(0.5克)、蚝油(1.5克),再加入湿蹄粉打芡,加麻油和包尾油拌匀,把芡淋在山瑞、鹌鹑蛋上,再将山瑞壳盖上,排上"裙",再淋上芡汁。

红烧果子狸

原料:果子狸 600 克,火腩 150 克,湿冬菇 50 克,蒜子 50 克,蒜蓉 1.5 克,姜米 1.5 克,湿陈皮米 2.5 克,姜片 25 克,葱条 25 克,柠檬叶 10 片,姜汁酒 25 克,绍酒 25 克,淡二汤 500 克,味精 7.5 克,白糖 2.5 克,老抽 10 克,蚝油 15 克,精盐 1 克,湿蹄粉 15 克,麻油 0.5 克,胡椒粉 0.5 克,猪油 1 000 克(耗油 125 克)。

制法:将果子狸宰洗干净,斩为约 25 克一件的小件,分别用柠檬叶水和姜汁酒水烫过,然后用猪油起镬,爆香姜片、葱条与果子狸炒匀加沸水煨过。

武火烧镬,下猪油,蒜子炸过,捞起,去油,放进蒜蓉、姜米、果子狸、火腩炒匀,溅入绍酒,加淡二汤(400 克),放入陈皮米,调入味精(5 克),精盐(5 克),白糖(1.5 克),老抽(5 克),蚝油(10 克),将果子狸炆过,然后将果子狸排在碗中,上面放火腩、炸过的蒜子和冬菇,一起蒸焓后倾出原汁留用,把蒸料覆转放于碟中。

用猪油起镬,放入蒸果子狸原汁、淡二汤(100 克),调入剩下的味精、精盐、白糖、老抽、蚝油等味料,再加入胡椒粉,用湿蹄粉打芡,再加麻油和包尾油拌匀,取出淋在果子狸面上。

鳘肚烩果狸

原料:熟果狸肉 300 克,鳘肚 250 克,湿冬菇丝 100 克,鸡丝 150 克,蛋白 10 克,柠檬叶 10 片,陈皮丝 2.5 克,老姜片 25 克,淡上汤 2 100 克,淡二汤 1 100 克,味精 10 克,老抽 3.5 克,精盐 10 克,姜汁酒 25 克,绍酒 25 克,胡椒粉 1 克,湿蹄粉 60 克,猪油 1000 克。

制法:用柠檬叶、老姜片(10 克),加水煮沸烫果狸肉两次。然后取老姜(15 克)、陈皮丝和淡二汤(400 克),与果狸肉一起煲念,取出果狸肉切为丝。

用猪油起镬,放姜汁酒、淡二汤(300 克),把果狸丝煨过,隔过,盛于汤窝里,加入淡上汤(100 克)、绍酒(10 克)、精盐(2 克)、味精(2.5 克)、胡椒粉少许。

用蛋白、湿蹄粉(5 克)拌匀鸡丝,武火烧镬,下猪油,烧至 80 摄氏度左右时,放入鸡丝,拉油后捞起。

用沸水将鳖肚丝烫过,用猪油起镬,溅入绍酒 10 克,淡二汤(300 克),精盐(1.5 克)把鳖肚丝煨过,隔起。

用猪油起镬,溅入绍酒(5 克),淡上汤(2000 克),放入果狸丝、冬菇丝、鳖肚丝,调人剩下的精盐、味精、胡椒粉味料等,烧至微沸后加入剩下的湿蹄粉打芡,再放入老抽及鸡丝拌匀上窝。

菊花烩三蛇

原料:熟三蛇丝 300 克,去皮火鸭丝 100 克,鸡丝 150 克,湿冬菇丝 75 克,湿木耳丝 60 克,蛋白 10 克,葱条 10 克,姜丝 50 克,陈皮丝 5 克,淡上汤 2100 克,淡二汤 1 000 克,元肉汁少量,姜汁酒 10 克,绍酒 25 克,味精 10 克,精盐 10 克,湿蹄粉 50 克,老抽 5 克,猪油 100 克。另薄脆两小碟,菊花(消毒)两小碟,柠檬叶 10 片切丝,供佐食用。

制法:用猪油起镬,放入葱条、姜汁酒、淡二汤(500 克)、精盐(2.5 克),将蛇丝煨过,隔过,盛于汤窝内,加入淡上汤(200 克),味精(2.5 克),猪油(25 克),绍酒(5 克),把蛇丝蒸透。

用沸水将姜丝烫过,漂去辣味,另把木耳丝用沸水烫过。用猪油起镬,加入绍酒(5 克),淡二汤(500 克),把木耳丝煨过。

用蛋白,湿蹄粉 5 克与鸡丝拌匀,放进油温为 80 摄氏度左右的猪油里“拉嫩油”,捞起,候用。

用猪油起镬,溅入绍酒(5 克)、淡上汤(2100)克,放入蛇丝、火鸭丝、冬菇丝、滚过的姜丝、木耳丝、陈皮丝、元肉汁及剩下的精盐、味精等味料，待烧至微沸时加入老抽，推人湿蹄粉九钱，放入拉油后的鸡丝拌匀上窝，与菊花、柠檬叶丝、薄脆等佐料一起上席。

五彩炒蛇丝

原料：蛇丝 250 克，竹笋丝 25 克，青、红辣椒丝 50 克，韭黄 50 克，湿冬菇丝 25 克，甘笋丝 50 克，姜丝 2.5 克，蒜蓉 1.5 克，姜片 2.5 克，葱条 10 克，柠檬叶 5 片（切丝），米粉 10 克，淡上汤 2.5 克，淡二汤 250 克，芡汤 35 克，胡椒粉 0.5 克，麻油 0.5 克，绍酒 15 克，味精 4 克，精盐 4 克，湿蹄粉 25 克，猪油 25 克，花生油 1 000 克。

制法：沸水 500 克，放入精盐 2.5 克，分别把竹笋丝和甘笋丝烫过，取出挤干水分，芡汤加湿蹄粉、味精 1 克、麻油和胡椒粉调为碗芡。

用花生油起镬，放入姜片、葱条、蛇丝炒过，溅入绍酒（10 克）、淡二汤，加入精盐（1 克），将蛇丝煨过，盛于碗里，加入猪油、味精（3 克）、淡上汤，蒸片刻后，去掉水及姜、葱。

武火烧镬，下花生油，烧至 150 摄氏度左右时，放入米粉炸至呈象牙色，捞起。

用花生油起镬，放入蒸过的蛇丝及姜丝、蒜蓉、青红辣椒丝炒匀，溅入绍酒（5 克），倒人碗芡，加冬菇丝、韭黄、包尾油炒匀上碟，柠檬叶丝撒于面上，以炸米粉围边。

香肉满坛

原料：带骨狗肉 3 500 克，带骨鸡肉 7.5 克，带骨鸭肉 750 克，火肉 500 克，浸发鱼肚 500 克，干鱼唇 150 克，浸发香菇 500 克，生菜 3000 克，青、红辣椒共 150 克，柠檬叶 20 片，熟陈皮细粒 2.5 克，青蒜 250 克，长葱条 10 克，姜块（捶裂）350 克，姜片 15 克，淡二汤

6000 克,精盐 25 克,味精 5 克,豆酱 55 克,腐乳 50 克,白糖 50 克,蚝油 100 克,麻油 5 克,老抽 40 克,绍酒 150 克,姜汁酒 15 克,湿淀粉 50 克,熟猪油 1 100 克。

制法:鱼唇先用清水浸约八至十小时,取出洗净后放入盆中,放进沸水加盖浸泡三次,每次约四小时,直至软滑,再换清水冲漂,去净细沙和黑腐肉,盛人清水盆中待用。

狗肉切块(每块约重 25 克),鸡、鸭肉切块(每块约重 20 克),火肉切块(每块约重 15 克),鱼肚、鱼唇均切成长一寸、宽六分的小块。青蒜切成一寸二分长的蒜段。生菜洗净分两碟盛载。青、红辣椒切丝分两碟盛载。柠檬叶切丝分两碟盛载。

用武火起镬,下狗肉炒至干取出。另姜块放入沸水中烫约三分钟捞起备用。

武火起镬,下猪油(50 克),放入姜块、蒜段,爆炒约一分钟取起。再下猪油(5 克),放入豆酱、腐乳略炒后下狗肉、姜块、蒜段,爆炒约一分钟,溅入绍酒(100 克),加入淡二汤(3 500)克,白糖(40 克),精盐(15 克)和陈皮细粒,烧沸后转用砂镬盛载,加盖,用武文火煲约九十分钟至软焓(时间视狗肉老嫩而定)。

武火烧镬,下猪油(1 000 克),烧至油温为 180 摄氏度时,放入用湿淀粉 25 克拌匀的鸡块和鸭块炸至八成熟,捞起待冷却后再炸一次,捞起,去油。将镬放回炉上,下鸡、鸭、火肉快炒,溅绍酒 50 克,加淡二汤(1500 克)、味精、精盐(5 克)、白糖(10 克)、老抽和蚝油、烧沸后转入砂镬,用武文火煲约三十分钟至焓,最后加香菇,把镬端离火位。

鱼肚、鱼唇分别放入沸水镬中烫约半分钟捞起,滤干水。武火起镬,下猪油(25 克),放入姜片、葱条,溅入姜汁酒,加淡二汤(1 000)克、精盐(5 克),下鱼肚煨约一分钟,捞起,用洁净毛巾吸干水分。又放入鱼唇煨约一分钟后用漏勺滤干水,去掉姜、葱。

鱼肚、鱼唇、鸡、鸭、火肉、香菇等料与狗肉和匀,全部倒进预先用沸水浸热的坛内,下麻油,加盖上席。另在席中间置一炭炉,从坛中分次取出各料放于一砂镬中，把砂镬放在炭炉上，边煮边吃。并以生菜、青红辣椒丝、柠檬叶丝及熟猪油佐食。

红烧海狗

原料：净海狗600克，火腩150克，湿冬菇50克，蒜子50克，蒜蓉1.5克，姜米1.5克，姜、葱各10克，陈皮米1.5克，酒25克，汁酒15克，干生粉10克，湿蹄粉25克，生抽10克，老抽5克，蚝油10克，白糖1.5克，味精75克，精盐0.5克，淡上汤350克，麻油0.5克，胡椒粉0.5克，花生油1 000克。

制法：把海狗斩件，用沸水加姜汁酒分别烫过，捞起，用清水洗净，除去膏油。

用花生油起镬，放入姜、葱与海狗爆香炒过，隔起，用生抽拌匀，然后撒上干生粉拌匀。

武火烧镬，下花生油，将已切去头尾的蒜子炸至呈金黄色，捞起。再用烧至130摄氏度的花生油把海狗炸过，捞起，倒去油，放入蒜蓉、姜米、陈皮米、火腩、海狗拌匀，溅入绍酒，加淡上汤，调入味精(4克)、老抽(2.5克)、蚝油(0.5克)、白糖(0.5克)把海狗略炆后，再放入冬菇同炆片刻，取出排在大碗里，再蒸至近烩。

用花生油起镬，把炖海狗原汁倾人镬中，把盛海狗的碗覆转于碟中，在镬中加入淡上汤100克，调入剩下的味精、精盐、老抽、蚝油、白糖等味料，再加胡椒粉，用湿蹄粉打芡，再加麻油和包尾油拌匀，取出后淋在海狗面上。

炒梅花鹿丝

原料：鹿丝125克，冬笋丝125克，冬菇丝25克，葱丝10克，姜丝2.5克，精盐0.5克，食粉1克，干淀粉5克，鸡蛋白10克，油500克，绍酒10克，芡粉40克，湿淀粉15克，胡椒粉0.05克，酱油(老抽)5 克。

制法:将鹿丝用精盐、食粉、干淀粉、鸡蛋白调匀腌 15 分钟,再将冬笋丝、冬菇丝滚过挤干水分。烧镬放油(500)克,待油烧至四成熟,将鹿丝放入拉油至仅熟,倒在笊篱里,把镬放回炉上,将料头、笋丝等放入镬炒透,加入鹿丝中,溅入绍酒,用芡汤、湿淀粉、胡椒粉、酱油(老抽)调匀为芡,加上包尾油(5 克)炒匀上碟。

生炒蚺蛇丝

原料:腌好蚺蛇丝 125 克,笋丝 150 克,冬菇丝 25 克,姜丝 5 克,胡椒粉 0.05 克,芡汤 40 克,湿淀粉 40 克,油 500 克。

制法:笋丝、冬菇丝滚过挤干水分,烧镬放油(500)克,将蛇丝放入拉油至仅熟,倒在笊篱里,利用镬中余油,将姜丝、笋丝、冬菇丝放在镬中炒透,加入蚺蛇丝,用芡汤、湿淀粉、胡椒粉调匀为芡,加包尾油(5 克),炒匀上碟。

冬笋猴子片

原料:腌好猴片 125 克,冬笋片 125 克,葱榄 7.5 克,姜花 1.5 克,蒜蓉 1 克,油 500 克,绍酒 10 克,芡汤 30 克,湿淀粉 1 克,胡椒粉 0.1 克,酱油(老抽)5 克。

制法:冬笋片滚过,倒在漏勺里,滤掉水分。烧镬放油 500 克,待油烧至四成熟,将猴片放入拉油至熟,倒在笊篱里,把镬放回炉上,将料头、冬笋片、猴片放在镬中,溅入绍酒,用芡汤、湿淀粉、胡椒粉(0.5 克),包尾油(5 克)炒匀上碟。

笋炒穿山甲片、蛇片、野兔片、箭猪片、果狸片、金钱豹片等制法相同。

瓦罉煀果狸

原料:干净果狸600克,火腩100克,湿冬菇50克,蒜100克,姜末7.5克,陈皮末1.5克,生姜25克,葱条15克,油280克,姜汁酒25克,开水750克,绍酒25克,二汤750克,精盐5克,味粉5克,酱油(老抽)10克,湿淀粉15克,胡椒粉0.1克。

制法:将果狸斩为块,放入水里滚五分钟,捞起洗干净。用油15克起镬,将生姜、葱条、滚过的果狸放在镬中炒匀后溅入姜汁酒爆透,注入开水滚五分钟,倒在漏勺里,弃掉姜、葱。烧镬放油(250克),把蒜放入炸好,倒放笊篱里,利用镬中余油,将姜米、果狸、蒜子放入镬中炒匀,溅入绍酒,加入火腩、冬菇、陈皮末,注入二汤,用精盐、味粉调味,用酱油(老抽)调为金红色泽,放在瓦罉里,放在火炉上,加盖煀至透,用湿淀粉打芡,撒上胡椒粉,加包尾油(15克)调匀,待滚原煲端上席。

冬笋炆豹腩

原料:豹腩500克,冬笋肉250克,蒜蓉1.5克,姜米1克,油30克,绍酒15克,二汤500克,粉盐2.5克,味粉5克,酱油(老抽)10克。

制法:将豹腩斩为块,再将冬笋肉切成日字形厚件。豹腩用水滚十五分钟,捞起洗干净。用油(15克)起镬,把料头、豹腩放在镬中,溅入绍酒爆香,注入二汤,用精盐、味粉调味,用酱油(老抽)调为金黄色泽,用盖盖着炆至九成熟,加入冬笋件搅匀再炆至熟,用包尾油15克和匀上碟。

蟹肉扒燕盏

原料:干燕盏90克,蟹肉150克,油20克,绍酒15克,顶汤150克,湿淀粉15克,胡椒粉0.05克。

制法:先将焗好的燕盏钳清燕毛,滚煨过滤干水分,排砌在碟上。用油(15克)起镬,溅入绍酒,注入顶汤,用湿淀粉打芡,放入蟹肉,把胡椒粉与油(5克)和匀,倒在燕盏上便成。

蟹黄燕窝

原料:发焗好燕窝150克,蟹黄60克,蟹肉30克,上汤900克,油20克,绍酒10克,精盐1.5克,味精2.5克,湿淀粉10克。

制法:先将燕窝滚煨过滤去水分,用油(10克)起镬,溅入绍酒,注入上汤,放精盐、味精,和湿淀粉打芡,加入燕窝、蟹肉,随后将捣烂的蟹黄推匀,加胡椒粉、油(5克)再推匀,倒在汤窝里便成。

蟹肉蛋燕窝

原料:发焗好燕窝150克,蟹肉60克,鸡蛋白30克,上汤900克,油20克,绍酒10克,精盐1.5克,味精2.5克,湿淀粉10克,火腿蓉5克。

制法:先将燕窝滚煨过滤去水分。用油(10克)起镬,溅人绍酒,注入上汤,用精盐、味精调味,用湿淀粉打芡,打人燕窝、蟹肉推匀,将蛋白徐徐加入推匀,加包尾油(10克)和匀倒在汤窝里,撒火腿蓉在面上便成。

鸡蓉燕窝制法相同,只减去蟹肉。

冬蓉燕液

原料:磨好蒸透的冬瓜蓉 250 克,发炯好燕窝 50 克,蛋白 40 克,上汤 600 克,油 20 克,绍酒 10 克,精盐 1.5 克,味精 25 克,湿淀粉 10 克,胡椒粉 0.05 克,火腿蓉 0.25 克。

制法:先将燕窝滚煨过滤去水分。用油(10 克)起镬,溅人绍酒,注入上汤,将冬瓜蓉倒在镬中,放精盐、味精,待滚,用湿淀粉搅匀,加入燕窝搅匀,将蛋白徐徐倒人再搅匀。将油(10 克)与胡椒粉和匀,倒人汤窝里,撒上火腿蓉便成。

鸡丁烩燕窝

原料:发炯好燕窝 150 克,鸡丁 60 克,蛋白 60 克,上汤 900 克,湿淀粉 17.5 克,油 250 克,绍酒 10 克,胡椒粉 0.05 克,火腿蓉 0.25 克。

制法:先将燕窝滚煨过滤去水分。再将鸡丁用 50 克半湿淀粉拌匀。烧镬放油,将鸡丁放入拉油至熟,倾在漏勺里,将镬放回炉上,溅入绍酒,注入上汤,放精盐、味精,待滚后、用湿淀粉 10 克打芡,放入燕窝、鸡丁推匀,将蛋白徐徐倒人再推匀,把胡椒粉与油 5 克和匀倒人,倒在汤窝里,撒上火腿蓉便成。

琵琶燕窝

原料:发炯好碎燕窝 60 克,净蛋 120 克,精盐 1 克,味精 1.5 克,油 75 克,绍酒 10 克,上汤 75 克,深色酱油 2.5 克,湿淀粉 5 克。

制法:取 12 只汤匙用油涂匀,将燕窝分别放在每一只汤匙里。再将鸡蛋加入精盐、味精打匀成鸡蛋液,薄薄地淋在每只放有燕窝的汤匙中,蒸熟,从汤匙中起出。(先用油 50 克起镬)再蘸匀剩余的鸡蛋液，排在镬中，煎至两面金黄色，铲起排在碟中。将镬放回炉上，溅入绍酒，注入上汤，放入深色酱油和湿淀粉打成稀芡，再加上2.5克油和匀，淋在煎好的蛋上便成。

燕液冬瓜脯

原料：烤好冬瓜脯两件约500克，发焖好燕窝60克，蛋白30克，油15克，绍酒5克，上汤125克，精盐0.5克，味精1克，湿淀粉5克。

制法：先将瓜脯回蒸至热，放在碟上，再将燕窝液煨过。用油10克起镬，溅入绍酒，注入上汤，放精盐、味精、燕窝，用湿淀粉打成芡，加入蛋白搅匀，再加油5克和匀，淋在瓜脯上。

燕液百花鸡，则将百花鸡蒸熟切件上碟，淋上燕窝芡（做法如上例）。

燕液煎虾脯，则将虾脯煎好上碟，淋上燕窝芡便可。

红扒干翅

原料：黄沙群翅（干翅）2 500克，煨好后烤完得1500克。烤时用料分量：上汤5000克，老光鸡1 000克，瘦肉1 000克，鸡脚15对，猪手1000克，鸡油125克。

扒时用料分量：烤好群翅1 500克，顶汤2250克包括开马蹄粉用的125克在内，火腿汁25克，味精9克，深色酱油25克，干马蹄粉70克，猪油75克包括炒银针用的15克在内。银针500克，精盐1.5克，绍酒10克，火腿丝25克。

制法：先将烤好的群翅，用大碟砌好，砌时脊鳍（即头围、二围）翅用手撕为两件，先将头围放在碟上，再将二围放在碟的另一方向成十字形状，又将尾鳍放在中间，再加蒸至热。取出用洁净毛巾吸干水分。用油（15克）起镬，溅入绍酒，注入顶汤，放入味精，酱油，再放湿淀粉推芡。将芡的1/3淋在翅上,用另一只碟使其翻转,把余下的芡淋在翅面上,再将银针炒熟(不打芡)放在两只小碟上,铺上火腿丝,跟群翅一同上席便成。

红烧鲍翅

原料:煨好鲍翅300克,顶汤600克,火腿丝5克,油30克,绍酒15克,味精1.5克,深色酱油10克,湿淀粉15克。

制法:先将鲍翅用碗扣好,回蒸至热取起,吸干水分。用油15克起镬,溅入绍酒,注入顶汤,加味精调味,待滚,用深色酱油调色,用湿淀粉推芡,加油15克和匀,将芡的1/3淋在碗中的翅上,随将其覆在汤碟(较深的碟)上,将余下的芡琳匀在鲍翅的面上,把火腿丝一撮放在鲍翅上便成。

火腿大散翅

原料:煨好的散翅200克,上汤800克,火腿丝5克,绍酒10克,上汤75克,味精2克,湿淀粉5克,油10克,精盐1.25克。

制法:先将散翅滚煨过倒在漏勺里,滤去水分,用油10克起镬,溅入绍酒,注入上汤,交散翅放在镬中,加入味精0.5克调味,用湿淀粉打芡,铲起放在汤碟中堆成山形。把镬洗干净,放上汤在镬中,用精盐,味精1.5克调味后,倾在汤碟里,将火腿一撮放在散翅上便成。

蟹黄生翅

原料:煨好的生翅150克,蟹黄75克,蟹肉25克,上汤900克,胡椒粉0.05克,油25克,绍酒15克,精盐1.5克,味精5克,湿淀粉10克。

制法:先将蟹黄放在碗内,加入胡椒粉用汤匙捣烂成酱状。用油15克起镬,溅入绍酒,注入上汤,放入生翅,用精盐,味精调味。待滚,加入蟹肉,用湿淀粉推匀,随端离火位,将蟹黄徐徐倒人再搅匀,加10克包尾油和匀,倒在汤锅中便成。

鸡丝滑生翅

原料:滚煨好生翅150克,鸡丝60克,上汤900克,湿淀粉17.5克,油250克,绍酒10克,精盐1.25克,味精5克,胡椒粉0.5克,火腿丝5克。

制法:先将鸡丝用湿淀粉7.5克拌匀。烧镬放油,待油烧至三成热,将鸡丝放入拉油至熟,倾在笊篱里。把镬放回炉上,溅人绍酒,注入上汤,把生翅放在镬中,加入精盐、味精,待滚,用湿淀粉打芡,加入鸡丝、加胡椒粉与包尾油10克推匀,倾在汤窝里便成。

红烧散翅

原料:滚煨好散翅150克、上汤900克,油20克,绍酒10克,深色酱油10克,湿淀粉10克、精盐1.5克、味精5克。

制法:用油15克起镬、溅入绍酒、注入上汤,将散翅放在镬中,用精盐、味精调味,待滚,用深色酱油调色,用湿淀粉推芡,再加包尾油5克和匀,倾在汤窝里便成。'

烂鸡丝鱼翅

原料:滚煨好鱼翅150克,烂鸡丝50克,上汤900克,油15克,绍酒15克,精盐1.5克,味精2.5克,湿淀粉10克,胡椒粉0.05克。

制法:用油(10克)起镬,溅入绍酒,注入上汤,放入鱼翅,放精盐、味精调味,加入烂鸡丝,待滚,用湿淀粉推芡,加胡椒粉、包尾油5克和匀,倒在窝里便成。

说明:烂鸡丝的名称,即是用熬罢上汤的老鸡,将鸡肉拆出剁为中丝便是。

蟹肉生翅

原料:滚煨好生翅150克,蟹肉60克,上汤900克,油20克,绍酒15克,精盐1.5克,味精5克,湿淀粉10克,胡椒粉0.05克。

制法:用油(15克)起镬,溅入绍酒,注入上汤,将生翅加入,放精盐、味精调味,待滚,用湿淀粉推芡,加入蟹肉、胡椒粉、包尾油(5克)和匀,倾在汤窝里便成。

鸡蓉鱼翅

原料:滚煨好鱼翅150克,鸡蓉50克,上汤900克,油20克,绍酒15克,精盐1.5克,味精2.5克,湿淀粉7.5克,胡椒粉0.05克。

制法:用油(15克)起镬,溅入绍酒,注入上汤,放入鱼翅,用精盐、味精调味,待滚,用湿淀粉打芡,将鸡蓉加入推匀,加胡椒粉、包尾油(5克)和匀,倒在汤窝里便成。

蟹肉生翅

原料:滚煨好生翅150克,蟹肉75克,上汤900克,油15克,绍酒15克,味精3克,湿淀粉5克,火腿丝5克,精盐1.5克。

制法:先将蟹肉放在汤窝底,然后,用油起镬,溅入绍酒,注入(750克)上汤放入生翅、味精(0.5克),用湿淀粉打芡,铲起放在蟹肉面上,将生翅堆成山形。将镬洗干净,放入其余的上汤,用精盐、味精(2.5克)调味,待滚,倒人汤窝中,最后放入火腿丝在生翅上便成。

红烧鸡丝翅

原料:滚煨好生翅150克,鸡丝60克,上汤900克,油250克,湿淀粉17.5克,绍酒15克,精盐1.5克,味精2.5克,深色酱油10克,胡椒粉0.05克。

制法:先将鸡丝用湿淀粉(7.5克)拌匀。烧镬放油,将鸡丝放入拉油至熟,倒在笊篱里,将镬放回炉上,溅入绍酒,注入上汤,放入生翅,用精盐、味精调味,用深色酱油调色,随用湿淀粉(10克)打芡,加入鸡丝、胡椒粉、包尾油(5克)和匀,倾在汤窝里便成。

炒桂花鱼翅

原料:滚煨好鱼翅100克,银针50克,蟹肉15克,葱花1.5克,净蛋150克,油40克,精盐1.5克,味精2.5克,火腿蓉5克。

制法:将净蛋放在碗里,加入鱼翅、蟹肉、葱花、精盐、味精、煸熟的银针等捞匀。用油(40克)起镬,将捞匀的鱼翅倒在镬中,用铲将鱼翅翻转推炒至蛋老及能散开的为好,铲起放在碟上堆如山形,撒上火腿蓉便成。

鸡丝扒鱼肚

原料:发好鱼肚300克,鸡丝150克,蛋白5克,湿淀粉25克,油500克,绍酒11.5克,二汤500克,上汤150克,精盐1.5克,味精2克,胡椒粉0.05克。

制法:先将鸡丝用蛋白,湿淀粉(10克)拌匀,再将鱼肚剪为4.5厘米的丁方块滚煨过,压干水分。用油(15克)起镬,溅入绍酒(10克),注入二汤,用精盐(1克)、味精(1.5克)调味,将鱼肚放入吸透汤,倾在漏勺里,滤去水分。烧镬放油(500克),待油烧至三成热,将鸡丝放入拉油至熟,倾在笊篱里,将镬放回炉上,溅入绍酒(1.5克),注入上汤,放精盐(0.5克)、味精1克调味,用湿淀粉(15克)打芡,加入鸡丝,撒上胡椒粉,加包尾油(5克)和匀,扒在鱼肚上便成。

蚝油扒广肚

原料:发好广肚300克,油15克,绍酒15克,上汤150克,蚝油10克,精盐1克,味精1.5克,胡椒粉0.05克,深色酱油5克,湿淀粉15克。

制法:先将广肚切长为4厘米,宽3厘米的日子形件,滚煨过,倾在漏勺里。用油(15克)起镬,溅入绍酒,注入上汤,用蚝油、精盐、味精调味,放入广肚,撒上胡椒粉,用深色酱油调色,湿淀粉打芡,再加(5克)包尾油和匀,上碟便成。

奶油扒广肚

原料:发好广肚300克,上汤75克,鲜奶150克,油20克,绍酒15克,精盐1.5克,味精2.5克,湿淀粉10克。

制法:先将广肚切为日字形件,滚煨过捞起。用油(15克)起镬,溅入绍酒,注入上汤,用精盐、味精调味,放入广肚,倾入鲜奶,待微滚,用湿淀粉打芡,加上包尾油5克和匀上碟便成。

说明:对于扒广肚的另一种做法,是先将广肚蚊好打芡上碟后,再打鲜奶芡淋在广肚上的,与上述做法有些不同。

虾子扒鱼肚

原料:发好鱼肚200克,虾子7.5克,上汤250克,油25克,绍酒 15 克,精盐 1.5 克,味精 5 克,湿淀粉 5 克,胡椒粉 0.05 克。

制法:先将鱼肚剪成块滚煨过,压干水分。用油(15 克)起镬,溅入绍酒,放入虾子,注入上汤,加入鱼肚,用精盐、味精调味炆透,再用湿淀粉打芡,加胡椒粉和包尾油(5 克)推匀,上碟便成。

说明:上述品种是传统做法,目前则是将鱼肚打芡上碟后,再打虾子芡淋上。

蟹肉烩鱼肚

原料:发好鱼肚 150 克,蟹肉 60 克,上汤 900 克,油 20 克,绍酒 15 克,精盐 1.5 克,味精 2.5 克,湿淀粉 15 克。胡椒粉 0.05 克,火腿蓉 0.25 克。

制法:先将鱼肚剪为长宽为 1 厘米的方形,滚煨过捞起,压干水分。用油 15 克起镬,溅入绍酒,注入上汤,放入鱼肚,用精盐、味精调味,待滚,用湿淀粉推芡,加入蟹肉、胡椒粉、包尾油(5 克)再推匀,倾在汤窝里,撒上火腿窝蓉便成。

蟹黄烩鱼肚

原料:发好鱼肚 150 克,蟹黄 75 克,蟹肉 25 克,上汤 900 克,油 25 克,绍酒 15 克,精盐 1.5 克,味精 2.5 克,胡椒粉 5 克,湿淀粉 10 克。

制法:先将鱼肚剪为 1 厘米的方块形,滚煨过,倾在漏勺里,压干水分,再将蟹黄用碗盛着,加胡椒粉,用汤匙将蟹黄捣烂如酱。用油(15 克)起镬,溅入绍酒,注入上汤,用精盐、味精调味,放入鱼肚,待滚,用湿淀粉推芡,加入蟹肉,随即端离火位,再把蟹黄徐徐倒人推匀,加包尾油(5 克)和匀上窝便成。

鸡蓉鱼肚

原料:发好鱼肚150克,鸡蓉50克,上汤900克,油20克,绍酒15克,精盐1.5克,味精2.5克,湿淀粉10克,胡椒粉0.05克。

制法:将鱼肚剪成长宽均为1厘米的方块形,滚煨过,压干水分。用油(1.5克)起镬,溅入绍酒,注入上汤,用精盐、味精调味,放入鱼肚,待滚,用湿淀粉推芡,随即端离火位,把鸡蓉徐徐倒人推匀,加胡椒粉与包尾油(5克)和匀,倾在汤窝里便成。

炒桂花鱼肚

原料:发好鱼肚100克,蟹肉15克,葱花1.5克,净蛋150克,精盐15克,味精25克,油50克,芡汤7.5克,淡汤22.5克,湿淀粉7.5克,胡椒粉0.05克。

制法:将鱼肚剪为长宽1厘米(约三分)的方块,滚煨过,压干水分,用碗盛着,加入蟹肉、葱花、鸡蛋、精盐、味精搅拌匀。用油(40克)起镬,把拌匀的鱼肚倒在镬中,用铲将鱼肚翻转,推炒至蛋老和散开为好,把芡汤、淡汤与湿淀粉、胡椒粉调匀为芡,再加包尾油(10克)和匀上碟便成。

海参扒大鸭

原料:红鸭1只约750克,发好海参400克,郊菜250克,精盐4克,开水500克,绍酒25克,浅色酱油15克,深色酱油15克,湿淀粉50克,三鸟骨100克,生姜1件,二汤200克,红鸭汤200克,味精5克,油25克,胡椒粉0.05克。

制法:先将海参滚煨好,滤去水分,用瓦钵盛着,加入开水、精盐(2.5克)、三鸟骨、生姜、绍酒(10克),随放在笼内蒸念,再将红鸭拆好放进笼里回蒸至热，取起覆在长形碟上，把海参原汤倒掉，弃掉三鸟骨、姜件，放在红鸭两旁，随将郊菜炒好，排砌在碟的两边。用油(15克)起镬，溅入绍酒(15克)，注入二汤、红鸭汤，用精盐(1.5克)、味精、浅色酱油调味，用深色酱油调为大红色泽，用湿淀粉推芡，加胡椒粉、包尾油(10克)和匀，淋匀在红鸭上面便成。

海参烩肉丸

原料：切好的海参件125克、肉馅100克、笋花25克，菜远25克，料菇15克，上汤900克，油500克，干淀粉5克，湿淀粉10克，精盐1克，味精2.5克，浅色酱油10克，深色酱油5克，胡椒粉0.05克。

制法：先将肉馅捏为小肉丸，用干淀粉蘸匀，放在油里炸至熟，再将海参、料菇、笋花滚煨过，倾在漏勺里。用油(15克)起镬，溅入绍酒，注入上汤，把海参、肉丸、笋花等配料放入镬中，用精盐、浅色酱油、味精调味，用深色酱油调为浅红色泽，用湿淀粉打芡，加胡椒粉、油(5克)和匀，倒在汤锅里便成。

虾子扒海参

原料：发好的海参750克，虾子15克，生姜1件，绍酒30克，精盐3.5克，味精4克，三鸟骨150克，二汤600克，上汤300克，蚝油5克，油25克，湿淀粉25克，胡椒粉0.05克，色酱油10克。

制法：先将原只海参滚煨好，用瓦钵盛着，加入生姜、绍酒(15克)、味精(1.5克)、精盐(2.5克)、三鸟骨、二汤，随后放入笼内蒸至焓，取出后弃掉姜件，倒出原汤(留下另用)覆在碟上。用油(15克)起镬，溅入绍酒(15克)，放入虾子，注入上汤，用精盐(1.5克)、蚝油、味精(2.5克)调味，用深色酱油调色，用湿淀粉打芡，加胡椒粉、包尾油(10克)和匀，淋匀在海参上便成。

麒麟凤爪

原料:发好蚕皮450克,鸡脚12对,开水300克,绍酒10克,姜1件,油30克,绍酒11.5克,上汤300克,精盐2.5克,味精5克,深色酱油10克,胡椒粉0.05克,湿淀粉25克。

制法:先将生的鸡脚用刀起骨,起时先将每节趾骨起去后才起掉胫骨,起清骨后洗干净,用水滚过,捞起放在瓦钵内,注入开水、绍酒(10克)、姜1件,随放在笼内蒸至近炝,再将蚕皮切为长5厘米,宽3厘米的长方形件,滚煨过,滤去水分。用油(15克)起镬,溅入绍酒(1.5克),注入上汤,将蚕皮、起掉骨的鸡脚(倒掉原汤,弃掉姜件)放在镬中,用精盐、味精调味,用深色酱油调为金红色泽,撒上胡椒粉,用湿淀粉打芡,再加包尾油15克和匀上碟便成。

鲜虾扒鱼唇

原料:发好鱼唇200克,鲜虾7.5克,油20克,绍酒10克,上汤200克,精盐1.5克,味精2.5克,深色酱油5克,胡椒粉0.05克,湿淀粉10克。

制法:先将鱼唇滚煨过,倒在漏勺里。用油(15克)起镬,溅入绍酒,放入虾子,注入上汤,加入鱼唇,用精盐、味精调味,用深色酱油调为金黄色泽,撒上胡椒粉,用湿淀粉打芡,加包尾油(5克)和匀上碟便成。

虾子扒蚕皮制法相同。

蚝油扒蚕皮

原料:发好蚕皮200克,油20克,上汤200克,精盐1克,蚝油5克,味精2.5克,深色酱油5克,胡椒粉0.05克,湿淀粉10克。

制法:先将蚕皮滚煨过,倒在漏勺里,滤去水分。用油(15 克)起镬,注入上汤,将蚕皮放入,用精盐、蚝油、味精调味,用深色酱油调为金黄色泽,撒上胡椒粉,用湿淀粉打芡,加包尾油 5 克和匀上碟。

鸭汁烩鱼唇

原料:发好鱼唇 150 克,香菇 15 克,笋花 25 克,菜远 15 克,上汤 400 克,红鸭汤 400 克,油 15 克,绍酒 10 克,精盐 1.5 克,味精 2.5 克,浅色酱油 7.5 克,深色酱油 5 克,湿淀粉 15 克,胡椒粉 0.05 克。

制法:先将鱼唇滚煨过,滤去水分。用油(10 克)起镬,溅入绍酒,注入红鸭汤和上汤,把鱼唇、笋花、香菇、菜远放入镬中,用精盐、味精、浅色酱油调味,用深色酱油调色,撒上胡椒粉,用湿淀粉打芡,加包尾油(5 克)和匀,倾在汤锅中便成。

鲜菇扒鱼唇

原料:发好鱼唇 150 克,湿北菇 75 克,油 20 克,绍酒 10 克,上汤 200 克,精盐 1 克,味精 25 克,浅色酱油 5 克,胡椒粉 0.05 克,湿淀粉 10 克。

制法:先将鱼唇滚煨过,滤去水分。用油(15 克)起镬,溅入绍酒,注入上汤,把鱼唇、北菇放进镬中,用精盐、酱油、味精调味,撒上胡椒粉,用湿淀粉打芡,加包尾油(5 克)和匀上碟便成。

北菇扒鱼唇、北菇扒蚕皮制法相同。

鱼唇烩火鸭丝

原料:发好鱼唇 100 克,火鸭肉 60 克,冬菇丝 25 克,笋丝 50

克,韭黄25克,上汤500克,二汤400克,油6.5克,绍酒10克,精盐15克,味精25克,浅色酱油5克,深色酱油5克,胡椒粉0.05克,湿淀粉15克。

制法:先将鱼唇切为条形,长约5厘米,滚煨过捞起,再将火鸭肉切为中丝。用油(1.5克)起镬,溅入绍酒,注入二汤和上汤,把鱼唇、冬菇丝、笋丝放在镬中,用精盐、味精、浅色酱油调味,用深色酱油调色,加入火鸭丝,加胡椒粉,用湿淀粉打芡,再加包尾油(5克)和匀,倒人汤锅里便成。

蚝油鲍鱼片

原料:发好鲍鱼300克,上汤250克,油27.5克,绍酒15克,蚝油10克,味精25克,浅色酱油10克,深色酱油10克,湿淀粉15克。

制法:先将鲍鱼用平刀法片为中片,滚煨过,倒在漏勺里,滤去水分。用油(15克)起镬,溅入绍酒,注入上汤,放鲍片在镬中,用蚝油、浅色酱油、味精调味,用深色酱油调色,用湿淀粉打芡,加胡椒粉、包尾油(12.5克)和匀,排砌在碟中便成。

蚝油烧鲍脯制法相同。

广肚烧鲍脯

原料:发好鲍鱼150克,湿广肚150克,油27.5克,绍酒15克,上汤250克,蚝油10克,浅色酱油10克,味精25克,深色油10克,湿淀粉15克,胡椒粉0.05克。

制法:先将鲍鱼枕片去后切斜纹痕,背面也切余纹痕,再斜切为块,再将广肚切为长4厘米(约二寸)、宽2厘米(约一寸二分),随后分别滚煨过,滤去水分。用油15克起镬,溅入绍酒,注入上汤,放入鲍鱼,用蚝油、浅色酱油、味精调味加深色酱油调色,加入广肚，用湿淀粉打芡，加胡椒粉、包尾油12.5克和匀上碟便成。

翡翠烧鲍脯

原料：发好鲍鱼125克，菜远100克，油22.5克，绍酒10克，上汤125克，蚝油10克，浅色酱油6克，味精1.5克，深色酱油5克，湿淀粉10克。

制法：先将鲍鱼切斜纹痕再切为块，滚煨过。再将菜远煸熟。用油(15克)起镬，溅入绍酒，注入上汤，把鲍鱼放进镬中，用蚝油、浅色酱油、味精调味，用深色酱油调为金黄色泽，用湿淀粉打芡，加入菜远炒匀，加包尾油(7.5克)和匀上碟便成。

鲍鱼川鸡片

原料：鲍鱼100克，鸡片125克，笋花25克，菜远25克，火腿片1片，上汤900克，湿淀粉10克，精盐1.5克，味精2.5克，胡椒粉0.05克。

制法：先将鲍鱼片去枕后斜刀片为中片，再将鸡片用湿淀粉拌匀，将鲍鱼、笋花、菜远滚煨过倾在漏勺里，滤去水分，放在汤窝中，又将鸡片飞熟，捞起放在鲍鱼面上，把上汤倒人镬中，用精盐、味精调味，撒上胡椒粉，待微滚，倾在汤窝内，将火腿片放在鸡片上便成。

鲍鱼炆鸡

原料：发好鲍鱼100克，鸡件125克，葱段10克，姜花1.5克，油400克，绍酒15克，上汤175克，精盐1.5克，味精2.5克，深色酱油5克，胡椒粉0.05克，湿淀粉20克。

制法：先将鲍鱼斜切为件，再将光鸡件用湿淀粉10克拌匀。

烧镬放油(400 克),将鸡件放在油里拉油至仅熟,倒入笊篱里,将镬放回炉上,把料头、鲍鱼用酱油调色,撒人胡椒粉,用湿淀粉打芡,加包尾油(10 克)上碟便成。

虾胶酿鲍鱼

原料:优质窝麻鲍鱼 2 只,发好重量约 175 克,虾胶 300 克,芫荽 215 克。

制法:先将鲍鱼用平刀法切为片(每只鲍鱼片为四件,除掉枕和花边)滚煨过,待冷却后排 4 件在碟上,在每件鲍鱼上放上虾胶荡至均匀后,再将另外 4 件分别盖在虾胶上,用手轻力按实,放在笼内蒸熟取起,将每件酿好的鲍鱼切为 4 件(对切),平放在碟上,打清稀芡淋上,旁边拌上芫荽便成。

鲍鱼冬菇烩鸡丝

原料:发好鲍鱼 75 克,鸡丝 75 克,笋丝 50 克,冬菇丝 25 克,韭黄 15 克,上汤 900 克,湿淀粉 25 克,油 20 克,绍酒 10 克,精盐 15 克,味精 2.5 克,胡椒粉 0.05 克,深色酱油 5 克。

制法:先将鲍鱼切为丝,再将鸡丝用湿淀粉(10 克)拌匀,把鲍鱼丝、冬菇丝、笋丝一起滚过,倒人漏勺里,滤去水分。烧镬放油,将鸡丝放入拉油至熟,倒人笊篱里,将镬放回炉上,溅入绍酒,注入上汤,用精盐、味精调味,把鲍鱼丝等放入镬中,待滚,用酱油调为金黄色泽,加入鸡丝,倒人胡椒粉,用湿淀粉 15 克推芡,加上韭黄,包尾油和匀,倒在汤窝里便成。

油泡土鱿

原料:湿鱿鱼 500 克,姜花、葱白各 5 克,芡汤 40 克、蒜蓉、淡上汤、白糖、老抽、湿生粉、麻油、胡椒粉等适量，猪油600克。

制法：将鱿鱼洗净，在腹部斜刀刻上花纹，再切上三角形件。

在芡粉中加上淡汤、白糖、老抽、麻油、胡椒粉、湿生粉，调成碗芡。

武火烧镬，把猪油烧至120摄氏度时，下鱿鱼拉油。捞起后去油，爆香蒜蓉、姜花、葱白，加入鱿鱼，溅入绍酒，加入碗芡炒匀，再加麻油、包尾油拌匀上碟。

豉椒土鱿

原料：湿土鱿300克，辣椒300克，葱段20克，姜花5克，蒜肉2粒，豆豉15克，淡二汤、芡汤、湿生粉、胡椒粉、老抽等适量，花生油500克，姜汁酒15克。

制法：将鱿鱼去眼、外衣和骨，在肚两边斜刀刻上花纹，再切成三角形件，用姜汁酒腌透。辣椒切件，蒜肉、豆豉捶烂成蓉。

把花生油烧至120摄氏度时，下鱿鱼拉油至仅熟，捞起去油后，加入蒜蓉、豆豉蓉、姜花、辣椒爆透，加入二汤、芡汤、湿生粉、胡椒粉、老抽、鱿鱼拌匀，再加包尾油，炒匀上碟。

菜远炒土鱿

原料：水发鱿鱼500克，菜远400克，芡汤50克，姜汁酒、绍酒各15克，姜花、蒜蓉、精盐、味精、白糖、老抽、胡椒粉、麻油、湿生粉等适量。花生油1000克。

制法：将鱿鱼洗净、去眼、外衣和骨，在肚上斜刀刻上花纹，再切成三角形件，用姜汁酒腌透。

用花生油起镬，将菜远炒至八成熟，倒人笊篱内滤去水分。

将芡粉调成碗芡做法与配料与“油泡土鱿”相同。

武火烧镬，将花生油烧至120摄氏度时，下鱿鱼拉油，捞起去油后，爆香蒜蓉、姜花，下鱿鱼，溅入绍酒，加入碗芡、菜远炒匀，再加包尾油炒匀上碟。

发菜蚝豉

原料：干发菜 25 克，爽蚝 500 克，烧腩 200 克，湿冬菇 30 克，姜 4 片，葱 4 条，姜汁酒、绍酒各 15 克，精盐、蚝油、老抽、麻油、白糖、胡椒粉、味粉、湿生粉等适量，淡二汤 250 克，猪油 100 克。

制法：将爽蚝浸洗干净，用滚水滚过。发菜用温水浸透、滤过，捞起滤去水分。另起镬，落发菜，调入姜汁酒，加入精盐、姜片、葱条，清水(浸过面)煨过，去掉姜、葱。

武火烧镬下油，加入爽耗、姜片、葱条，溅入绍酒，再加入淡二汤，精盐、白糖、蚝油、老抽、麻油、味粉，滚煮五分钟，起镬，去掉姜、葱，用碗扣起(先将一件大冬菇放在碗底中间，然后按次序放入爽耗、冬菇、火腩、发菜)，加入原汁，人笼蒸过。出笼后，先滤出原汁，再将碗中扣料覆置于碟上，撒入胡椒粉。

烧镬下油，加入原汁，溅入绍酒，调入老抽、蚝油、味粉，用湿生粉打芡，加麻油、包尾油和匀，淋在蚝豉面上，即可上席。

鱼肉酿浮皮

原料：发好浮皮 200 克，鱼肉 250 克，菜远 250 克，精盐、味粉、白糖、麻油、干生粉、胡椒粉、蚝油、花生油等适量。

制法：把发好的浮皮改成骨牌形，每件约 8 克，共 24 件。

将鱼肉剁烂，加入适量精盐、味粉、白糖、胡椒粉、麻油、干生粉、生油及少许清水，搅匀后挞至起胶，酿在浮皮上，放在碟上蒸熟。

将菜远洗净，武火烧镬下油，落菜远，加入精盐、淡二汤，将菜远炒至仅熟，下包尾油，炒匀盛起，伴在浮皮的碟边上。

烧镬下油，加入适量二汤，调入精盐、味粉、蚝油，用湿生粉打芡，加入麻油、包尾油，拌匀后将芡淋在酿浮皮面上。

淡水鱼菜烹饪法

板栗炆鲩鱼

原料：宰净鲩鱼 400 克，鲜板栗肉 200 克，葱段 5 克，姜花 1 克，胡椒粉 1 克，麻油 1 克，味精 2.5 克，精盐 5 克，老抽 5 克，二汤 250 克，干生粉 10 克，湿马蹄粉 10 克，花生油 1000 克。

制法：将鲜板栗肉放入瓦镬，加入二汤、味料（以浸过面为准）炖炝，备用。

将鲩鱼斩件，用少许精盐、干生粉拌匀，武火烧镬，下花生油烧至沸，把鱼放入镬中拉油至熟，倒在笊篱里。即往镬里放入姜花、熟板栗肉、连汤、鲩鱼，加盖至熟。加入葱段、湿马蹄粉打芡，加包尾油、麻油、胡椒粉，拌匀上碟便成。

桃肝鲩鱼块

原料：宰净的鲩鱼肉 24 件约 200 克，宰净的鸭肝 24 件约 175 克，炸核桃剁幼粒 50 克，蛋液 150 克，生粉 125 克，大曲酒 50 克，味精 7.5 克，精盐 4 克，胡椒粉、麻油少许，花生油 150 克，姜汁酒 10 克，宰净的肥肉（长 5 厘米，阔 2 厘米，厚 3 毫米）24 件，约重 150 克。

制法：肥肉用大曲酒腌过后，涂上蛋粉浆待用。

鲩鱼用味精、盐、胡椒粉、麻油腌过后涂上蛋粉浆待用。

鸭肝用味精、盐、姜汁酒腌过后涂上蛋粉浆待用。

大瓦碟 1 只，撒上千生粉，铺肥肉 1 件在底，再放上鱼肉 1 件，核桃粒放在鱼肉面上，再用鸭肝盖面，撒上些干生粉，便成夹型。

武火烧镬，下花生油，搪镬倒回油，逐件放入镬中，用武文火半煎炸两边金黄色至脆上碟便成。

脆皮炸鲩鱼

原料:宰净鲩鱼500克,慢脆浆200克,马蹄粉10克,花生油1 500克,蒜蓉、姜蓉、精盐各2.5克,胡椒粉少许,麻油0.5克,糖醋汁250克。

制法:先将鱼刻成"十"字花纹,用胡椒粉、麻油、精盐拌匀,上脆浆,用花生油浸炸至熟上碟。镬去油后,利用镬中余油,随即放入蒜蓉、姜蓉糖醋,待沸后,以马蹄粉打芡淋在鱼面上便成。

宫宝炒鱼丁

原料:蒸熟的鱼青胶(切粒)200克,炸好的面包粒150克,炸榄仁75克,金笋粒(煸熟)50克,粗葱粒25克,姜花、蒜米、麻油各少许,辣椒粒50克,芡汤100克,马蹄粉7.5克,花生油100克。

制法:先把芡汤加入麻油、马蹄粉,调成碗芡。

武火烧镬,下花生油,放入蒜米、姜花、椒粒、金笋粒、葱粒炒匀,再放鱼青粒略炒,随即加入碗芡,炒成后落面包粒、榄仁,稍炒一会便成。

五柳松子鱼

原料:净鲩鱼肉两条共约500克,蛋黄75克,生粉125克,精盐3克,花生油2000克,味精5克,糖醋汁300克,五柳料切粒150克,粗葱粒25克,马蹄粉7.5克,苏打粉3克,麻油、蒜蓉少许。

制法:用斜刀将两条鲩鱼肉切成"人"字花纹,以清水漂去血水,并用干净白毛巾吸干水分,随后落味精、盐、苏打粉腌约十分钟,再加入蛋黄拌匀,拍上干粉。

武火烧镬下花生油,至沸,即端镬离火位,把已拍上千生粉的两条鱼肉放入镬中浸炸，稍后再拿回火位炸至脆为止。

武火烧镬，下花生油，下蒜蓉、糖醋汁、五柳料、葱粒，滚后即以马蹄粉打芡，最后落麻油、包尾油，一起淋在鱼肉上即成。

豆豉鲩鱼

原料：宰净鲩鱼 500 克，淡豆豉 25 克，葱段 10 克，蒜米 0.5 克，姜米 0.5 克，辣椒件 50 克，生粉 100 克，清盐 5 克，味精 2.5 克，二汤 200 克，胡椒粉 0.05 克，麻油 0.5 克，马蹄粉 7.5 克，花生油 750 克，老抽 5 克。

制法：先把鲩鱼切件，用盐、胡椒粉、麻油拌匀，拍上生粉，用油炸至身硬，取起去油，随即放入蒜米、豆豉、椒件、葱段炒匀，再放入二汤、味料、鲩鱼件，打芡即成。

火肉炆鲩鱼

原料：宰净鲩鱼 400 克，火肉 150 克，湿冬菇 50 克，湿发菜 50 克，姜花 1 克，蒜米、陈皮米、麻油各 0.5 克，胡椒粉 0.05 克，花生油 1 000 克，马蹄粉 7.5 克，二汤 200 克，味精、绍酒各 5 克，精盐、老抽、干生粉各 2.5 克。

制法：鲩鱼用生粉拌匀，走油，倒回笊篱内，随即落姜花、蒜米，溅酒，放入二汤、冬菇、发菜、陈皮末、胡椒粉、味料、鲩鱼、火肉，加盖炆片刻，马蹄粉打芡，落包尾油上碟。

荔枝鲩鱼

原料：宰净鲩鱼 500 克，荔枝肉 100 克，葱段 5 克，椒件 10 克，生粉 100 克，糖醋汁 300 克，精盐 75 克，马蹄粉 12.5 克，花生油 1 500 克，麻油、蒜米、姜米各少许。

制法:把鱼切成厚件,用盐、湿马蹄粉拌匀,然后拍上干生粉,炸至金黄色倒人笊篱,随即落蒜米、姜米、椒件、荔枝、糖醋汁、麻油,稍滚后,以湿马蹄粉打芡,再放入炸好的鱼件,一起拌匀上碟即成。

蒜子红扣鱼

原料:宰净鲩鱼500克,蒜子75克,姜米0.1克,胡椒粉0.05克,麻油0.5克,花生油1 500克,二汤250克,味精5克,精盐4克,白糖、生抽、老抽各1克,马蹄粉7.5克,生粉100克。

制法:鲩鱼切件,用盐拌过,拍上千生粉。用油炸至金黄色,取起上扣碗。再将蒜子炸过,放入姜米、二汤、胡椒粉、麻油、生抽、老抽、白糖、味精调成红汁,淋在扣碗内。用武文火蒸十五分钟,倒去原汁上碟。最后用原汁打芡,淋在面上即成。

麒麟鲩鱼

原料:宰净鲩鱼1条约1 250克,湿冬菇12件,味精5克,胡椒粉少许,花生油125克,马蹄粉2.5克,火腿片12件,姜花片12件,精盐5克,麻油少许,上汤100克,葱2条。

制法:去鲩鱼脊骨,并在脊腩两边横切12刀(每边6刀),洗净,用干净白毛巾吸干水分,以盐涂匀鱼身,放在碟上(碟底先放两条葱),然后将火腿、姜花、冬菇插入12刀的位置内,淋上花生油50克。武火蒸熟,卸去鱼汁和两条葱。

烧滚油淋在鱼上,撒上胡椒粉,再以上汤、味精、精盐、麻油打清芡淋上,便成。

花油炆鲩腩

原料:花油(猪网油)200克,去骨鲩鱼腩300克,湿马蹄粉7.5克,鸡蛋两只约100克,面粉50克,二汤200克,蒜蓉0.5克,姜丝1克,胡椒粉0.05克,陈皮末0.5克,酸梅酱10克,白糖5克,精盐2.5克,味精5克,柱侯酱15克,麻油1克,老抽2.5克。花生油1 000克。

制法:鲩鱼腩切成粗条,用蒜蓉、姜丝、陈皮末、白糖、梅酱、柱侯酱、味精、精盐一起拌匀。

鸡蛋液、面粉调成糊状待用。

花油铺开,把鱼腩放在花油的一端,砌成长条,并卷成长卷状(在卷到一半时,涂上蛋面糊作粘口用)。

武火烧镬,下花生油,把卷好的鲩鱼卷炸至呈金黄色。取起切成一截截,每截1寸左右。然后放在扣碗上砌好。再将二汤、老抽、麻油、胡椒粉、味粉调成红汁淋在扣碗内,用武文火蒸十五分钟,取出反覆在碟中,倒回原汁,以马蹄粉打芡并落包尾油,淋在鱼腩卷上便成。

腊肠鲩鱼卷

原料:鲩鱼肉400克,姜花1.5克,腊肠100克,湿冬菇50克,郊菜远200克,花生油100克,味精7.5克,精盐5克,绍酒5克,胡椒粉0.05克,麻油1克,湿马蹄粉100克,芡汤20克,二汤150克。

制法:鲩鱼肉切成双飞形。用味精5克,精盐4克,先拌到起胶,再放入湿马蹄粉50克拌匀。

腊肠、冬菇切成双飞形。用味精5克,精盐4克,先拌到起胶,再放入湿马蹄粉40克拌匀。

腊肠、冬菇切成粗条,把已拌好的双飞鱼片逐片张开,放上腊肠、冬菇,包成卷形。

武火烧镬,. 下花生油,放入姜花,溅酒,再放二汤、味料、鱼卷,加盖至熟,用马蹄粉打芡,落麻油、包尾油,轻炒上碟。

武火烧镬,下花生油,放入菜远,溅汤,加盐,炒至五成熟,倒落笊篱,滤去汁水,再将郊菜远倒人镬中,放芡汤、湿马蹄粉一齐炒熟,拼拌在鱼卷的四周便成。

红烧鱼头

原料:大鱼头 750 克,生粉 100 克,肉丝 100 克,湿香信丝 50 克,葱丝 50 克,姜丝 25 克,湿陈皮丝 0.5 克,生抽、老抽、味精各 5 克,白糖 3 克,精盐 2.5 克,胡椒粉 0.05 克,麻油 1 克,二汤 500 克,马蹄粉 7.5 克,花生油 2000 克。

制法:大鱼头去鳃,去鱼耳屎,洗净,涂上精盐,拍上千生粉,炸至脆,放在扣碗内,随即用姜丝、陈皮丝、二汤、生抽、老抽、白糖、味精调成汁,淋在鱼头内,用武文火蒸十五分钟,取起倒出原汁上碟,撒上些胡椒粉。

肉丝拉油。镬去油,随即放入香信丝,用马蹄粉打芡淋在鱼头上,并撒上葱丝即成。

豉汁蒸鱼头

原料:大鱼头 1 000 克,豆豉蓉 50 克,蒜蓉、姜蓉各 5 克,烧酒 25 克,生粉 25 克,麻油 5 克,花生油 100 克,白糖 15 克,味精 2.5 克,精盐 10 克,陈皮米 1 克。

制法:大鱼头斩件,滤干水分,用姜蓉、蒜蓉、陈皮蓉、豆豉蓉、酒、白糖、味精、精盐、生粉、麻油一起拌匀上碟,武火蒸熟取起,最后用滚油淋在鱼面上便成。

姜慧蒸鱼头

原料:洗净大鱼头750克,姜丝10克,葱丝25克,辣椒丝10克,蒜米、麻油各5克,花生油100克,老抽75克,味精5克,姜汁酒75克。

制法:将老抽、味精、麻油、蒜米、辣椒丝、姜丝放在碗里调拌均匀待用。

鱼头斩件上碟,放入姜汁酒,用武火蒸熟,随即倒去水,把花生油煮滚淋在鱼头上。再把调好的味料也倒在上面,并撒上葱丝即成。

芙蓉鱼片

原料:鸡蛋液300克,鲩鱼肉片150克,韭黄50克,湿冬菇丝25克,葱丝5克,胡椒粉0.05克,味精5克,精盐4克,麻油0.5克,花生油100克。

制法:将上列全部原料一起拌匀。

武火烧镬,下花生油搪镬倒回花生油。再下花生油放入以上已拌匀的原料,用文火煎透两面,呈金黄色便成。

狮子鱼头

原料:原个大鱼头两个共约750克,郊菜200克,蛋黄两个,老抽2.5克,盐2.5克,生粉100克,二汤300克,生抽5克,味精5克,白糖1克,麻油1克,胡椒粉0.05克,绍酒5克,湿马蹄粉10克,花生油1 500克,蒜蓉、姜蓉各0.1克。

制法:原个鱼头去清鱼云杂物,用刀在鱼云的部位切"十"字刀,做狮头形,洗净,搽上精盐。再将蛋黄、生粉开成糊状涂上鱼头。随后拍上干生粉。

武火烧镬，下生油，把鱼头炸至金黄色，取起放在扣碗上，再将二汤、生抽、老抽、盐、糖、味精、蒜蓉、姜蓉、胡椒粉调成红汁淋在鱼头上，转用武文火蒸十五分钟取起，以原汁拌湿马蹄粉打芡，落包尾油、麻油。

武火烧镬，下花生油，放入郊菜，加盐炒至八成熟，倒落笊篱内，滤去水分。然后再起镬，把郊菜溅酒炒熟，拼在鱼头四周便成。

腩肉鲩鱼卷

原料：鲩鱼肉400克，腩肉200克，葱榄10克，味精5克，花生油100克，湿陈皮米2.5克，湿冬菇50克，姜花2.5克，精盐10克，胡椒粉0.05克，麻油2.5克，湿马蹄粉100克，绍酒5克，二汤200克。

制法：鲩鱼肉切成双飞形的鲩鱼片，用精盐（5克），味精（2.5克），拌至起胶后，再用湿马蹄粉（25克）拌匀。

腩肉剁烂，加入味精、精盐，打至起胶后，再加入陈皮米、湿马蹄粉制成馅。

把双飞鱼片张开，包上腩肉馅，造成卷形待用。

武火烧镬，下花生油，放入姜花、湿冬菇，溅酒，放入上汤及鱼卷，加盖至熟，再放入葱榄、味料，用湿马蹄粉打芡，最后落包尾油、麻油，炒匀上碟。

脆皮鱼腐卷

原料：打好的鱼腐料200克，片薄脾肉150克，卤熟鸡肝条100克，薄脆浆100克，味精2.5克，蛋黄两只，生粉25克，花生油1 500克，曲酒2.5克。

制法：鱼腐放在方铁盒内铺薄，武火蒸熟。后切开4件薄腩肉,先以味精、曲酒腌十分钟后,再拌蛋黄。

把熟鱼腐铺开,把腌拌好的脾肉铺在鱼腐上的一边,用卤熟鸡肝条做馅芯,随即卷成粗条(卷口以蛋黄、生粉拌成糊状粘接口处),放入蒸笼蒸熟。

蒸熟的鱼腐卷待冷后,上薄脆浆,炸成金黄色,切厚件上碟,淋淮盐喼汁即成。

穿心鱼卷

原料:鲩鱼肉 400 克,火腿丝 25 克,5 厘米长菜远 30 条,马蹄粉 12.5 克,味精 5 克,精盐 3 克,姜米、蒜米各 0.5 克,胡椒粉 0.05 克,麻油 0.5 克,二汤 150 克,花生油 75 克,绍酒 5 克。

制法:鲩鱼肉切成双飞片,先用盐(3 克),味精(2.5 克),拌至起胶。再加入马蹄粉(7.5 克)拌匀。然后将鱼片平铺在碟上,鱼皮向上。每件鱼片上放 1 条火腿丝,1 条菜远,卷成筒状(其中一头要突出菜嵫花)。

起镬下花生油,落姜米、蒜米,溅酒,加入二汤、鱼卷,加盖至熟,然后放味料、胡椒粉、麻油,马蹄粉打芡便成。

鸡蛋煎鱼片

原料:鸡蛋液 300 克,鲩鱼片 200 克,味精 5 克,花生油 100 克,葱花 30 克,胡椒粉 0.05 克,精盐 2.5 克,麻油 1 克。

制法:把上列全部原料一起拌匀。

武火烧镬,下花生油,搪镬。将以上已拌匀的原料倒入镬中,转用文火煎透两面,呈金黄色便成。

茄汁鲩鱼片

原料:鲩鱼肉400克,生粉150克,精盐5克,白糖75克,味精2.5克,麻油0.5克,蛋黄两只,小苏打粉5克,茄汁150克,湿马蹄粉5克,蒜蓉15克,二汤100克。花生油1000克。

制法:鲩鱼肉切成双飞片,用清水漂过,滤干水分后,用小苏打粉、精盐腌制,最后放蛋黄拌匀,拍上干生粉。

武火烧镬,下花生油烧至160摄氏度油温,将已拍上生粉的鱼片浸炸至脆上碟。

武火烧镬,下花生油,落蒜蓉、茄汁、二汤,白糖、味精、麻油调好味,用湿马蹄粉打芡,落包尾油淋在鱼片上便成。

清蒸鲮鱼

原料:宰净大鲮鱼1条或2条共约500克,肉丝25克,湿菇丝25克,湿陈皮丝2.5克,味粉2.5克,精盐2.5克,生抽50克,花生油75克,麻油少许,葱丝5克,去头尾葱2条,湿生粉少许。

制法:将鲮鱼内腔搽上精盐,上碟,把2条葱放在鱼下,陈皮丝放在面上。

将肉丝、菇丝、味料、湿生粉拌匀,铺在鱼面上,用武火蒸熟,去掉鱼水及两条葱,淋上滚花生油、麻油、生抽,最后洒上葱丝便成。

鱼肠蒸鸡蛋

原料:捅净鲩鱼肠400克,鸡蛋液200克,油条50克,干粉丝10克,冷开水100克,味精5克,精盐5克,胡椒粉0.05克,湿陈皮丝5克,姜汁酒10克,花生油100克。

制法:将鲩鱼肠剪成4段,洒上姜汁酒拌匀上碟,武火蒸熟,倒去水分，放入瓦钵内。

将蛋液打烂，加入味料、陈皮米、冷开水，拌匀倒人瓦钵内，把粉丝剪段，油条切成薄片，同放入钵内，用文火蒸熟，洒上胡椒粉，淋上滚油，放入焗炉焗十分钟便成。

酥扣鱼丸

原料：剁烂鲮鱼肉 300 克，猪油渣 75 克，柠檬叶米 0.05 克，湿陈皮米 0.1 克，胡椒粉 0.05 克，精盐 6 克，味精 5 克，湿马蹄粉 100 克，清水 75 克，二汤 250 克，鸡蛋液 75 克，面粉 100 克，老抽 2.5 克，麻油 0.5 克，白糖 0.5 克，花生油 1 000 克。

制法：鱼肉用精盐(5 克)，味精(2.5 克)混和打至起胶后，加入湿马蹄粉再打至起胶，再放入猪油渣、柠檬叶米、陈皮米、胡椒粉，又打至起胶即成鱼胶。然后煮一镬沸水，用文火继续烧镬。把鱼胶捏成鱼丸，放于镬中煮熟后，用笊篱捞起。

用清水、蛋液、面粉调成糊状，人熟鱼丸拌匀。

用生油把鱼丸炸至金黄色，取起上扣碗，再把二汤、老抽、味精、盐、麻油调成红汁，淋在鱼丸上面，以武文火蒸十分钟，取起倒回原汁上碟，最后将原汁打芡，落包尾油，一起淋在鱼球上便成。

金菇烩鱼丝

原料：金菇 200 克，熟鱼青丝 200 克，蛋液 100 克，湿香菇 50 克，姜丝 5 克，湿陈皮丝 5 克，姜 1 件，葱 1 条，各约 2 克。二汤 200 克，绍酒 10 克，上汤 1500 克，味精 5 克，精盐 3 克，胡椒粉 1 克，花生油 100 克，湿马蹄粉 100 克。

制法：武火烧镬，下花生油，放入姜件、葱条爆香，溅酒，加入二汤、金菇、香菇，煨过，捞起去掉姜、葱，备用。

武火烧镬，下花生油，溅酒，加入上汤、配料、味料，待滚后，推人湿马蹄粉,落包尾油,蛋液推匀上窝便成。

四色鱼青丸

原料:鱼青胶350克,葱榄25克,姜花10克,芡汤60克,麻油0.5克,花生油50克,炸榄仁50克,湿冬菇50克,金笋花50克,湿马蹄粉10克,胡椒粉0.05克。

制法:鱼青胶用手挤成每粒约(7.5克)的鱼丸,放入清水镬里,用武文火滚熟,倒入笊篱内备用。

芡汤加入麻油、胡椒粉、马蹄粉调成碗芡。

武火起镬,下花生油,放入葱榄、冬菇榄、姜花、金笋花、鱼青丸,用碗芡炒匀,再放入榄仁炒匀,加包尾油即成。

发菜鱼丸

原料:剁烂的鲮鱼肉400克,精盐7.5克,马蹄粉75克,碱水2.5克,胡椒粉0.05克,湿马蹄粉10克,姜米0.1克,湿发菜50克,味精7.5克,清水100克,花生油75克,二汤200克,麻油0.5克,蒜蓉0.1克。

制法:鱼肉放在盆内,用碱水、盐、味精、胡椒粉一起打至起胶。

马蹄粉开清水倒人鱼胶内打匀。

发菜、花生油50克放入鱼胶内再次打匀,然后把鱼胶挤成鱼丸,放入沸水中,待浮出水面时便熟,捞起待用。

武火烧镬,下花生油,放入上述原料和鱼丸一起炒匀,用湿马蹄粉打芡,最后落包尾油及麻油上碟即成。

鱼青酿陈掌

原料:鸭掌24只,鱼青胶350克,老抽15克,生抽5克。陈皮

2.5 克，二汤 500 克，花生油 750 克，上汤 100 克，湿马蹄粉 5 克，麻油 0.5 克。蛋清 10 克，味精 5 克，胡椒粉 0.05 克。

制法：鸭脚洗净，斩去脚甲，用老抽 10 克上色，放入油镬中炸至大红色时取起，置于瓦煲里，加入二汤、生抽、老抽、味精、陈皮配成红汤，一起用文火炆焓，然后把鸭掌骨全部除去，把鱼青胶分成 24 粒小丸，酿在鸭掌里，用蛋清涂匀表面，放在碟上，放入蒸笼蒸熟去汁。

武火烧镬下花生油，放入上汤及味精、胡椒粉等，再用马蹄粉打清芡淋在鸭掌上，最后落包尾油（麻油）便成。

鱼青酿北菇

原料：熟北菇 24 件约重 150 克，鱼青胶 350 克，麻油 0.5 克，胡椒粉 0.1 克，味精 2.5 克，绍酒 10 克，蛋清 15 克，上汤 100 克，湿马蹄粉 50 克，生粉 15 克，花生油 50 克。

制法：先用干净白毛巾把北菇吸干水分，每只菇内涂上干生粉，排在碟上。

鱼青胶分成 24 粒小丸，酿在北菇内，用蛋青抹成山形，放人蒸笼内用武火蒸熟。

武火烧镬，下花生油，溅酒，放入上汤、味料，用马蹄粉打清芡，加包尾油淋在北菇面上便成。

金钱鱼盒

原料：肥肉 200 克，鱼青胶 350 克，生粉 100 克，花生油 1500 克，大曲酒 50 克，净蛋白 100 克，火腿 10 克，湿生粉 50 克。

制法：把肥肉切成直径 5 厘米的圆片 48 件，用大曲酒腌过，和蛋白、湿生粉拌匀，成蛋白浆。

用瓷碟 1 只，撒上生粉，摆上已拌好的肥肉片 24 件，再把鱼青胶分成24粒小丸，放在肥肉面上，然后把24件肥肉分别覆盖其上，再用手把肉片的四周捏成盒状，贴一小件火腿在盒面上。

武火烧镬，下花生油1 500克，至沸，把鱼盒上蛋白浆放落油镬中，转文火浸炸至金黄色上碟即成。

鲜奶滑鱼腐

原料：鱼青200克，鲜牛奶200克，淡奶粉50克，生粉60克，精盐6克，蛋清200克，火腿蓉5克，上汤150克，味精1.5克，湿马蹄粉10克，花生油2500克。

制法：鱼青加入味精、精盐，打至起胶后加入鲜奶、奶粉、生粉继续打至起胶，又加入蛋清，再打至起胶备用。

用2500克花生油下镬加热至120摄氏度，将打好的鱼腐用调羹一匙匙地放入油镬中，待它浮在油面上，加温炸片刻，便成鲜奶鱼腐。

武火起镬，放入上汤、炸好的鱼腐及少许味料，待滚后加入湿马蹄粉打芡，加包尾油上碟，再洒上火腿蓉即成。

脆皮酿茄瓜

原料：鱼胶馅350克，茄瓜约200克，脆浆150克，花生油1 500克。

制法：将茄瓜切成夹形状24件，鱼胶馅分成24粒，酿在茄瓜夹内。

武火烧镬下花生油烧至160摄氏度油温，把每件酿茄瓜上脆浆放入镬中浸炸至熟，色泽金黄便成。食时蘸淮盐喼汁。

果汁炸鱼块

原料:宰净的鱼件500克,蛋液100克,生粉125克,麻油0.5克,精盐、味精各5克,果汁200克,马蹄粉7.5克,花生油150克,胡椒粉0.05克。

制法:鱼件用蛋液、味精、胡椒粉、麻油拌匀,并拍上千生粉,落油镬炸至脆。

烧镬下花生油,放入果汁,用马蹄粉打芡,淋在鱼上便成。

脆皮炸鱼丸

原料:打好的鱼胶馅400克,脆浆200克,花生油1 000克。

制法:先把鱼胶唧成小丸,放入沸水中,用文火滚熟取起,待凉后上脆浆,炸至金黄色便成。食时蘸淮盐、喼汁。

火腿拼鱼环

原料:宰净的熟火腿125克,熟鱼环400克,葱榄25克,马蹄粉7.5克,花生油500克,姜花、蒜蓉、胡椒粉、麻油少许,蛋黄、生粉、湿冬菇件各50克,芡汤60克,绍酒5克。

制法:熟火腿加入蛋黄、生粉拌匀,用油炸至金黄色,取起切成薄片,拼摆在碟的四周。

芡汤加入胡椒粉、麻油、马蹄粉调成碗芡。

鱼环先拉过油,即以葱榄、姜花、蒜蓉、菇件下镬,并溅些酒,再放入鱼环炒之。加入碗芡,炒匀。落包尾油,倒在碟的中间便成。

鸡片炒鱼环

原料:熟鱼环300克,鸡片200克,葱榄、湿冬菇件各50克,姜花、胡椒粉、麻油少许,蛋白15克,生粉5克,芡汤60克,马蹄粉7.5克,绍酒5克,花生油500克。

制法:芡汤加入胡椒粉、麻油、马蹄粉调成碗芡。

鸡片用蛋白、干生粉拌过,连同鱼环一齐放入花生油镬中拉嫩油,倒回笊篱滤去花生油,随即落葱榄、姜花、菇件,并溅酒,再放入鸡片鱼环,碗芡炒之即成。

腩肉鲮鱼丸

原料:剁烂的鲮鱼肉250克,剁烂的腩肉150克、碱水2.5克,精盐7.5克,味精5克,马蹄粉75克,清水100克,胡椒粉0.05克,花生油7.5克,二汤150克,湿马蹄粉7.5克,麻油1克,姜米0.1克,蒜蓉0.1克。

制法:先将鱼肉、腩肉放在盆内,加入碱水、盐、胡椒粉、味精,打至起胶后,把马蹄粉开清水后加进去,再次把鱼肉和腩肉打起胶,然后将鱼胶用手挤成小丸,放入烧开的滚水中滚熟(以肉丸浮在水面为准)备用。

武火烧镬,下花生油,放入姜米、蒜米、二汤、熟鱼丸、味粉,稍炆片刻,用湿马蹄粉打芡,最后淋上麻油及包尾油上碟即成。

滑蛋鱼丝

原料:鸡蛋液400克,熟鱼丝200克,火腿丝5克,胡椒粉0.05克,味精7.5克,精盐2.5,猪油150克。花生油作鱼丝拉油及搪镬之用。

制法:蛋液加入味料打匀,熟鱼丝用文火拉油后倒回笊篱待用。

先用武火烧镬,下花生油搪镬后倒回花生油。然后放入猪油,烧滚后改用文火,倒人蛋液、鱼丝,一起炒至仅熟上碟,洒上火腿丝便成。

滑蛋鱼片

原料:鸡蛋液500克,味精7.5克,花生油150克,胡椒粉0.05克,去皮鲩鱼片200克,精盐5克,葱粒2.5克,火腿蓉5克。

制法:先把蛋液加入味料、胡椒粉、花生油(50克)打匀。

武火烧镬,下花生油,将鱼片拉油至七成熟,倒落笊篱后,转用文火烧镬,先放入葱粒及蛋液炒片刻,然后把已拉过油的鱼片放入镬中炒至仅熟,最后撒上火腿蓉便成。

蛋蒸鲩鱼片

原料:鸡蛋液250克,去皮鲩鱼片150克,凉开水100克,胡椒粉0.05克,味精5克,精盐1克,麻油0.5克,花生油50克,葱花1克,上等生抽10克。

制法:鲩鱼片用花生油、盐、胡椒粉、味精拌过,铺在碟上,用武火蒸熟,滤去水分备用。

蛋液加入味料,凉开水拌匀,倒人碟内,用文火蒸至八成熟,然后把已蒸熟的鱼片放在蛋面上,撒上葱花,再用文火蒸至熟,最后加麻油、生抽淋在面上即成。

六味炒鱼丝

原料:熟鱼丝200克,韭黄300克,湿冬菇丝50克,姜丝2.5

克，湿陈皮丝0.1克，柠檬叶丝0.1克，炸粉丝25克，炸蛋丝25克，绍酒10克，芡汤60克，精盐1克，胡椒粉0.05克，麻油5克，湿马蹄粉10克，花生油500克。

制法：武火烧镬，下花生油，放入韭黄，溅酒，加盐，炒至五成熟，倒落笊篱，压去水分备用。

将芡汤、胡椒粉、麻油、湿马蹄粉调成碗芡待用。

武火烧镬，下花生油（500克），将鱼丝微拉油，倒落笊篱滤去油，随即和姜丝、韭黄、鱼丝、冬菇丝、陈皮丝一起炒匀，再加入碗芡炒匀，上碟后，把葱丝、炸蛋丝、粉丝拌匀，拼在碟边，最后在面上撒上柠檬叶丝即成。

鱼丝冬菇烩花肚

原料：熟鱼丝300克，湿冬菇丝50克，姜丝1.5克，湿陈皮丝0.1克，精盐5克，湿马蹄粉100克，火腿丝5克，滚煨好的湿花肚100克，韭黄50克，上汤1 500克，味精7.5克，胡椒粉0.05克，绍酒5克，花生油75克。

制法：武火烧镬，下花生油，溅酒，放入除火腿丝以外的全部原料，待滚后，用湿马蹄粉调成糊状，上窝，最后洒上火腿丝便成。

鱼胶酿鲜笋

原料：鱼胶500克，改净的鲜笋250克，上汤150克，味精2.5克，麻油0.5克，湿马蹄粉10克，花生油50克。

制法：鲜笋切成夹型24件，酿人鱼胶上碟，以武火蒸熟。

武火烧镬，下花生油，放入上汤、味料等，用马蹄粉打清芡，加麻油和包尾油淋在面上即成。

鱼胶酿茄瓜

原料:改净的茄瓜24件,鱼胶500克,蒜蓉1.5克,姜米巧克,葱段30克,二汤150克,白糖5克,味精2.5克,精盐1克,花生油75克,湿马蹄粉10克,麻油0.5克。

制法:茄瓜洗净,用斜刀切口,把鱼胶酿人茄瓜里。

武火烧镬,下花生油,将酿好的茄瓜放入镬中,用文火煎至金黄色,加入配料、味料、二汤,加盖至熟。最后以马蹄粉打芡,落麻油、包尾油即成。

鱼青酿圆椒

原料:圆辣椒12只,鱼胶500克,豆豉蓉10克,蒜米2.5克,老抽1克,白糖0.5克,味精2.5克,二汤150克,麻油0.5克,湿马蹄粉10克,花生油100克,生粉25克。

制法:圆辣椒洗净,开边去核,鱼胶分成24份酿人椒内。

武火烧镬,下花生油,用文火把已酿好的辣椒煎至金黄色,并随之加入味料等,加盖至熟,最后用马蹄粉打芡,加包尾油轻拌均匀上碟即成。

三肝炒鱼环

原料:三鸟肝200克,熟鱼环350克,葱榄50克,姜花2.5克,湿冬菇50克,芡汤60克,湿马蹄粉10克,麻油0.5克,绍酒5克,花生油75克。

制法:先将芡汤、马蹄粉、麻油调成碗芡。

三鸟肝切成片,拉油后捞起,然后放入各项配料,溅酒,加入鱼环、三鸟肝,再加入碗芡炒匀落包尾油即成。

桃仁炒鱼环

原料:腌好的鱼白(鱼肚)30个,熟鱼环350克,炸核桃肉100克,葱榄25克,湿冬菇件25克,姜花5克,生的大地鱼米1克,芡汤60克,湿马蹄粉10克,麻油0.5克,绍酒10克,花生油75克。

制法:芡汤、马蹄粉、麻油调成碗芡。

武火烧镬,下花生油,溅酒,落清水,把鱼肚灼熟取起。

武火烧镬,下花生油,先放入大地鱼米,再放入其他配料炒匀,然后再放入鱼环、碗芡炒匀,最后加入核桃、包尾油便成。

郊菜扒鱼腐

原料:炸好的鱼腐500克,郊菜200.克,湿冬菇件50克,味精2.5克,绍酒5克,盐5克,胡椒粉0.05克,湿马蹄粉25克,花生油50克,上汤200克。

制法:先将郊菜煸熟,拼在碟的四周。

武火烧镬,下花生油、溅酒,放入上汤,菇件、味料、鱼炆片刻,然后用马蹄粉打芡,落包尾油即成。

三丝烩鱼腐

原料:炸好的鱼腐150克,肉丝100克,韭黄75克,上汤1500克,精盐5克,花生油50克,绍酒5克,湿冬菇丝25克,熟猪脷(猪舌)丝50克,姜丝2.5克,味精5克,胡椒粉0.05克,湿马蹄粉75克,花生油50克。

制法:鱼腐开边切丝。

武火烧镬,下花生油、溅酒,放入上汤,待滚后放入各原料,稍滚片刻,用马蹄粉推糊便成。

鱼青酿鱼腐

原料:炸好的鱼腐24件,鱼青胶350克,芫荽叶24片,火腿蓉5克,蛋清25克,上汤100克,味精2.5克,胡椒粉0.05克,麻油0.5克,湿马蹄粉10克,花生油50克,绍酒10克。

制法:把鱼腐酿上鱼青胶,用蛋清将其轻轻拨成山形,然后每个鱼腐贴上一片芫荽叶,撒上火腿蓉,放入蒸笼以武火蒸熟,取出另碟盛好。

武火烧镬,下花生油、溅酒,放入上汤及全部味料,用马蹄粉打清芡,加麻油、包尾油淋在面上便成。

虾扇鱼腐

原料:做好的虾扇24只,打好的鱼腐350克,芫荽叶24片,湿冬菇仔24只,火腿蓉5克,花生油75克。上汤100克,味粉2.5克,麻油0.5克,胡椒粉0.05克,绍酒5克,湿马蹄粉50克。

制法:把24只虾扇分别放进24只抹过油的调羹里,再将(350克)鱼腐均匀分放在每只虾扇上面。再铺上24只冬菇仔和芫荽叶,最后撒上火腿蓉,然后放进蒸笼内用武火蒸熟,待凉后逐只取出放在碟中。.

武火烧镬,下花生油、溅酒,放入上汤、味精、胡椒粉、麻油,用湿马蹄粉打清芡,再用包尾油淋在琵琶鱼腐面上即成。

八珍鱼腐

原料:炸好的鱼腐300克,郊菜150克,肫(俗称"肾")球、生鱼球、冬菇、虾球、鱼肚、腰球、鸡球、肚仁各3件,约50克,上汤150克,芡汤i00克,味精2.5克,麻油0.5克,胡椒粉0.05克,湿马蹄粉15克,花生油100克,精盐1克,绍酒10克。

制法:武火烧镬,下花生油,放入上汤、胡椒粉、味精和炸好的鱼腐,用文火稍炆片刻,随即用马蹄粉打芡,放在碟中。

把郊菜煸熟,拼在鱼腐的四周。

将芡汤加入胡椒粉、麻油、马蹄粉,调成碗芡。

先把肫球、腰球、鱼肚、冬菇飞水,连同生鱼球、虾球、鸡球、肚仁用油泡熟,倒人笊篱,滤去余油,然后再用武火烧镬,下花生油,溅酒,倒人碗芡炒匀,再落包尾油,一起放在鱼腐上。

脆皮酿鱼腐

原料:炸好的鱼腐24件,约200克。鱼青馅300克,蛋白150克,湿生粉100克,芫荽叶24片,生油1000克。

制法:先将鱼青馅分成24粒,酿在鱼腐面,贴1片芫荽叶,蒸熟备用。

将蛋白用湿生粉开成蛋白稀浆,备用。

武火烧镬,落生油,烧至油温160摄氏度时,端镬离火位,然后把酿好的鱼腐逐件上蛋白稀浆,落镬浸炸至金黄色,上碟便成。食时蘸淮盐、喼汁。

蒜子炆鲤鱼

原料:宰净鲤鱼750克,独子蒜100克,陈皮米0.5克,味精5克,精盐2.5克,胡椒粉0.05克,麻油0.5克,花生油125克,二汤250克,马蹄粉7.5克,姜米0.5克,生粉15克。

制法:鲤鱼斩件,用生粉拌过走油。

蒜子用油炸至呈金黄色,放入扣碗,落二汤,蒸念取起待用。

武火烧镬,下花生油,放入姜米、陈皮米、二汤、味料,再放鲤鱼、蒜子,加盖炆至熟,最后用马蹄粉打芡上碟,胡椒粉撒在上面便成。

生炒鲤鱼腩

原料:去骨改净的鲤鱼腩500克,葱段、湿香信各50克,姜米、蒜米各0.5克,胡椒粉、麻油少许,芡汤75克,马蹄粉10克,精盐1.5克,绍酒、生粉各5克,花生油500克。

制法:芡汤加入胡椒粉、麻油、马蹄粉,调成碗芡待用。

鲤鱼腩用盐(1.5克),生粉(5克),拌匀,下油镬拉油至七成熟,倒去镬中油,即放入姜米、蒜米、葱段、香信,溅酒,倒人鱼腩,加入碗芡炒匀,落包尾油便成。

姜葱焗鲤鱼

原料:宰净的海鲤1条约750克,葱段75克,拍粗姜粒75克,蒜米0.5克,二汤500克,胡椒粉0.05克,麻油0.5克,湿陈皮米0.1克,味精、精盐各5克,绍酒10克,马蹄粉10克,花生油150克。

制法:先煎一煎鲤鱼的两边身,取起,加花生油落镬,并放人姜、葱爆香,随即放二汤、蒜米、胡椒粉、陈皮米、味精、盐和鲤鱼一起下镬焗熟后取起上碟,将原汁加入马蹄粉打芡,落麻油、包尾油淋在鱼上便成。

腐竹炆鲤鱼

原料:宰净海鲤1条约750克,腐竹片50克,葱段50克,姜米、蒜米、麻油各0.5克,湿陈皮米0.5克,二汤500克,味精,绍酒各5克,精盐、生抽、老抽各2.5克,胡椒粉0.05克,花生油500克。

制法:先将腐竹片炸至金黄色,并用水滚过,切件待用。

武火烧镬,下花生油,把鲤鱼的两边身煎一煎,随即溅酒,加入二汤、姜米、蒜米、陈皮米及腐竹、味料，加盖炆熟。上碟后把葱段放在上面，并打芡淋在鱼面上便成。

煎封鲤鱼

原料：海鲤1条750克，姜米、蒜米、葱米、麻油各1克，胡椒粉少许，绍酒10克，煎封汁300克，盐7.5克，姜汁酒50克，花生油1 000克。

制法：鲤鱼宰净，在鱼身上斜切几刀，以盐、姜汁酒腌之。

把腌过的鲤鱼煎两面，并加花生油炸熟，倒在笊篱内滤去油。随即放入姜米、蒜米、胡椒粉、煎封汁，和鲤鱼一起加盖，以文火封十五分钟左右。最后加入麻油、葱米、包尾油，原汁上碟即成。

斋菜烹饪法

(1)斋菜原材料制法

萝卜制素肉

原料:白萝卜、发面、面粉、米粉、豆粉、植物油各适量。

制法:萝卜去皮,对开切两半,下锅煮熟,捞起滤干水分;把米粉、面粉加少许盐拌匀,涂遍萝卜身上,放入油锅中炸黄捞起。又将萝卜的一面涂上豆粉汁,贴上发面约一分厚,再下锅炸成黄色(作为肉皮),即成素"猪肉"。

用途:用做回锅肉和坛子肉。

茄子制素肉

原料:茄子、米粉、豆粉、面粉、鸡蛋、盐、植物油各适量。

制法:用茄子的上半截,切成长方块;将米粉、豆粉、面粉、鸡蛋、盐混合调匀,拌和在茄子上,放在油锅中炸成黄色即成。

用途:可做回锅肉、杂烩、肉片。

豆筋制素肉丝

原料:豆腐皮、花生油、盐、豆粉各适量。

制法:将豆腐皮用水发胀,撕成薄片,切成细丝,用水煮一下去其异味,加少许盐和豆粉拌匀,即成"肉丝"。

面筋、鲜藕制素排骨

原料:生面筋、鲜莲藕、植物油、鸡蛋、豆粉、盐各适量。

制法:先将鲜莲藕洗净,切成四方形,再纵切"一"字形小条。用鸡蛋和豆粉调成糊状,涂在莲藕上,再用面筋包裹,放入油锅中炸黄,即成"排骨"。

用途:可做糖醋、椒盐排骨。

面筋制素肉片

原料:熟面筋、植物油、盐、豆粉各适量。

制法:将面筋切成薄片,下锅煮一下,捞起挤干水分,加豆粉和盐拌匀,即成"肉片"备用。

瓜类或甜菜制素肉

原料:瓜类或甜菜、鸡蛋、盐、米粉共占二成,豆粉占七成,面粉占一成。

制法:将瓜类去皮去瓤(或甜菜去叶),上笼蒸熟,切成约二寸的长方形块。将米粉、面粉、豆粉、鸡蛋和盐加适量水混合调匀,涂在瓜类或甜菜的长方形块上,下油锅炸成黄色,即成素"猪肉"。

用途:用瓜类做成的素肉,可做肘子、回锅肉、杂烩。甜菜制的菜肉,可做回锅肉、水煮牛肉、杂烩等。

素火腿制法

1. **原料**:豆腐皮五两,生抽、白糖、味精、五香粉、绍酒、姜蓉、冬菇汤、麻油等适量。

制法:①将锅置火炉上烧热,下除麻油外的全部调料煮滚。

②把撕碎之豆腐皮(一张撕约五六块)放入①汤内拌匀,将锅离火,待汤稍冷,用手搓揉豆腐皮,待汤汁几乎全被吸干时,淋下麻油拌和。

③用干净漂白粗布将②之豆腐皮紧包成圆柱形,外用细麻绳捆住,上笼用旺火蒸约二小时,取出候冷。

④将③外之绳布去除,将豆腐皮纵剖开,切约一分厚片,整齐地排人碟内即成。

2. **原料**:藕粉、鸡蛋、豆腐皮、盐、味精、胡椒粉、生抽、五香粉、白糖各适量,食用红色素少许。

制法:将以上材料(豆腐皮除外)加适量的水混合搅拌成粉红色糊状。

豆腐皮用湿布稍抹,铺平,上面涂上一层清糊,加上一层豆腐皮,连续叠铺至一寸厚,上笼蒸熟。

取出用木板压紧,冷后即成素火腿。

萝卜制素肘子

原料:白萝卜、发面、盐、鸡蛋、胡椒粉、味精、植物油各适量。

制法:将萝卜煮熟去皮,切成三至四分厚的大块。将发面摊开约一分厚铺于碟内,放上萝卜块酿成圆形,用豆粉汁涂上萝卜缝隙,使周围粘牢。下锅先炸有发面的一面,炸至黄色时,取出即成肘子形。

用途:可制红烧或椒盐肘子。

面筋制素肉丁

原料:熟面筋、植物油、盐、豆粉各适量。

制法:将面筋切成薄片,下锅煮一下,捞起挤干水分,加豆粉和盐拌匀,即成肉丁备用。

素鸡制法

原料:豆腐皮、盐、酱油、味精、五香粉各适量。

制法:将盐、生抽、味精、五香粉拌成调味汁。用三张豆腐皮放入调味汁中浸一下,随即卷成圆形卷筒状.外用一张豆腐皮作包皮包好,然后用白布包裹,用细麻绳扎成螺旋形,下锅煮熟,取出候冷去布即成。

素鸡丁制法

原料:熟面筋、盐、豆粉、食油、鸡蛋(去黄)各适量。

制法:将面筋切成小丁或薄片,下锅,加水煮滚,挤干水分,加豆粉、蛋清、盐拌匀,用油炒散、即成鸡丁或鸡片。

素鸭制法

原料:豆腐皮六张、冬笋二两、水发冬菇一两,葱、姜、盐、生抽、味精、五香粉、麻油、花生油、酒、水各适量。

制法:①冬笋、冬菇均切成丝。葱、姜切成蓉。

②烧热镬,注入少量麻油,油沸时,下笋、菇丝爆炒几下,加生抽、酒、味精,翻炒均匀全出候凉。

③用葱、姜、盐、五香粉、味精、水(不能多,以能浸透六张豆腐皮为准)调成汁和匀。

④把两张豆腐皮重叠,放在③汁内浸透,直的一面向里平铺碟内,再拿两张重叠浸透,直的一面向外,压住前两张的一半,然后再拿两张重叠浸湿放在当中,洒上麻油,将炒好的材料摆成条形放在豆腐皮靠里面的一边,两头留一些空位,浇上炒材料的汁向前卷,快到边时,再把两端折过来,卷成五厘米宽的扁条形。

⑤在蒸笼上铺上垫布,把豆腐皮卷接口处向下地排人,隔滚水用旺火蒸约七八分钟,候稍凉,即取出放碟中,凉透可用。

熏鸭制法

原料:豆腐皮、鸡蛋、味精、盐、胡椒粉、藕粉、白糖、花.椒、姜蓉、麻油各适量。

制法:①先将除豆腐皮外的全部材料拌和调成清糊。

②将豆腐皮发湿,切成大块,每块豆腐皮涂上一层清糊,连续叠涂至三四分厚时,摊放在疏麻布上,人笼蒸熟。

③将蒸熟之②取出,用板压紧,冷后用无烟红火烘烤,刷上麻油,边烤边刷,烤至皮酥时,装入碗内,加少许生抽、味精,再人笼蒸热即成,待用时切成片或丝。

面筋的制法

原料:面粉适量。

制法:面粉加适量清水,揉成像水饺面的干湿程度,约放十五分钟后,置于钵中,再加清水缓缓揉洗,水浊了又换清水,直至洗净粉质,达到水清为止,即成生面筋。

将生面筋切成二三两重的小块,用水煮泡,或切成块,用蒸笼蒸熟,即成熟面筋。

素鲜鱼制法

原料:薯仔、鸡蛋、豆腐、豆腐皮、芽菜蓉、胡椒粉、味精、姜米、笋丝、盐各适量。

制法:薯仔煮熟去皮捣成泥,混合除豆腐皮外的全部,用竹筷搅拌成蓉。

将豆腐皮用湿布抹净铺平,放上搅好的材料,卷成鱼形。在鱼身的一面剪成鳞甲状;用小冬菇嵌作眼眶,红色菜类作眼珠;

鱼尾剪成大字形，上笼蒸熟即成素鱼。

素鱿鱼制法

原料：藕粉、鸡蛋、金针菜、胡椒粉、味精、盐各适量。

制法：先将金针菜去硬蒂，铺于碟的一端，成梭子形；藕粉用水发湿，放上鸡蛋和红色素，下盐、胡椒粉、味精调匀成鱿鱼色，下锅搅煮熟成糊状，盛于碟内，再用金针菜摆在同一端作鱿鱼须，冷后即成鱿鱼。

素鱼翅制法

原料：豆腐皮、硷水（或食用苏打水）、植物油各适量。

制法：将豆腐皮对开切成两半。取一边切成细丝，作为翅丝，另一边留三至四分宽不切断，作为翅板。

油下镬放入豆腐皮之翅丝和翅板炸黄，取出置锅中用水稍加点碱煮软，使其白嫩。如果第一次煮后仍未白嫩，可换水照前法再煮，直至白嫩为止，即成鱼翅。

素蟹黄制法

原料：红萝卜、笋、冬菇、盐、鸭蛋黄、姜米、植物油各适量。

制法：鸭蛋黄蒸熟捣烂，红萝卜去皮剁成蓉，姜米、冬菇、笋均切碎。

油下镬烧滚，将鸭蛋黄和捣成蓉的红萝卜放下炒熟，当油汁变红时再放姜米、笋、冬菇碎末同炒，约4分钟即成蟹黄。

素海参制法

原料：藕粉、鸡蛋、木耳、盐、味精、胡椒粉各适量。

制法:先将鸡蛋打开搅散,同藕粉拌匀成清糊状。木耳用水浸发后剁碎,和盐、胡椒粉、味精同放入清糊内,下锅搅匀,煮熟成浓糊状,盛于碟内,冷却后即成素海参。

素虾仁制法

原料:干糯米粉、鸡蛋、味精、胡椒粉、食用红色素各适量。

制法:用鸡蛋拌和糯米粉、盐、味精、胡椒粉,揉匀捏成团(干湿度如做汤丸)。在揉粉过程中,加适量的食用红色素使成红色。

将揉匀的粉团,搓成小条切成短段,再捏成虾仁状,放入滚水锅中烫熟。捞起用清水漂起,即成虾仁。

素金钩制法

原料:枝竹、盐、味精、植物油各适量。

制法:先将枝竹用水浸软,对开切成两半,加味精和精盐调味,用热水浸泡至人味。然后切一分厚、二寸长的小段,放入滚油锅内炸成金黄色,即金钩。金钩即干虾仁,俗称虾米,又叫开洋。

素鸽蛋制法

原料:鸡蛋、藕粉、味精、精盐各适量。

制法:先将鸡蛋分蛋黄蛋白打开,蛋黄煮熟,捣烂做成鸽蛋黄。再用鸡蛋清、藕粉加开水调好(宜干些)为鸽蛋清。

用小匙羹装半匙做好的鸽蛋清,放进鸽蛋黄一个,再盖上半匙鸽蛋清,做成椭圆形,上笼蒸熟,即成鸽蛋。

(2)斋菜烹饪法

凉拌海带

原料:浸发海带125克,生姜1块,红辣椒1只,葱白1条,生抽、麻油各1汤匙,醋2汤匙,白糖1茶匙,味素少许。

制法:将海带彻底洗净,用热汤浸过,取出切细丝。葱、姜、红辣椒均切丝。把全部丝料置碗内,加调味料拌匀,倾人供用碟中。

凉拌四喜

原料:甘笋丝50克,芹菜丝100克,海带丝75克,豆干丝150克,盐、味精、生抽各适量。

制法:甘笋、芹菜丝同放滚水中煮约2分钟,捞出。海带丝及豆干丝分别放入滚水中,候滚即捞出,待凉。

盘中摆放各菜,将豆腐干丝铺放碟中垫底,依次放海带、芹菜和甘笋。把调料拌匀,浇在碟中丝料上。食时才将各菜与调味料拌匀。

凉拌矮瓜

原料:茄子250克,辣椒油、生抽、醋、蒜蓉、味精各适量。

制法:将茄子(即矮瓜,或称落苏)去皮蒸熟,撕成小条放碟内,或把去皮茄瓜纵切数刀,但蒂部仍相连不断,置碗中蒸熟。把调料拌匀浇在茄子上即成。

蒜蓉苋菜

原料:苋菜500克,蒜头25克,盐、花生油、醋各适量。

制法:将苋菜摘去老梗黄叶,洗去泥沙,摘成供食小段,蒜头去皮剁成蓉。烧滚花生油,放入苋菜,炒到半熟时加盐,炒熟时再加蒜蓉和少许醋,炒匀即上碟,此菜也可趁热时食用。

糖醋莴笋头

原料:莴笋头500克,白糖、醋、麻油、味精、生抽、盐各适量。

制法:将莴笋头洗净,切成丝(片或条)用盐腌软,洗去盐质涩味,盛于碟中,再加上拌和之调料即成。

灯影红萝卜

原料:红萝卜375克,红油、生抽、花椒粉、白糖、豆粉、植物油、盐各适量。

制法:将红萝卜洗净,切成2寸长段,切片后再成细丝,用盐稍腌;加适量豆粉,拌匀,下热油中炸脆,捞起盛于碟中,加上调料拌和即成。

烧拌春笋

原料:春笋1 000克,干辣椒、生抽、白糖、味精、麻油各适量。

制法:选择个头相等大小的嫩春笋,用不冒烟的锯木糠或柴禾灰火,炭灰火埋好烧熟,取出去灰,剥去笋壳,切去老根,用手撕成条状。干辣椒去蒂,烧至焦黄(但不要焦黑),剁碎。将调料调成汁,加春笋拌匀,即可供用。

火腿发菜卷

原料:素火腿125克,熟冬笋丝30克,发菜30克,生抽、味精、麻油各适量。

制法:将素火腿切成丝。发菜拣去杂质,抖去泥沙,用水浸发,再用冷开水洗净沥干。

用发菜将火腿丝和冬笋丝缠成小指头般大的圆卷,切去两端露出的部分,整齐的排列于碟内,淋上混和之调料即成。

红油素鸡丝

原料:素鸡250克,葱丝30克,红油、生抽、醋、味精、花椒粉、白糖各适量。

制法:将素鸡切成丝,混合葱丝装入碟内,再加上调料,拌和即成。

红炒罗汉斋

原料:冬菇10只,笋尖5条,笋片1碗,素鸡2大块,金针、木耳各半碗,白果、栗子各20粒,生抽、酒、白糖各适量。

制法:香菇泡软去蒂,每个切两半;笋尖浸软,洗净切段;素鸡切滚刀块;金针、木耳泡软后,摘去硬蒂洗干净。白果、栗子均去壳。

用5汤匙油起镬,倒人素鸡炒拌,淋下酒炒匀,然后加入其余的材料,旺火炒约五分钟,加入生抽、水、盖好,慢火炆约十分钟,加白糖拌匀,再炆十分钟,最后加数滴麻油,盛出上碟。

三花斗艳

原料:白花椰菜(小)1个,西兰花1个(中),紫色椰菜花(小)1个,盐、味精、沙律油各适量。

制法:将白花椰菜、紫花椰菜、西兰花置清水中稍浸,使花丛内之小虫浮出水面。再将3种菜置滚水内煮至半熟,取出,分朵切开,或将小朵再切开两边。

烧热镬,加油,依次把白花椰菜、紫花椰菜和西兰花炒好,调味炒匀即成。

芙蓉素鸡片

原料:鸡蛋6个,豆腐1块,冬菇片、笋片、荷兰豆、胡椒粉、盐、味精、豆粉、白糖、汤汁各适量。

制法:将鸡蛋去黄留清置碗中,用竹筷搅打至起泡。豆腐去皮捣烂,用洁布包裹,绞去水分,与豆粉水、盐、味精、胡椒粉、汤汁同置打起的鸡蛋清中,混合调匀成蛋清糊状。

将镬烧到极热,用油搪一下,再放入适量的油烧滚,用勺舀起蛋清糊盘旋倾人锅内烙熟成白色,取出沥去油分。

原镬酌留油少许,下笋片、冬菇片炒片刻,即将汤汁、味精、胡椒粉、荷兰豆和豆粉水加入炒匀,迅速放入熟蛋片,翻炒一下,迅速起锅。

素火腿炒三丝

原料:素火腿、素鸡、冬笋共250克,花生油、生抽、味精各适量。

制法:先将冬笋去壳洗净,与素火腿、素鸡同切成丝。然后起油锅,烧滚油即放下笋丝、火腿丝、素鸡丝炒拌均匀,再加生抽、味精炒至入味,起锅即成。

豆筋炒三丝

原料:豆筋 125 克,笋丝 100 克,冬菇丝 30 克,花生油、韭黄、榨菜、味精、生抽各适量,汤汁少许。

制法:豆筋用水浸发,撕破切成丝,下锅煮一下捞起。冬菇用水浸发,洗净去蒂,与榨菜同切成丝。韭黄切成段,油下锅烧滚,放入以上材料,旺火翻炒约两分钟,即可起锅,此菜不用冬菇丝、笋丝、味精亦可。

炒三鲜

原料:红、白萝卜共 250 克,白菜 250 克,植物油,蒜苗、红油、花椒粒、味精、生抽、醋、白糖、汤汁各适量:

制法:红、白萝卜均去皮切片,白菜心纵切开两边,一起用油炸熟,滤去油:蒜苗切约 1 寸长段。油下锅烧滚,放入花椒粒炒拌,再将处理好的材料和调料放入同炒拌,炒至人味,舀人碟内,淋上红油即成。

洋芋番茄泥

原料:薯仔 375 克,番茄 125 克,植物油 50 克,盐、生抽各适量。

制法:马铃薯俗称“薯仔”,又叫洋芋。把薯仔煮熟去皮,捣烂成泥。番茄用滚水烫一下,去皮去籽。起油镬,放入薯仔泥、番茄、盐和生抽,约炒三分钟,即可起镬。;

油爆茄片

原料:茄子250克,豆粉100克,蒜片、葱段、姜汁、生抽、花生油、白糖各适量,醋少许。

制法:茄子去皮洗净,切约2分厚片,抹上湿豆粉,用油炸黄。镬内留油少许,先将葱、姜、蒜爆炒、然后放入茄子和其余调料,加少许汤汁,火力要大,翻炒几下,即可起镬。

萝卜芹菜炒素肉丝

原料:素肉丝200克,红萝卜丝75克,芹菜75克,蒜苗30克,花生油、豆瓣酱、味精、生抽、豆粉各适量、白糖少许。

制法:芹菜去叶,蒜苗去根须,洗净后均切约1寸长段。油下锅烧滚,先爆炒豆瓣酱,随即放入芹菜、蒜苗同炒片刻,再加素丝、生抽、味精和白糖,炒拌约一分钟,用少许豆粉水勾芡即成。

冬笋素鸡片

原料:素鸡200克,冬笋200克,姜片、葱段、味精、生抽、生粉、植物油各适量,白糖少许:

制法:先将冬笋用水洗净,素鸡、冬笋均切片:油下锅烧滚,将素鸡片、冬笋片放下炒拌,加姜片、葱段,下味精、生抽、白糖调味,约炒两分钟,略加生粉水勾芡即成。

蒜白素鸡丝

原料:素鸡250克,蒜白125克,花生油、盐、味精、生粉、胡椒粉各适量。

制法:先将素鸡洗净切丝,蒜白洗净切约1寸长段。油下镬烧滚,先爆炒蒜白和素鸡,随以盐、味精、胡椒粉同炒拌,炒熟时略加勾芡,即可起镬。

素鸡扒豆腐

原料:豆腐2块,植物油50克,炸脆花生米,豆瓣酱、味精、生抽、葱花、生粉各适量。

制法:豆腐用滚水煮一下,沥干水分捣烂。花生米压成碎粒。油下镬烧滚,先将豆瓣酱炒至油现红色时,即放下豆腐,炒至带酥时,放入生抽、味精、生粉水同时翻炒,葱花下镬翻炒几下,迅速起镬上碟,洒上花生米即成。

脆炸素鸡丁

原料:素鸡丁250克,炸脆花生米50克,生抽、味精、葱、姜、白糖、生粉水和花生油各适量,醋少许。

制法:把姜切小片,葱切段。油下锅烧滚,下鸡丁和花生米,加生抽、味精、姜、葱、醋、白糖和少许汤汁同炒,炒熟时略加芡水,即可起锅。

青豆素虾仁

原料:素虾仁125克,鲜嫩青豆仁250克,花生油、盐、味精、汤汁、姜片、短葱段各适量,白糖少许。

制法:将新鲜剥下的青豆仁用滚水略煮,捞出沥去水分。油下锅烧滚,放入青豆仁、虾仁、葱、姜,以盐,味精、白糖和少许汤汁调味,兜翻炒几下,即成清香、味美、颜色又好看的翡翠虾仁。

滑炒素肉片

原料：白萝卜500克，鸡蛋1只，浸发木耳少许，豆粉、味精、盐、白糖、花生油、姜片、葱段各适量，糖少许。

制法：先将萝卜煮熟去皮，切成薄片。鸡蛋打散，加豆粉搅成糊状，与萝卜片同拌匀，放入滚水锅中氽一下即捞出，净镬烧滚花生油，把萝卜炒一下，即放姜、葱、白糖、盐、木耳和味精，炒拌均匀，即可起镬。

素回锅肉

原料：素肉250克，植物油、盐、生抽、甜酱、蒜苗、椿芽、味精各适量。

制法：将素肉切成长方形，蒜苗切约1寸长段，椿芽撕散切段。油下锅烧滚，放入生抽、甜酱、味精、盐，约炒一分钟，随将素肉放入，翻炒几下，使素肉充分吸收调料汁，即可起锅。

炒素蟹糊

原料：蟹黄125克，冬菇、马蹄、笋、姜片、葱花、盐、味精、胡椒粉、豆粉各适量，白糖和汤汁少许。

制法：冬菇浸软洗净去蒂；马蹄去皮洗净；冬笋去壳，削去老头；然后同剁成细末。

油下镬烧滚，放入剁细的冬菇、马蹄、笋和姜米炒至半熟时，再放下蟹黄、盐、味精、胡椒粉和少许白糖、汤汁同炒，约炒两分钟，加葱花，以豆粉水勾芡即成。

鱼番素肉丝

原料:素肉丝200克,植物油、生抽、味精、泡辣椒、姜米、葱花、豆粉、醋、白糖各适量。

制法:先将泡辣椒切碎,与生抽、味精、姜米、葱花、豆粉、白糖、醋等调成汁。油下镬炒滚,放入素肉丝炒一下,即倾人已拌好的调味汁,翻炒几下,即可起镬。如用制好的素肉丁加上述调料,根据此法可做出"鱼香肉丁"。

翡翠素虾球

原料:甘笋200克,马铃薯200克,芥兰150克,面包糠1杯,粟粉、面粉、盐、味精、植物油各少许。

制法:甘笋、马铃薯均去皮,焓熟,捣烂成蓉,加粟粉、面粉、植物油、盐、味精拌匀,用手或茶匙挤成小球状,沾滚上面包糠,即成素虾球。

烧热油镬,将素虾球炸至呈金黄色时,捞起置碟上。

原镬留油三汤匙,将芥兰炒熟,加盐调味,盛起置素虾球周围。

番茄素虾仁

原料:素虾100克,番茄125克,鲜嫩青豆125克,花生油、盐、味精、胡椒粉、汤汁、白糖各适量。

制法:把青豆仁和番茄用滚水烫一下,番茄去皮去籽和水,切碎。油下镬烧滚,先将番茄炒至镬内油变红色时,然后下素虾仁、青豆仁,加汤汁和调料,翻炒几下即可。

煎素肉

原料:素肉250克,植物油、黑豆豉、蒜苗、盐、生抽、豆瓣酱、味精各适量。

制法:将素肉切成长方块,蒜苗切约1寸长段。油下镬烧滚,放入豆瓣酱、生抽、盐和味精,约炒一分钟,随即放入素肉片和豆豉,翻炒几下,即可起镬。

沙茶四宝

原料:毛豆仁50克,炒熟花生米50克,豆腐干、甘笋、沙茶酱各适量,盐、味精、花生油各适量。

制法:将豆腐干和甘笋切丁。

起油镬爆葱蓉,放沙茶酱炒匀,加毛豆、甘笋、豆腐干及少许清水煮熟,以盐、味精调味、撒下花生米炒均匀即成。

香菇炒腐皮

原料:香菇4只,豆腐皮3张,甘笋半个,笋半条,盐、味精、花生油各适量。

制法:香菇洗净,浸软切丝,笋去壳切片,甘笋去皮,切片,豆腐皮发湿切长条。

起油镬,放下香菇丝炒香,再下甘笋及笋条,炒熟后放腐皮略炒,加入浸香菇的水,炆约一分钟,最后下盐、味精调味,炒匀即成。

奶油扒菜胆

原料:白菜1 000克,淡奶1小罐,白糖、味精、麻油、豆粉、素汤各适量。

制法:菜洗净去叶部半截,留叶梗至头部3寸长,如较大棵,可切开两边。

起油镬,放下菜炒熟,随即盛出。原镬加油及素汤,下盐、味精、白糖调味,煮滚,用豆粉水勾芡,使成糊状,即将淡奶倒下拌匀,先舀出一半。将煮熟白菜放镬中,与奶汁拌合略煮,取出白菜,整齐摆放菜碟中,然后将预先盛起之一半奶汁倒在菜面上。

鼎湖上素

原料:水发冬菇75克,水发口磨75克,鲜草菇50克,水发榆耳75克,水发银耳75克,水发黄耳75克,冬笋100克,水发竹荪75克,胡萝卜150克,油菜心500克,素上汤1 500克,鲜莲子75克,盐、味精、白糖、蚝油、生抽、花生油、麻油、湿粟粉、酒各适量。

制法:冬菇洗净,大只的斜刀切两片,小的整只用;草菇横割一刀;口磨、黄耳、榆耳都切成片;冬笋、胡萝卜均先刻成花形,然后再切成片;竹荪先由中间剖开,再切成5厘米长条;油菜心小的切开两边,大的对切成4边;鲜莲子去衣去心。

冬菇、冬笋、口磨、鲜草菇、黄耳、榆耳、冬笋、胡萝卜、竹荪分别用滚水一起氽过,再用冷水冲凉,银耳另氽水备用。

净镬烧热,下花生油75克,用酒起锅,加盐、白糖、味精、蚝油、汤,把冬菇、口磨、鲜草菇、黄耳、榆耳、冬笋、胡萝卜、竹荪一起煨至入味,倒出去汁(银耳不用蚝油,另煨)。

把冬菇、口磨、鲜草菇、黄耳、榆耳、冬笋、胡萝卜、竹荪排在大汤碗里,排拼要整齐,剩余的料都垫底。

净镬烧热花生油50克,注入素汤500克,再烹人酒、生抽、蚝油、白糖、味精、汤滚调味,用粟粉勾芡(二流芡),浇人排好的碗内,上笼蒸透即可(因都是熟的,蒸的时间不宜过长)。

把蒸好的菜端出,舀出原汤,翻扣在碟内。油菜心稍泡油,然后用素汤加盐、味精烧人味，捞出围在碟的周围。舀出原汤烧滚，调味，用粟粉水勾以稀芡，淋点麻油，浇在菜上。浇好汁后，把煨至人味的银耳放在菜的上面（形似一朵大白花）即成。

金菇罗汉斋

原料：金针菇100克，笋100克，青江菜125克，干木耳15克，豆腐皮2两，盐、味精、豆粉、麻油、植物油各适量。

制法：①金针菇洗净，撕开；木耳泡软切片，豆腐皮切片；青江菜洗净切段；笋煮熟，切片。

②烧热油镬，下豆腐皮、盐炒拌均匀，盛起放碟中。

③原镬加油烧熟，下青江菜、金针菇炒熟，加入熟笋片、木耳，下盐和味精调味，速炒后倒人碟中，用筷子略分类排好，豆腐皮放在面上。

④豆粉加水调稀，倒人镬内烧滚，浇在③上，淋下麻油少许即成。

六耳烩银针

原料：水发榆耳、黄耳、木耳、银耳各40克，水发石耳30克，水发桂花耳10克，水发猴头菌、水发草菇、扁尖笋各50克，青菜20克，豆腐皮1张，银芽20克，生抽、蚝油、麻油、花生油、精盐、味精、胡椒粉、豆粉、酒、上汤各适量。

制法：①把水发草菇、猴头菌、扁尖笋切成薄片，与榆耳、黄耳、木耳、石耳一起下镬，用冷水烧滚一次捞起。

②花生油下镬烧滚，烹人酒，加清水，将烧过的①料放入滚煨一次捞起。另将银耳、桂花耳分开下镬，滚煨一次捞起，挤干水分待用。

③花生油下镬烧滚，下滚煨过的②料炒几下，烹人酒，加上汤、

蚝油、生抽、麻油、盐、白糖、味精、胡椒粉调味，上盖炆至汤汁将干时，用豆粉水勾芡，起镬铲入铺着豆腐皮的大碟内，把豆腐皮四边拎起，包好后放入碗内，上笼蒸约三十分钟取出，覆扣于碟上。银芽、青菜下镬加入调味炒熟后围边，放上银耳。

④烧热镬，下生油，加上汤、蚝油、生抽和胡椒粉，滚透后用豆粉水勾芡，淋在腐皮包上，摆上桂花耳即成。

植物扒四宝

原料：水发冬菇 75 克，鲜磨茹 75 克，水发竹荪 50 克，凤尾笋 75 克，菜胆 20 只，植物油、蚝油、生抽、麻油、味精、白糖、酒、精盐、鸡油、豆粉各适量，素汤 125 克，上汤 250 克。

制法：冬菇剪去蒂，洗净，挤干水分，置碗中，加素汤、植物油、白糖、上笼蒸半小时取出。竹荪、凤尾笋均切约 1 寸 4 分长段。鲜磨菇放入滚水中滚一下捞起，挤干水分待用。

烧热镬下花生油，烹入酒，加入素汤、蚝油、生抽、盐、白糖、味精、麻油，即投入四宝：凤尾笋、竹荪、磨菇、冬菇，同炆至汤汁浓稠时起锅盛入碗中。食时上笼蒸热，覆扣碟中供用。

菜胆下油镬，加入盐、汤，烧至入味起镬，围在四宝边上。另用油起镬，烹入酒、上汤、盐、生抽，滚透后用豆粉水勾芡，加入麻油，浇在四宝上面即成。

冬蓉扒芦笋

原料：冬瓜 375 克，芦笋 200 克，陈皮、盐、马蹄粉、素上汤各适量。

制法：冬瓜去皮，磨烂成蓉，用碗盛好备用；芦笋去老根，用滚水焯过捞起沥干；用一汤匙油起镬，下素上汤煮滚，然后将芦笋放下滚片刻，捞起放碟中；再将冬瓜蓉和陈皮放下，滚片刻把陈皮取出，以盐调味，下马蹄水推成稀芡，倒在芦笋上面即成。

烩薯仔丝

原料：薯仔500克，生抽、豆粉、植物油、汤汁各适量。

制法：将薯仔去皮切丝。油下锅烧滚，随即下署仔丝、生抽、汤汁烩熟，起锅时加豆粉水勾芡即成。

腐皮烩番茄

原料：豆腐皮125克，番茄125克，植物油、盐、味精、胡椒粉、豆粉、汤汁各适量。

制法：先将豆腐皮撕成大块，下锅煮一下捞起。番茄用滚水烫一下，去皮去籽，切碎。将豆腐皮和番茄放入滚油镬中，加调料拌匀，烧至人味后略加豆粉水勾芡。

鸽蛋烩腐皮

原料：素鸽蛋10只，豆腐皮2张，花生油、盐、味精、胡椒粉、豆粉、汤汁各适量。

制法：用洁净湿布将腐皮抹净，切块，用热油炸黄，取出置碟内。

将镬中油盛起，原镬倒落汤汁，以盐、味精、胡椒粉调味，下鸽蛋推匀，烧滚即用豆粉水勾芡，全部倒入豆腐皮上即成。

鱿鱼烩腐衣

原料：素鱿鱼75克，腐衣125克，盐、味精、植物油、冬菇片、豆粉、姜、葱、汤汁各适量。

制法:将素鱿鱼切片,腐衣撕成块。油下锅烧热,先放入姜,葱爆炒一下,随即加上汤汁烧滚,捞起姜,葱不用。然后放下素鱿鱼片、冬菇片、腐衣块,以盐、味精调味,烧至素鱿鱼片人味时,用豆粉水勾芡,即可起锅。

海参杂烩

原料:素海参125克,豆腐1块,鸡蛋1只,金针菜、木耳、薯仔、鲜菜、番茄片、葱段、姜片、豆粉、生抽、味精、胡椒粉、盐、汤汁各适量。

制法:①素海参切片,金针菜、木耳用水浸发洗净,薯仔焓熟去皮,切成薄片。鲜菜切片,用滚水焯一下捞起。

②豆腐用布包裹挤干水分,捣烂后同打散的鸡蛋、生抽、胡椒粉、豆粉、盐混合均匀搅成粘稠状,取部分挤成丸子,放入热油中炸至呈黄色,另一部分抹在茄片上,做成素酥肉,下热油中炸黄,捞出置碟中。

③用汤汁下镬,放入木耳、金针、鲜菜、薯仔、葱段、姜片、味精,拌匀烧至人味上碟,把炸好的丸子放在上面;再将海参和素酥肉放入锅中,烩炒一下,放在②上即成。

烩萝卜糕

原料:白萝卜500克,米浆250克,豆粉、盐、味精、胡椒粉、鸡蛋各适量。

制法:①萝卜去皮,煮熟取起后,捣成泥,去汁。将米浆、鸡蛋、豆粉、盐、味精、胡椒粉和萝卜混合调匀;

②在蒸笼内铺上洁白蒸布,舀上已混合调匀的①料蒸熟,切成1~1.5寸的长方块;

③将蒸熟的萝卜糕加汤汁和以上调料,放入镬中同烩至人味,

略加豆粉水勾芡即可起镬。也可用油将萝卜糕炸黄，略加椒盐供食。

番茄素鱿鱼

原料：素鱿鱼 250 克，番茄 125 克，植物油、盐、味精、胡椒粉、豆粉、汤汁各适量。

制法：将鱿鱼切成薄片；番茄用滚水烫一下，去皮去籽，剁成蓉。油下锅烧滚，放入番茄，炒至油现红色时，即将汤汁、鱿鱼片、盐、味精、胡椒粉等放入，烧滚时以豆粉水勾芡即成。

酸菜素海参

原料：素海参 250 克，酸菜 75 克，花生油、冬菇、笋、盐、味精、胡椒粉、汤汁各适量。

制法：将海参和处理好之冬菇、笋、酸菜切成片，放入热油镬中先炒一下，随即下汤汁、盐、味精和胡椒粉，烧至人味即可起镬。

海参烩三丝

原料：素海参 125 克，冬菇 75 克，冬笋 125 克，素火腿 30 克，植物油 50 克，鲜菜、盐、味精、胡椒粉、豆粉、汤汁各适量。

制法：将素海参、素火腿，浸软冬菇，冬笋肉切成条。油下镬烧热，先下冬笋、冬菇炒拌，加盐、味精、胡椒粉和汤汁调味，随即放入素海参、火腿和鲜菜丝，候滚片刻，以豆粉水勾芡，即可起镬。

海参烩云吞

原料：素海参 200 克，豆腐 1 块，鸡蛋 1 只，云吞皮 50 克，芽菜、胡椒粉、味精、盐、生抽、豆粉、葱、姜、糖、汤汁、植物油各适量。

制法:豆腐用布包裹,挤干水分;素海参切片;芽菜去头尾切碎。把豆腐捣烂与打散的鸡蛋、盐和部分胡椒粉、味精、生抽、豆粉混合搅拌成馅料。

取1份馅料置于云吞皮上,包成云吞形,下热油镬中炸至呈黄色,取出放在碟内。原锅留油少许,下汤汁、胡椒粉、味精、生抽、白糖、葱、姜调好味,再放入素海参烧滚,略加豆粉水勾芡,倒在云吞上即成。

虾米烩海参

原料:素海参250克,素虾米75克,花生油、冬菇、素火腿、胡椒粉、味精、盐、豆粉、汤汁各适量。

制法:先将素海参、冬菇(浸发)、素火腿切片。油下镬烧滚,即放入虾米、汤汁、盐、胡椒粉、冬菇和火腿推匀,烧至人味时,下海参片,用豆粉水勾芡,翻炒几下,即可起镬。

竹参鸽量

原料:竹参25克,鸽蛋10只,花生油、盐、味精、胡椒粉、汤汁各适量。

制法:将竹参用清水浸发,破开边,切约1寸长段,下锅用水煮一下,取出,置碗中。

鸽蛋用水煲熟,取出浸冷水中片刻,去壳后置竹参碗中。

烧热镬,加花生油少许,下汤汁和调料,烤滚后倾人竹参鸽蛋上即成。

一品鸽蛋

原料:素鸽蛋5只,豆腐1块,鸡蛋1只,花生油、胡椒粉、味精、盐、豆粉汤汁各适量。

制法:先将豆腐挤去水分,捣烂,与打散的鸡蛋、胡椒粉、味精、盐、豆粉搅拌均匀,制成泥状。

将鸽蛋对开切成两半,把制成的泥状豆腐铺人碟内,用鸽蛋嵌在上面,碟周边用各式菜丝作成花边图案,上笼蒸熟。烧热锅,下油少许,放入汤汁、盐、味精、胡椒粉拌和烧滚,倒人鸽蛋碟内即成。

糖醋椰菜花

原料:花椰菜(即椰菜花)500克,鸡蛋1只,生抽、醋、姜米、盐、豆粉、味精、白糖各适量。

制法:将菜花整个浸于清水中,使藏于花内之小虫爬出,然后逐小朵切开,用滚水烫一下,捞起沥干水分。再将鸡蛋打散,以盐、豆粉、生抽搅拌成糊状,与菜花拌和,放入油镬炸熟。

糖醋茄饼

原料:茄子250克,豆腐1块,鸡蛋2只,大蒜、冬菜、藕片、胡椒粉、味精、白糖、醋、盐各适量。

制法:将茄子去皮洗净,切成夹层薄片。豆腐用布包裹,挤干水分。冬菜切细,藕剁成蓉。把豆腐捣烂,加打散的鸡蛋,以冬菜、藕片和胡椒粉混合搅拌成馅,酿入茄子夹层中间。再用鸡蛋、豆粉调成糊涂在茄片上,下热油中炸至呈黄色。原镬留油少许,放入蒜片、味精、白糖、醋,加茄夹烩匀,待人味即迅速起镬。

溜萝卜丸

原料:白萝卜1斤,蒸熟糯米75克,鸡蛋、豆粉、盐、胡椒粉、味精、白糖、醋、姜、葱、植物油各适量。

制法:将萝卜去皮煮熟,剁成蓉,榨去汁,拌和打散的鸡蛋、豆粉、盐和糯米,调匀做成丸子,下热油镬中炸至呈黄色,捞起。

原镬酌留余油,下汤汁,调入胡椒粉、味精、姜、葱、白糖、醋拌匀,倒入丸子稍烧,最后加豆粉水勾芡即可。

溜薯丸

原料:薯仔500克,鸡蛋1只,豆粉、生抽、醋、盐、姜米、葱蓉、白糖、植物油各适量。

制法:将薯仔洗净,连皮焓熟,去皮捣烂成泥,与打散的鸡蛋;豆粉、盐调拌均匀,做成丸子。下热油中炸酥,捞起。镬内酌留余油,下姜米、葱蓉、白糖、醋烧热,放入丸子炒匀,即可起镬。

糖醋酥鱼

原料:素鱼375克,醋、白糖、姜米、生抽、葱花、蒜蓉、植物油、豆粉、汤汁各适量。

制法:将油下镬烧滚,放入已制好的素鱼,炸成金黄色,取起盛于碟内。镬内留余油少许,下汤汁、姜米、醋、白糖、生抽、葱花、蒜蓉和味精调和,煮约两分钟,用豆粉水勾芡,浇在鱼上即成。

脆皮鱼

原料:素鱼1条,花生油、姜、泡辣椒、芫荽、胡椒粉、生抽、豆粉、味精、白糖、醋、汤汁各适量,葱丝、芫荽蓉各少许。

制法:将已制好的素鱼用油炸至外皮酥脆时,捞起放在碟内。然后将调料混合下镬,调煮成浓汁,即浇在鱼身上,洒上葱丝和芫荽即成。

但必须留意,用豆腐制的素鱼不用醋调味。

溜素咕噜肉

原料:生面筋75克,薯仔125克,鲜莲藕75克,生抽、醋、味精、豆粉、植物油、盐、白糖、花椒粉、葱花、蒜蓉、姜米、胡椒粉和茄汁各适量。

制法:将薯仔原只焓熟,去皮捣烂;鲜莲藕洗净,剁碎;把薯蓉、藕蓉放碗内,加味精、盐和胡椒粉,混合搅拌成馅。

将馅料捏成指头般大小,包于面筋内,上面洒上干豆粉,下热油中炸成黄色。

镬内酌留余油,调匀调料,下镬同炒两分钟即成。

溜素肉丸

原料:豆腐1块,薯片125克,盐、味精、生抽、醋、葱花、姜米、植物油、豆粉、冬菜蓉、白糖各适量。

制法:将豆腐用布包裹,挤干水分。再把薯仔焓熟去皮,把豆腐捣烂,加盐、豆粉、冬菜蓉、姜米搅拌均匀,用手挤成丸子,放入滚油镬内炸成淡黄色。镬内酌留余油。放入味精、生抽、醋、葱花、白糖调味,炒约两分钟,即可起锅。

糖醋素排骨

原料:生面筋125克,鲜莲藕125克,鸡蛋、盐、豆粉、植物油、白糖、醋、汤汁各适量,食用红色素少许。

制法:选购新鲜藕节,洗净去皮,与生面筋同切成排骨形状,加鸡蛋、豆粉等材料,略炸即制成素排骨。然后把调料下镬,调煮成浓汁,再把排骨放下去炒匀,待粘上浓汁时,即成外皮香酥、肉鲜嫩的素排骨。

炸南瓜

原料:南瓜 250 克,面粉 75 克,发粉、盐、白糖、植物油各适量。

制法:①南瓜去皮和瓜瓤,切薄片。

②用水调开面粉,加发粉、盐、白糖搅匀;烧热油,取 1 汤匙热油置面糊内搅匀。

③把南瓜片蘸入②之面粉糊中,沾裹面糊后放入热油锅中炸成金黄色,即可捞出排碟。也可用芋头或茄子代替南瓜。

萝卜松

原料:红萝卜 250 克,花生油、盐、白糖各适量。

制法:红萝卜去皮切成细丝,加盐、白糖拌匀,腌约十分钟,挤去萝卜水分。油下镬烧滚,放下萝卜丝,炸至酥软,取出用漏勺压干油分,使呈松散即成。

油酥青豆

原料:鲜嫩青豆仁 500 克,姜米、葱花、白糖、味精、花椒粉、麻油、生抽、醋各适量。

制法:将调料混合于碗内;油下镬烧滚,放入青豆仁,用微火慢炒,炒至青豆焓软,但皮未脱破时,装入调料碗内拌匀即成。

甜菜丸

原料:甜菜125克,豆腐1块,鸡蛋1只,花生油、花椒粉、胡椒粉、豆粉、盐各适量。

制法:将甜菜洗净,切成碎粒煮熟捞起,挤干水分,混合捣烂豆腐、豆粉、面粉、盐和味精,搅拌均匀,用手挤成丸子,下油镬炸黄即成。

菠菜豆腐丸

原料:菠菜125克,豆腐1块,鸡蛋1只,花生油、花椒粉、胡椒粉、豆粉、盐各适量。

制法:菠菜去黄叶,洗去泥沙,原棵下锅焯熟即捞起,挤干水分、切细,与捣烂的豆腐、打散的鸡蛋、胡椒粉、盐、豆粉混和,搅拌成胶粘状,用手挤成小丸子,下热油中炸黄,取出放入碟中,洒上椒盐即成。

锅贴萝卜

原料:白萝卜500克,豆腐1块,鸡蛋1个,豆粉、胡椒粉、味精、盐、植物油各适量。

制法:①萝卜去皮煮熟,切约1.5寸长方块,以干布吸收其水分。

②豆腐用布包裹,挤干水分,捣烂、加鸡蛋半个,拌和豆粉、胡椒粉、味精和盐,用竹筷搅拌成蓉。

③将萝卜块先涂上一层鸡蛋、豆粉,再将①料摊铺在萝卜块上,约1分厚,下油镬炸黄即成。

炸豆腐丸子

原料:豆腐2块,鸡蛋1只,豆粉、盐、味精、胡椒粉、植物油、花椒粉、葱、姜各适量。

制法:豆腐用布包裹,挤干水分,捣烂后和已打散的鸡蛋,下豆粉、盐、味精、胡椒粉等拌匀,并加少许葱、姜混和搅拌成胶粘状,用手挤成丸子,放入热油中炸黄,取出装碟,洒上椒盐供食。

素陈皮鸡

原料:熟面筋250克,干辣椒30克,花椒10克,陈皮10克,葱段、姜片、生抽、红油、糖糟、植物油、白糖各适量。

制法:面筋切成大丁,辣椒去籽切成小段,陈皮洗净切成小块。

油下镬烧滚,放下面筋炒干水分;干辣椒炒至焦黄。随即放入花椒、陈皮、姜、葱、生抽、味精、白糖和耪糟汁同炒拌,炒至料干变成黄色时,再放下红油炒均匀,即可起镬。

椒盐素排骨

原料:素排骨250克,花椒粉、粗盐各适量。

制法:先将粗盐研细,炒干水分,与花椒粉拌和成椒盐,将炸好的排骨,置于碟内,洒上已制好的椒盐即可。

椒盐鸽蛋

原料:鸽蛋10只,盐、花椒粉、豆粉、花生油各适量。

制法:先将鸽蛋用豆粉拌匀,下油镬中炸黄,取出放碟内,洒上椒盐即成。

椒盐素鸡卷

原料:豆腐1块,豆腐皮1张,鸡蛋1只,胡椒粉、花椒粉、盐、味精、姜米、植物油、豆粉、荸荠、芽菜蓉、麻油各适量。

制法:先将荸荠(马蹄)去皮,洗净剁碎,混合捣烂豆腐、鸡蛋、胡椒粉、盐、豆粉、味精、姜米、芽菜搅拌匀制成鸡蓉。

将豆腐皮用湿布抹净,摊开,抹上豆粉水,卷成卷筒形,切约寸半长段,再拌上豆粉水,用油炸黄。

取出置于碟内,加麻油、椒盐供食。

椒盐素酥鱼

原料:素鱼250克,盐、花椒粉、花生油、麻油各适量。

制法:将制好的素鱼,用油炸酥,取起置碟中,淋上麻油,洒上椒盐即成。

家常素火腿

原料:素火腿250克,鸡蛋、豆粉、植物油各适量。

制法:把素火腿切成长方块,鸡蛋、豆粉调成浓汁,涂在素火腿上,放入滚油镬中炸黄,取出装于碟内即成。

炸素虾饼

原料:素虾仁125克,鲜嫩青豆仁、冬菇丁、笋丁、红萝卜、丁、鸡蛋、豆粉、味精、花生油各适量。

制法:把青豆仁放入滚水锅内烫一下,去皮膜,和豆粉调成糊状,加进素虾仁及调料,混合拌匀,做成小圆饼形,再放入油镬中炸酥，取起置碟内即成。

龙凤素鸡腿

原料：豆腐皮 2 张，豆腐 2 块，鸡蛋 2 只，白方面包 4 块，荸荠 250 克，冬菜 30 克，番茄片、鲜菜丝、豆粉、盐、味精、胡椒粉、植物油各适量。

制法：将豆腐皮切成大小相同的 10 大块。荸荠去皮洗净，和冬菜同剁碎。面包切成与豆腐皮一般大小的长方块共 10 块，摆在碟子的周围。

把豆腐挤干水分，捣烂与鸡蛋、豆腐、盐、味精、胡椒粉和荸荠、冬菜混合搅拌成蓉，然后铺在豆腐皮上，包卷成一头大、一头小的鸡腿形。

把做好的鸡腿放入油镬中，炸成黄色捞起。分别放在面包块上，然后把鲜叶丝用盐腌一下，放入碟中，再加番茄片覆盖在鲜菜上即成。

椒盐素肉丸

原料：豆腐 1 块，薯仔 125 克，冬菜蓉、姜米、花椒粉、豆粉、盐、味精、植物油各适量。

制法：薯仔煮熟去皮，豆腐用布包裹，挤干水分，捣烂，加冬菜蓉、姜米、味精混合成蓉，用手挤成丸子。将素肉丸放入热油中炸黄，装入碟内，洒上椒盐即成。

红袍葱虾

原料：小葱 250 克，鸡蛋 1 只，豆粉、面粉、味精、胡椒粉、盐、植物油各适量，食用红色素少许。

制法:小葱原棵洗净,只用葱白,切成1寸长段。用鸡蛋拌和豆粉、面粉、盐、胡椒粉、味精,混合搅成糊状,加少量的食用红色素。然后将红色糊状物涂在葱段上,用油炸酥即成。

烧素四宝

原料:冬菇50克,茭笋肉100克,菜远2两,甘笋数片,上汤、盐、白糖、酒、生抽、麻油、植物油、豆粉各适量。

制法:冬菇浸软去蒂,大的切开两半;茭笋肉切片,甘笋切片用沸水滚约一分钟捞起。

烧红镬,下油2汤匙,把冬菇茭笋肉片、甘笋片炒透,然后加菜远,溅酒炒匀,加上汤、甘笋片煮透,最后加盐调味,以豆粉水埋芡。

红烧双冬

原料:干冬菇20只,冬笋肉250克,生抽、盐、白糖、味精、豆粉、花生油、麻油各适量。

制法:把冬笋老硬根头切去,放滚水中焯熟,过冷,切成2分厚、寸半长、5分宽笋片,再放滚水中煮一下,捞出。冬菇浸软,去蒂,洗净。

净镬烧滚花生油1碗,下笋片泡炸约四十分钟,捞起。原锅留油2汤匙,油滚时放下笋片和冬菇,炒匀,加调料,注入清水3碗,烧滚约三十分钟,煮至仅余3汤匙汁水时,将笋片拣出放在碟中。

将豆粉加清水调开,注入冬菇镬中同煮,加花生油和麻油,搅匀后,连冬菇浇在笋片上,并将冬菇面向上排好。

奶油丝瓜

原料:丝瓜500克,豆粉、味精、盐、白色汤汁、植物油各适量。

制法:把丝瓜上突起的棱边刨去,洗净,切约 1 寸长条。油下镬烧滚,随即放入丝瓜炒几下;加白色汤汁和调汁,煮熟时略加豆粉水勾芡即可起镬。

冬菇烧菜心

原料:冬菇 75 克,菜心 500 克,花生油、盐、味精、胡椒粉、豆粉、汤汁各适量。

制法:把菜心洗净,下滚水锅焯一下,冬菇用水浸发,去蒂切片。油下镬烧滚,放入菜心先炒一下,即加汤汁、冬菇、盐、味精、胡椒粉煮至入味,起镬时略加豆粉水勾芡即成。

火腿春笋

原料:鲜嫩春笋 1000 克,火腿蓉、盐、味精、素上汤、马蹄粉或菱粉各适量,花生油 2 杯。

制法:将春笋剥去皮,只取笋尖部分,每条切开两边,用刀背拍一下使其裂开。

净镬置旺火上,注入花生油,放下笋尖炸约 2 分钟,捞起沥干,盛于碟中。

原镬留油 1 汤匙,倾入素上汤、盐,略滚,随以湿菱粉勾芡,下味精,浇在春笋上,撒下火腿蓉供食。

冬菇面筋

原料:冬菇 75 克,熟面筋 250 克,荷兰豆、笋片各少许,胡椒粉、豆粉、味精、植物油、汤汁、姜、葱各适量。

制法:冬菇用水浸发,去蒂切片。面筋切成长方块。荷兰豆去蒂洗净,焯熟。油下镬,先放葱、姜炒一下,加汤汁煮滚,捞起姜葱,然后下面筋、冬菇、笋片和调料，煮至入味时，下荷兰豆，加豆粉水勾芡即成。

三鲜豆腐

原料：豆腐2块，冬菇片、笋片、火腿片各适量，植物油50克，葱头、姜片、生抽、味精各适量。

制法：将豆腐切成1分厚的长方块，下锅煮一下捞起。油下镬烧热，先炒葱、姜，下冬菇片、笋片抖匀，豆腐和其余调料，改用文火炆煮至豆腐入味时，即可起镬。

麻婆豆腐

原料：豆腐2块，植物油50克，豆豉50克，花椒粉、辣椒粉、红油、蒜蓉、豆瓣酱、豆粉、盐、生抽、味精、汤汁各适量。

制法：将豆腐切成小块，下锅加盐少许，用文火煮五分钟，再加少许盐，捞起置冷开水中。

油下镬烧滚，下豆瓣酱、辣椒粉爆炒，炒至油现红色时，加少量盐翻炒，随即下剁成蓉的豆豉，加半勺汤汁，跟着下豆腐，用文火煮五分钟，然后放进蒜蓉、生抽、味精，略翻炒，煮一下，加豆粉水勾芡，放入碗内，淋上红油，洒上花椒粉，即成又麻又辣又烫，有特殊风味的麻婆豆腐。

番茄烧豆腐

原料：豆腐2块，番茄125克，植物油、豆粉、盐、味精、汤汁、葱头、姜片各适量。

豆腐用刀切成长方块，下锅煮一下捞起。番茄用滚水烫一下，去皮去籽，剁成蓉。油下锅先把番茄炒一下，即加汤汁，放入豆腐和调料，用文火煮至入味，加豆粉水勾芡即成。

发菜生筋

原料：生筋 125 克，发菜 5 克，生菜 125 克，姜汁、生抽、盐、素汤、豆粉各适量。

制法：生筋切小块，用油泡过；发菜加生油少许拌匀，用水泡洗净，再用姜汁水拌匀，以去其灰味。

起油镬加素上汤把生菜焯熟，捞起放在碟中；然后将发菜、生筋同放入汤内滚片刻，加盐调味，以豆粉水勾芡，全部倾在菜面上即成。

酱烧茄子

原料：茄子 250 克，甜酱 30 克，生抽、豆粉、味精、蒜蓉、植物油、汤汁各适量。

制法：茄子洗净去皮，切成小条，下油镬炸黄捞起。原镬留油少许，放入甜酱翻炒片刻，才放进茄子和调料，炆至够焾为止，起镬时略加豆粉水勾芡即成。

酱烧苦瓜

原料：苦瓜 500 克，甜酱、味精、花生油、生抽各适量。

制法：先将苦瓜去瓤洗净，切约 1 寸长条，煮至将熟时捞起。油下镬烧滚，先爆炒甜酱，后放苦瓜，待苦瓜粘上甜酱时，再下生抽、味精同煮，煮至入味即可上碟。

干烧凉瓜

原料:苦瓜750克,植物油50克,青椒粒、榨菜蓉、味精、盐、酒各适量。

制法:把苦瓜(凉瓜)开边,去瓤洗净,斜切成薄片,放入滚油镬中,炒至半熟时,放下青辣椒、榨菜,炒干水分,加盐、味精调味,溅下酒即可起镬。

五柳素鱼

原料:素鱼500克,笋丝、冬菇丝、花生油、泡辣椒丝、味精、胡椒粉、豆粉、生抽、汤汁、姜丝、白糖各适量。

制法:将素鱼放入滚油中炸成金黄色,捞起装于碟内。镬内酌留余油,放入笋丝、冬菇丝、泡辣椒丝、姜丝略炒一下,加汤汁、味精、胡椒粉、生抽、白糖、烧滚后,加豆粉水勾芡,浇在鱼上即成。

葱烧素鱼

原料:素鱼500克,葱125克,姜丝、生抽、味精、胡椒粉、植物油、豆粉、汤汁、白糖各适量。

制法:把素鱼放入油镬中炸成金黄色,捞起装入碟内。葱洗净切约2寸长段,下油镬炸黄,取出。镬内酌留余油,加汤汁,将葱煮软,再放姜丝、生抽、味精、胡椒粉、白糖,约煮两分钟,起镬时加豆粉水勾芡,淋在鱼上即成。

夏瓣素鱼

原料:素鱼500克,豆瓣酱、味精、生抽、豆粉、蒜蓉、胡椒粉、花生油、白糖、醋、姜、葱、汤汁各适量。

制法:将素鱼下滚油中炸成黄色,捞起放入碟内。再把豆瓣酱、姜、葱下镬爆炒一下,随即加生抽、味精、胡椒粉、蒜蓉、白糖、醋、汤汁翻炒几下,调好味,加豆粉水勾芡,即可浇在鱼上供用。

一品素海参

原料:素海参250克,花生油50克,冬菇、笋、素鸡、冬菜,生抽、味精、胡椒粉、姜、葱、汤汁各适量。

制法:把素海参切成大块,铺排在碗底。

将冬菇、笋、素鸡、冬菜、葱、姜切成小丁,下油镬炒拌片刻,以味精、盐、生抽调味,炒几下,即起镬装入海参碗内,上笼蒸熟,倒出蒸汁,翻扣碟内。

把蒸汁置锅中,加汤汁调好味,略加豆粉水勾芡,浇在素海参上即成。

红烧素海参

原料:素海参25克,食油250克,冬菇、笋、火腿、葱、姜、生抽、味精、胡椒粉、汤汁、豆粉、花生油各适量。

制法:将素海参切成长方块。冬菇、笋用水浸发,与葱、姜火腿同切成片。油下镬烧滚,放入冬菇、笋、火腿、姜、葱炒一下,即加生抽、味精、胡椒粉、汤汁调好味,加素海参约煮一分钟,以豆粉水勾芡即可。

烧素海参丸

原料:素海参250克,豆腐1块,鸡蛋1只,胡椒粉、味精、生抽、豆粉、花生油、葱白、姜片、汤汁各适量。

制法:素海参切成长方块。豆腐用布包裹挤干水分,捣烂后加鸡蛋、豆粉、生抽、味精、胡椒粉混合搅匀,用手挤成丸子,下油镬炸黄,捞起装于碟内,然后把汤汁、味精、姜片下镬调好味,随即下海参同煮,煮滚后,倒入盛丸子碟内即成。

鱼香鸽蛋

原料:鸽蛋10只,生抽、味精、豆瓣酱、葱花、姜米、豆粉、汤汁、白糖、醋各适量。

制法:将煮好的鸽蛋去壳用干豆粉拌匀,下油镬炸黄捞出。镬内酌留余油,将调料倾入锅内,加少许汤汁和鸽蛋,翻炒几下,以豆粉水勾芡即可。

红烧杂烩

原料:白萝卜250克,鸡蛋1只,豆腐1块,金针菜、木耳、面粉、素鸡、豆腐皮、芋头、鲜蔬菜、盐、味精、植物油、豆粉、胡椒粉各适量,上汤少许。

制法:萝卜去皮煮熟,切成薄片,加鸡蛋、豆粉、面粉和匀,下油镬炸黄捞起,以代酥肉。豆腐捣烂,加豆粉、鸡蛋和味精搅拌均匀,做成丸子,用油炸黄,以代肉丸。

木耳、金针菜用水浸发洗净,素鸡、豆腐皮、芋头(去皮)洗净切片。

将菜用滚水焯熟,放在碟内作底,再将酥肉、肉丸装入菜碟内;然后将所有调料下锅,煮至入味时即可取出放在菜碟上。

红萝卜烧素鸡

原料:素鸡250克,红萝卜(或莴笋头)250克,植物油50克,生抽、味精、胡椒粉、豆粉、汤汁各适量。

制法:素鸡切成滚刀片。红萝卜洗净,用夹匙弄成圆球形。油下镬烧滚,放入素鸡片、萝卜球炒一下,然后加生抽、味精、胡椒粉、汤汁调味,炆至入味够熟时,加豆粉水勾芡即成。

冬菇烧素鸡

原料:素鸡 250 克,冬菇 125 克,生抽、豆粉、盐、胡椒粉、植物油、汤汁、白糖各适量。

制法:购买冬菇或较好的香菇,用清水浸发,大只的切成片。素鸡切成滚刀片,放入油镬中炸一下,然后下汤汁、冬菇片、生抽、味精、盐、胡椒粉、白糖调味,炆之入味时,加豆粉水勾芡即成。

红烧鲜菌

原料:鲜菌 500 克,植物油 75 克,味精、胡椒粉、盐、蒜头、汤汁各适量。

制法:将鲜菌洗净泥沙,切约一指宽方块,下锅煮熟,捞起用清水泡一下。油下镬烧滚,把切片蒜头,鲜菌炒一下,即下调料,炆至入味即可。

绣球萝卜

原料:白萝卜 250 克,红萝卜 250 克,豆腐 1 块,鸡蛋 1 只,豆粉、植物油、味精、盐、汤汁、胡椒粉各适量。

制法:把捣烂豆腐、打散鸡蛋置碗内,加豆粉、味精等调味,搅成馅料。

将红;白萝卜去皮,切成 5 厘米长丝,放入碟中。将已制好馅料浇在萝卜丝上成圆形,放入蒸锅内蒸熟取出。

油下镬烧热,加汤汁,放入味精、胡椒粉、盐烧滚,加豆粉水勾芡,取出淋在萝卜丝上。

砂锅鲜菜

原料:青菜头500克,冬菇、金针菜、笋片、面筋各适量,豆粉、味精、盐、汤汁各适量。

制法:青菜头剥皮去筋,切成长方块。下锅煮一下,捞起沥干水分。放入砂锅底层,将其余材料和调料放在上面,加汤汁,烧滚,改用文火炆煮,够焓时,加豆粉水勾芡,连砂锅一齐端出上桌。

红烧豪狮子头

原料:豆腐1块,红白萝卜丁酌量,豆粉、盐、味精、冬菜蓉、胡椒粉、植物油、姜米、生抽、汤汁、鲜菜各适量。

制法:豆腐用布包裹挤去水分,捣烂后加豆粉、盐、味精、胡椒粉、姜搅拌均匀,再加萝卜丁、冬菜蓉拌和,做成圆球形,下油锅炸黄即成狮子头。

将新鲜蔬菜焯熟,放碟内作底,再摆上狮子头,然后用汤汁、味精、生抽下锅调好味,浇在菜碟内即成。

冬瓜方

原料:冬瓜750克,冬菇片、火腿片、笋片、素鸡各数片,植物油50克,豆粉、味精、盐、汤汁各适量。

制法:把冬瓜去皮去瓤,切成1寸方块,放在滚油中炸成淡黄色,取出。

原镬留油少许,随放入其他材料炒片刻,下冬瓜方和调料,煮至各料熟透入味时,加豆粉水勾芡即可起镬。

红烧芋仔

原料:红芽芋头仔500克,植物油、生抽、味精、汤汁各适量。

制法:购买新鲜的红芽芋头仔,刮去皮洗净,切滚刀块,放入滚水锅中煮滚,捞起沥干水分。烧热镬,下油,待油滚热时将芋仔和调料放入,炒匀,盖好炆至芋仔够炝入味即可。

南乳杂锦

原料:青梗白菜、鲜草菇、鲜磨菇、白菜、笋肉、红萝卜各100克,冬菇、金针菜、云耳各25克,腐皮1张,生筋2串,绿豆芽200克,发菜一小撮,红腐乳1块,酒、老抽、盐、沙糖、黑胡椒粉、粟粉各适量。

制法:将两种白菜和笋肉等洗净,均切成1.5寸长、6分宽片。鲜磨菇、草菇削去泥污,洗净。红萝卜去皮,切寸长薄片。冬菇、金针菜、云耳、发菜、腐皮、生筋等均用温水浸软,洗净。冬菇、云耳、金针菜均摘去蒂,腐皮切成寸半方片;发菜浸软,捞起挤干,加1汤匙花生油搓匀,用清水泡净;绿豆芽摘去头尾。红腐乳(即南乳)用汤匙压成糊状,加1汤匙清水混和。

烧滚清水,下笋片、草菇、磨菇、红萝卜片和生筋等煮滚约十五分钟,取出过冷水,沥干备用。

烧热花生油1汤匙,先爆香红腐乳汁,下清水2碗,烹入酒,加调味料,烧滚,下全部材料,翻炒均匀,盖密,烧滚约四十分钟,才加绿豆芽,翻炒均匀,以粟粉勾芡,不停翻炒,至汁水收浓时,加花生油1汤匙,炒好上碟。

素黄鱼

原料:马铃薯50克,腐皮2张,笋250克,盐、味精、花生油各适量。

制法:笋去皮,煮熟切细条,马铃薯煮炝,去皮捣成泥,两者混合,加盐、味精拌匀。

腐皮用湿布抹净,用温水发软,平铺台板上,将材料放入包成鱼状,然后放入热油中炸黄盛起,以番茄酱或辣椒酱拌食。

三元及弟

原料:甘笋、白萝卜、鲜草菇(或冬菇)各100克,豆粉、盐、味精、麻油各适量。

制法:把甘笋、白萝卜洗净,去皮切成圆球状,煮熟,捞起。草菇洗净,备用。

将甘笋、白萝卜放入锅中,加水略煮,将熟时放下草菇并以调稀之豆粉水勾成薄芡,再下盐、味精调味,淋下几滴麻油即成。

糖醋藕片

原料:嫩莲藕3节,糖、醋、油各适量。

制法:莲藕去污泥洗净,去节刮去藕皮,再洗净,切成半厘米厚片。

净镬烧热,放入调料下藕片兜匀,用中火熬至汁略干即可。

粉蒸四季豆

原料:四季豆500克,米粉125克,植物油、生抽、耪糟(或黄酒）、豆瓣酱、花椒粉各适量。

制法：将四季豆摘去头尾，撕去筋洗净，摘成约 1 寸长段。把豆置深碗内，加米粉、花生油等调料拌和均匀，上笼或蒸锅蒸熟即成。

粉蒸红芽芋

原料：红芽芋约 500 克，米粉 125 克，花生油、生抽、甜酒、豆瓣酱、花椒粉各适量。

制法：选购新鲜靓红芽芋头仔，刮去外皮，洗净切丝，置蒸碟内加米粉、花生油及调料拌和均匀，上笼蒸熟即成。

素东坡肉

原料：白萝卜 500 克，豆腐皮 1 张，鸡蛋 1 个，豆粉、味精、胡椒粉、盐、生抽、植物油、汤汁各适量。

制法：将萝卜蒸（或煮）熟去皮，切成长方形厚块，用布吸干水分，洒上少许食盐，然后用豆粉抹匀萝卜块，再涂上调匀之鸡蛋豆粉汁。

豆腐皮亦切成长方块，每块豆腐皮平放 2 块萝卜，中间约留 2 分宽的距离，再用 1 块豆腐皮铺在上面。将豆腐皮缝中折叠转来，使每块萝卜均露出一端，入笼蒸上气，取出用油炸黄；再入笼蒸软，然后取出置碟中。

烧热镬，下油少许，调入汤汁、油、盐、生抽和味精，烧滚，加豆粉水勾芡，浇在素肉上即成。

百页素肉卷

原料：豆腐皮 2 张，花生油、豆腐、薯仔、味精、生抽、盐、胡椒粉、豆粉、汤汁各适量。

制法:将豆腐皮对切开,用滚水煮一下捞起;薯仔煮熟去皮,与豆腐同捣烂,加盐、味精、生抽、胡椒粉、豆粉调味,混合搅拌成蓉,放在豆腐皮内,包卷成卷形,装入蒸碗中,上笼蒸熟。

将蒸熟百页素肉卷取出,滤出蒸汁(留用),覆扣供用碟上。蒸汁加汤汁和调料拌和,然后把汤汁和调料烧滚,加上豆粉水勾芡,浇在素肉卷上。

素粉蒸肉

原料:白萝卜500克,米粉125克,甜酱、姜米,耪糟、味精、胡椒粉、白糖、盐、植物油各适量。

制法:将萝卜去皮,切约2寸半长方块,用盐腌一下。油下锅烧滚,放下萝卜块炸成牙黄色捞起。再将米粉和调料拌匀,涂在炸好的萝卜块上,排列于蒸碗内,上笼蒸熟,取出翻扣于碟内即成。也可用南瓜、茄子、冬瓜代替白萝卜。

素蜜汁火腿

原料:素火腿300克,冰糖(打碎)25克。

制法:将素火腿切成长方块,排列于蒸碗内,放入冰糖,上笼蒸熟,待冰糖溶化后,即可取出翻扣于碟内。

珍珠丸子

原料:糯米300克,豆腐皮3张,冬菇4只,甘笋200克。豆粉、盐、味精、生抽、麻油各适量。

制法:糯米洗净,浸泡一小时,晾干水分,置碟内待用。香菇浸软切丁,甘笋、豆腐皮切碎,放入大碗内,加各调料拌匀。

捏成小丸状,放入糯米中,使其表面粘上糯米,排于蒸盘上,上锅或笼隔水蒸约四十分钟左右,即可取出,上桌时洒下甘笋蓉或香荽装饰。

清蒸素鸭子

原料:豆腐皮2张,黄豆芽500克,冬笋丝125克,冬菇75克,冬菜丝、胡椒粉、味精、姜丝、葱段、盐、汤汁、花生油、萝卜各适量。

制法:豆芽摘去头尾,用水洗净。冬菇用水浸发切丝。

油下锅烧滚,依次放入豆芽、冬菇丝、冬笋丝、冬菜丝抖匀,下盐、味精、胡椒粉、葱、姜调味,炒熟备用。

用2块切成长方片形的萝卜,嵌于蒸碗内两侧,作为鸭子胸腹的模型。然后在一块粗麻布上铺上豆腐皮,将炒熟的豆芽、冬菜丝等放在豆腐皮内包好,装入有鸭子模型的碗内,用手按紧,淋上汤汁,入笼蒸熟,取出翻扣于供用碟内,上清汤即成。

酿冬瓜

原料:小冬瓜(约重500-750克)1个,绿豆芽菜125克,冬菇丁、笋丁、素鸡丁共1碗半,味精、胡椒粉、生抽、盐、汤汁各适量。

制法:将冬瓜去皮洗净,在近蒂部挖一四方小孔,挖出的小方块作帽盖,取出瓜瓤,下油锅炸成略带黄色。

芽菜切小段,与冬菇、笋、素鸡同放热油锅中炒拌,加味精、胡椒粉、生抽、盐等调味,炒熟取出,装入冬瓜内,加上帽盖,坐放大碗内,上蒸锅内蒸熟,用汤汁加味精、胡椒粉烧滚,再加豆粉水勾芡,淋在蒸好的冬瓜上即成。

椒盐酿黄瓜

原料:黄瓜500克,豆腐1块,鸡蛋1只,花椒粉、盐、豆粉、胡椒粉、味精各适量。

制法:先将豆腐捣烂,鸡蛋打散,同放碗内加豆粉、盐、味精、胡椒粉搅拌均匀成馅料。

将黄瓜去皮,切去两端,挖净瓜瓤,下锅煮熟捞起,然后把馅料酿入黄瓜内,并在黄瓜表面抹上豆粉,下热油镬中炸至淡黄色,取出切半寸长段,排于碟中,撒下椒盐即成。

酿辣椒

原料:新鲜大青辣椒10个,豆腐1块,鸡蛋1只,豆粉、盐、味精、胡椒粉、汤汁、花生油各适量。

制法:把青椒原个洗净,切去椒蒂附近部分,挖去椒籽。把豆腐捣烂,鸡蛋打散,加豆粉等搅拌成馅料,然后酿于辣椒内,摆在碟中,上笼蒸熟。

净镬烧热花生油少许,下汤汁、味精、生抽烧滚,再以豆粉水勾芡,取出淋在蒸熟的青椒上即成。

酿南瓜

原料:南瓜(约重350克)1个,芽菜125克,冬菇丁、笋丁、素鸡丁约共半碗。味精、胡椒粉、生抽、汤汁、盐各适量。

制法:先将南瓜原个洗净,从近蒂处挖一四方形小孔,取出瓜瓤,放入热油镬中炸至黄色。

将芽菜切小段,与各丁料一同放热油镬中炒拌,加味精、胡椒粉、生抽和盐调味;炒熟即装入南瓜内,原个盛于碗中,上笼蒸熟。

原镬略加油烧热，放入汤汁、生抽、味精，烧滚时用豆粉水勾芡，浇入南瓜碗内即成。

酿苦瓜

原料：苦瓜1条，豆腐皮250克，酸菜50克，甘笋50克，豆豉25克，葱、辣椒各适量；味精、盐、生抽、麻油、豆粉和植物油各适量。

制法：把味精、盐、生抽、麻油、豆粉和植物油放碗内调匀备用。豆豉洗净，葱切粒，辣椒切小片。

苦瓜横切约1寸厚环，去瓜瓤，用盐水烫煮约两分钟，捞起。

把豆腐皮、酸菜、甘笋剁碎，加入味精、盐、生抽、麻油、豆粉和植物油拌匀，酿入苦瓜环内，置菜盘中排好。

烧热油镬，爆炒豆豉、葱、辣椒，取出撒在酿苦瓜上，再隔水蒸约二十分钟。

锅贴冬菇

原料：冬菇100克，豆腐1块，鸡蛋1只，豆粉、盐、味精、胡椒粉、植物油各适量。

制法：选用大只冬菇，用水浸发，去蒂洗净，沥去水分，在蒂部抹上少许干豆粉。

将豆腐捣烂，加打散的鸡蛋，以胡椒粉、鸡蛋、盐、味精调味，搅拌成馅料。在冬菇蒂一面撒下少许干豆粉，再涂上适量馅料，排入蒸锅内蒸熟。然后取出，再用鸡蛋、豆粉涂在冬菇上面，放入热油镬内煎黄，盛于碟内即成。

凤尾鸽蛋

原料：鸽蛋5只，豆腐1块，鸡蛋1只，冬菇丝、红萝卜丝：青菜叶丝各少许，胡椒粉、味精、盐、豆粉、汤汁、植物油各适量。

制法：用捣烂豆腐、打散的鸡蛋，加胡椒粉、味精、盐等调味搅拌成馅料。

将鸽蛋对开切两半，冬菇、红萝卜、鲜菜叶切成丝，作风尾用。

取10只净汤匙，分别涂上少许花生油，每只舀上半匙馅料，然后放入半边鸽蛋，粘上各式菜丝于尾端，上蒸锅蒸熟。取出脱匙滑入汤碗内，注入烧热汤汁即成。

煲仔菜烹饪法

姜葱咸鱼鸡翼煲

原料：香味、实肉的黄花咸鱼肉120克，鸡翼(中段)640克，姜约40克，肉葱约160克，蒜头2粒。

制法：弄净咸鱼；鸡翼洗过，放下沸水内稍焯取起，在冷水中过冷待用。姜切片；葱弄净，切长条。

烧热瓦罉，下油，放下姜、葱头爆香，续下鸡翼同爆，溅下烧酒，倒半碗清水，加入咸鱼同煲炆。十五分钟后，试适味，原煲上席。

咖哩鸡煲

原料：光鸡1/2只约640克，洋葱约160克，湿咖喱1汤匙，椰汁80克，姜4片等。

制法：洗净鸡，斩件，加味拌。洋葱切碎。

烧热瓦罉，下油，爆过姜片、洋葱、咖喱，续下鸡件同爆，溅下烧酒，倾下一碗清水，调适味，加盖焖煮十五分钟后，加入椰汁拌匀，返滚即成。

香菇笋鸡煲

原料：冬笋肉约120克，香菇40克，光鸡640克，蒜头2粒，姜6片，味精、盐、糖等各适量。

制法：批净冬笋肉之外老皮，切开边，放在沸水内滚十分钟，取起在冻水中浸冻，切片待用。浸开北菇，去蒂。光鸡洗净，斩件，加味捞过，放下滚油内泡油捞起待炆。

烧热瓦罉，下油，放下姜、蒜爆香，续下笋肉、鸡件同爆，倾下一汤碗清水，调适味，加入北菇同炆二十分钟，下些粉芡、熟油即成，原煲上席。

菱角鸡煲

原料:新鲜菱角肉 240 克,光鸡 640 克,姜 6 片,肉葱 5 条,味精、糖、盐等各适量。

制法:菱肉在清水中泡过。光鸡洗净,斩件,加味捞过,放下滚油内泡过。

烧热瓦罉,下油,爆过姜、葱头和鸡件,溅下烧酒,倒两碗清水,调适味,连同菱角肉同炆至焓。下些粉芡,加葱条和熟油即成。

栗肉子鸡煲

原料:鲜栗肉 240 克,鸡项 1 只 720 克,蒜头 2 粒,姜 4 片,葱、糖、盐、味精等各适量。

制法:栗子去薄衣,洗过。鸡洗净,斩件,加味伴过,放下滚油内泡过油候用。

烧热瓦罉,下油,放下蒜蓉、姜,续下鸡件同爆,溅下烧酒,倾下一汤碗半清水,加入栗肉同炆至焓,调适味,拌些粉芡,加葱条、熟油,原煲上席。

鲍鱼鸡煲

原料:罐头鲍鱼 1/2 罐,光鸡半边约 720 克,姜 4 片,蒜头 2 粒,调味品各适量。

制法:开罐倒出鱼,取一半切片。光鸡洗净,斩件,加味捞过,放下滚油内泡过候用。

烧热瓦罉,下油,爆过姜、蒜和鸡件,倒半碗清水和少量鲍鱼水,调适味炆十五分钟,加入鲍鱼片同炆片刻,下些粉芡、熟油即成。

香菇鲍鱼鸡煲

原料:香菇40克,鲍鱼1/2罐,光鸡约480克,姜4片,肉葱4条,蚝油1汤匙,糖、盐等各适量。

制法:浸开北菇,去蒂。鲍鱼切片。光鸡斩件,加味捞过,放下滚油内泡过。

烧热瓦罐,下油,放下姜、葱、鸡件同爆,溅下烧酒,倾下一碗半清水和少许鲍鱼水,调适味,加北菇同炆十五分钟,鲍鱼片加下拌匀,下粉芡,熟油即成。

咖喱椰汁鸡煲

原料:光鸡半边720克,薯仔320克,鲜椰汁80克,湿咖喱1汤匙,乾葱头4粒,姜2片,味精、糖、盐各适量。

制法:光鸡洗净,斩件,加味捞过。薯仔去皮,切角件,用盐水浸过。乾葱、姜同捣烂。

鸡件在沸油内泡过后,又放下薯角炸香。

烧热瓦罐,下油,放下乾葱、湿咖喱爆香,续下鸡件同爆,倾下一汤碗清水,放下薯角,调适味同炆,好时,加入鲜椰汁,拌匀,返滚即成。

酱油鸡煲

原料:新鲜鸡肫640克,原汁酱油80克,冰糖、味精、盐各适量,蒜头4粒。

制法:弄净鸡肫,放下沸水内滚过,捞起在清水中过冻取起。

烧热瓦罐,下油,爆香蒜蓉,溅下烧酒,倒一汤碗清水、酱油、冰糖、味精、盐等调适味,放下鸡肫炆卤,直至焓为止,原煲上席。

柱侯鲜鹅掌翼煲

原料:新鲜鹅掌翼2副,柱侯酱80克,陈皮1块,蒜头2粒,味精、盐、糖等各适量。

制法:洗净鹅掌翼,放下沸水内滚过,捞起在清水内过冻取起。蒜头捣烂;陈皮浸软。

烧热瓦罉,下油,放下蒜蓉、柱侯酱爆过,溅下烧酒,倒两汤碗清水,放下陈皮,调适味,放下鹅掌翼炆卤至炝为止。

冬菇鹅掌翼煲

原料:冬菇60克,新鲜鹅掌翼2副,蚝油2汤匙,味精、盐、糖各适量,葱2条,姜4片,烧酒适量。

制法:冬菇浸软,去蒂,洗净。鹅掌翼洗过,放下沸水内洗净。鹅掌翼洗过,放下沸水内滚过,取出待用。

烧热瓦罉,下油,放下葱条、姜片爆香,溅下烧酒,倾下一汤碗清水,调适味,放下北菇、鹅掌翼同炆卤,直至鹅掌翼焓时,取起斩件,放回原煲,拌匀,即可原煲上席。

荔甫肥鹅煲

原料:荔甫芋400克,新鲜肥鹅1/2只,南乳1件,蒜头3粒,味精、老抽、糖、盐等各适量。

制法:荔甫芋去皮,洗过,切成“骨排”件,放下沸油内炸香待用。洗净鹅件,用老抽涂匀。

烧热瓦罉,下油,爆香蒜蓉、南乳,放下鹅件爆过,倾下2汤碗清水,调适味,放下炸香之芋件同蹚炆,待鹅件埝时,取出斩件,放回原煲,即可上桌。

咸蛋大鸭煲

原料:光鸭1只800克,咸蛋黄4个,洋薏米60克,百合40克,湘莲子80克,柳梅瘦肉80克,冬菇3只,叉烧40克,调味品各适量。

制法:把全鸭,洗净,沥干水,用老抽涂匀鸭身,放下沸油内炸,炸至焦黄时取出,沥干油,放下清水中去净油腻,取起。

洋薏米浸过,煲熟待用。百合、莲子浸开。瘦肉、叉烧、冬菇均切粒,各项用料混在一起,加味拌匀,将此配料塞入鸭腹腔内,将开口之处用针线埋口。

烧热瓦罉,下油,爆香蒜蓉,倒入两汤碗清水,放下酌量味精、老抽、盐、糖,放下酿好之鸭身,加盖煲炆,直至鸭身炝透为止,拌入些粉芡,原只原煲上席。

津菜大鸭煲

原料:津菜320克,光鸭1/2只,陈皮1块,老抽、味精、盐、糖等各适量。

制法:津菜切长条,洗过。光鸭洗净,涂匀老抽候用。

烧热瓦罉,下油,煮至茗菜半熟取出。再用瓦罉爆鸭件,倾下1汤碗清水,放下陈皮,调适味炆煮至鸭身炝时取起,放下津菜煮着,鸭件斩件,放回原煲,返煮片刻即成。

陈皮鸭煲

原料:光鸭800克1只,陈皮1/2个,八角2粒,老抽、冰糖、盐等各适量。

制法:洗净光鸭,沥干水,用老抽涂匀鸭身,放下沸油内炸,炸至鸭身焦黄时取起，浸在冻水中，冲去油腻待用。

瓦罉注下小半煲清水，放下陈皮、八角和酌量老抽、冰糖、盐等调适味，下鸭加盖煲炆，直至鸭身完全焓为止，下些粉芡或稀芡即成，鸭不用斩件，原煲上桌。

鲜栗肥鸭煲

原料：新鲜栗子肉 240 克，光鸭 640 克，青蒜 2 条，姜 4 小片，盐、糖、生抽等各适量。

制法：用大热水浸过栗子肉，剥去薄衣，在清水中泡过候用。鸭洗净，斩件，加味腌过，续下沸油内泡过取起。

烧热瓦罉，下油，放下姜、青蒜、鸭件爆过，加入 2 碗清水，调适味，连同栗子肉同炆至焓，原煲上席。

黄花鱼煲

原料：黄花鱼 1 条 720 克，白醋约 480 克，片糖 3 件，五柳菜 120 克，鸡蛋黄 1 个，芫荽 2 棵。

制法：黄花鱼弄净，加味腌过，沥干水，拌入鸡蛋黄，用干生粉捞干鱼身，放下滚油内炸，炸至焦黄时取起。

烧热瓦罉，下些蒜蓉，倒入白醋，放下片糖、少许盐、1 汤匙茄汁和半茶匙喼汁调煮适味，放下炸好之黄花鱼、五柳菜掘煮十来分钟，下些粉芡，加上芫荽，原煲上席。

乌豆鲩鱼煲

原料：乌豆 200 克，黑鲩鱼 1/2 段 900 克，陈皮 1/2 个，味精少许。

制法：乌豆下白镬内炒香，倒入 1 汤碗清水滚十五分钟，倒在清水中泡过候用。

黑鲩鱼加盐腌片刻，放下油锅内煎香，注入两汤碗清水。铲起在瓦罉中，加入乌豆、陈皮，调适味，加盖炆着，二十五分钟后便成，原煲上桌。

风鳝冬笋煲

原料：冬笋肉120克，风鳝2条1000克，香菇8只，青蒜2条，火腩120克。

制法：弄净冬笋肉，切厚片，放下滚水中滚过待用。风鳝弄净，斩件。香菇浸开，去蒂。火腩斩件。

烧热瓦罉，下油，放下火腩、青蒜、冬笋肉同爆香，续下风鳝件风爆片刻，倒下两碗清水，加入香菇，调适味同炆。十五分钟后试适味，下些粉芡即成。

枝竹黑鲩煲

原料：黑鲩鱼1/2段960克，枝竹240克，姜80克，面豉酱1/2汤匙，味精、老抽各适量。

制法：先行用清水浸软枝竹，剪度，再浸着。弄净黑鲩鱼，加些盐腌片刻。姜去皮，洗净，拍扁，切碎。

起油镬，先行将鱼煎过，铲起；下油，爆过姜、面豉，倾下两碗清水，调适味，倒入瓦罉内，下枝竹及煎过之鲩鱼同炆，二十分钟后，下些粉芡，再加些熟油，原煲上席。

萝卜油鲢煲

原料：萝卜1000克，油鲢960克，青蒜4条，姜8片，调味品各适量。

制法:萝卜去皮,洗净,切厚片,先行煮焓待用。油䱡弄净,斩件,加味拌腌,稍后,用干生粉捞干鱼身,放下滚油内炸,炸至焦黄时取起待用。青蒜弄净,切小段。

烧热瓦罉,下油,爆过青蒜、姜片,放下已焓之萝卜、油䱡,调味同炆至好。原煲趁热上席,其味不凡。

塘虱乌豆煲

原料:生猛塘虱鱼640克,乌豆200克,陈皮1/2个。

制法:削刲塘虱,用盐将鱼身擦过,洗净。拣净乌豆内之什物,放入白锅内炒香,倒入清水滚它十五分钟,取起,在清水中泡过,置在瓦罉内,加入陈皮先煲着。

塘虱鱼在油锅内稍煎过,铲起放在豆内同炆,调适味,直炆至乌豆焓为止。

鲳鱼菠菜煲

原料:新鲜鲳鱼800克,菠菜320克,蒜子肉60克,香菇6只,调味品各适量。

制法:弄净鲳鱼,斩件,加味腌过,放下沸油内泡过候用。菠菜切长条,洗净;香菇浸开,去蒂,洗净。

烧热一些油,放下蒜子肉炸香,原锅留油少许,下蒜子、菠菜爆香,倒入一碗上汤,调适味,铲在瓦罉内,加入香菇和泡过油之鲳鱼,加盖煽煮十五分钟左右即可。

蒜子鲳鱼煲

原料:大粒蒜子肉160克,新鲜鲳鱼960克,芫荽2棵等。

制法:蒜子去薄衣,原粒炸香候用。鲳鱼弄净,斩件,加味拌腌过。

烧热瓦罉，下油，爆过蒜子，加入鲌鱼同爆，溅下烧酒，加入碗半清水，调适味，加盖炆煮，十二分钟后便熟，加芫荽、胡椒粉上席。

糖醋鲫鱼煲

原料：生猛鲫鱼4条760克，五柳菜160克，白醋480克，片糖2件，芫荽2棵。

制法：鲫鱼劏好，型净，加味腌过，稍后，用干生粉将鱼捞干，放下沸油内将它炸香待用。五柳菜切丝。

烧热瓦罉，下油，爆香一些蒜蓉，倾下白醋、片糖、少许盐，放下鲫鱼㷫煮七八分钟，加入五柳菜同炬片刻，试适味，放下芫荽，原煲上席，酸酸甜甜，鱼肉滑而香，鱼骨骼也甘软，送酒、佐膳均好。

豆腐鲫鱼煲

原料：生猛鲫鱼4条760克，豆腐3件，姜6片，盐、糖各适量。

制法：削劏鲫鱼，加盐花腌过待用。豆腐在清水中泡过，切开两件。

鲫鱼在油镬内煎香，倒入三大汤碗清水，改用瓦罉盛着，滚，放下豆腐、姜片同滚。好时原煲上席，原汤原味。另备好一些豉油、熟油蘸鱼和豆腐吃。

鲤鱼红豆煲

原料：红豆约240克，海鲤鱼1000克，陈皮1/2个，青蒜3条，老抽、味精、盐、糖等各适量。

制法：先洗拣红豆内之什物，洗净，加入陈皮先煲着。

海鲤弄净，加盐花稍腌，煎香，铲起在豆面；青蒜亦炒香，加在一起同炆至好，原煲上席。

枝竹海鲤煲

原料：海鲤1000克，枝竹200克，青蒜4条，姜120克，老抽、味精、盐、糖各适量。

制法：用干布抹净枝竹，折段，炸香，置在清水中浸过，取起待用。青蒜、姜均弄好。鲤鱼弄净。

起油镬，爆香姜、蒜，放下鲤鱼煎过，稍后，倒入两汤碗清水，改用瓦罉盛着炆，枝竹也加入，调味同炆至好。

鲤鱼姜葱煲

原料：生猛鲤鱼1条960克，肉葱640克，姜160克，青蒜2条。

制法：削劏鲤鱼，洗净，加些盐花稍醃。葱弄净，切开两段。姜去皮，洗净，拍扁，切碎。青蒜弄净，切小段。

起油镬，爆香青蒜和姜，铲起放肆内，再炒香肉葱头铲起备用；又放下鲤鱼两面煎香，倒入两碗清水，调适味，将鲤鱼及汁水同放在瓦罉之姜面上，加盖炆煮二十分钟，加入葱头再煮片刻即成。

鲤鱼糯米煲

原料：糯米400克，海鲤鱼1000克，姜120克，半肥瘦猪肉120克，冬菇4只，烧酒1/2茶匙。

制法：糯米洗净，用清水稍浸待用。鲤鱼弄净，加盐稍腌。猪肉切片。冬菇弄好。姜去皮，切好。

起油锅，爆过猪肉、姜，加上鲤鱼同爆，加入三大汤碗清水，改用瓦罉盛起，加下冬菇、糯米同煲着，直至糯米成稀粥时，鲤鱼也熟透，调适味，此味糯米鲤鱼煲，补血又补气，其味颇是一流。

粉丝鱼球煲

原料:鲮鱼脊肉480克,粉丝120克,绍菜160克,青蒜2条,上汤(鱼骨汤)1碗等。

制法:弄净鲮鱼脊肉,切薄片,再剁烂成蓉,加味拌挞胶。粉丝浸软,剪段。绍菜切长条。

烧热瓦罉,下油,下青蒜爆香,续下绍菜同爆,倒入上汤,调适味,将鱼胶弄成鱼球丸放下,返滚时,加上粉丝,滚约四分钟即成。

生菜鲮鱼球煲

原料:鲮鱼脊肉480克,生菜320克,葱、芫荽各1条,上汤(鱼骨汤)1碗。

制法:弄净鲮鱼脊肉,切薄片,再剁烂成蓉,加味拌挞成胶,再加入切碎之葱、芫荽拌挞。生菜拆散,洗净。

倾下汤水入瓦罉,调适味滚着,将鱼胶逐少弄成小丸放下滚着,稍后,放下生菜,再滚即成,原煲上席。

豆腐鲮鱼球煲曩

原料:鲮鱼脊肉480克,豆腐润4件,青蒜2条。

制法:弄净鲮鱼脊,切薄片,再剁烂成蓉,加味拌挞成胶。豆腐润在清水中泡过。鲮鱼脊骨煎过,加水熬成鱼汤。

烧热瓦罉,下油,放入青蒜,倒入鱼汤,调适味,加入豆腐润滚着,再放拌挞好之鲮鱼球,滚熟即成。

咸鱼石斑煲

原料:石斑咸鱼腩200克,新鲜石斑头和腩共1000克,火腩160克,姜8片,蒜头4粒,味精、老抽、糖等各适量。

制法:用大热水渌过石斑咸鱼腩,刮净鱼鳞,洗净,斩小件待用。石斑头腩亦要认真刮净鳞,洗净,斩件。火腩斩件。

起油镬,放下姜、蒜头、火腩爆过,续下石斑头腩同爆,溅下烧酒,倒入一碗半清水,加入咸鱼、少许糖、老抽、味精等拌匀,改用瓦罉盛着,放在炉火上炆着,直至鱼头腩够焓为止,原煲上席。

斑腩云腿煲

原料:金华云腿肉60克,石斑腩480克,香菇6只,芫荽2棵,葱丝、姜丝各适量。

制法:云腿肉切小片。石斑腩肉弄净,斩件,加味捞过。香菇浸开,去蒂,洗净。

起油镬,放下姜丝、斑腩爆过,赞下烧酒,倒入一碗清水,调适味,铲起在瓦罉内,加上香菇、云腿同煮十来分钟,拌入些粉芡、熟油,加上葱丝即成。

沙爹鱼腩煲

原料:新鲜石斑腩480克,粉丝120克,沙爹酱1汤匙,洋葱80克,姜4片等。

制法:弄净石斑腩,斩件,加味拌过。浸软粉丝,剪段。洋葱弄好,切碎。

烧热瓦罉,下油,放下姜片、洋葱爆过,续下斑腩同爆,加入沙爹酱,注入一碗清水,调适味,加下粉丝同煮,十二分钟便熟,再加热油，原煲上桌。

生炆石斑煲

原料：石斑头、腩共1000克，冬菇4只，火腩160克，姜8片，青蒜2条，葱2条。

制法：弄净斑头、腩，斩件，加味捞过，稍后，用于生粉捞干鱼头腩，放入滚油内炸，炸至焦黄时取起。冬菇浸开，切件。火腩斩件。

烧热瓦罉，下油，下火腩、姜、青蒜爆香，溅下烧酒，倾下两碗清水，调适味，放下冬菇、斑头腩炆之，好后洒下胡椒粉，原煲上席。

砂锅大鱼头煲

原料：大鱼头4边，冬菇3只，肉丝60克，姜8片，青蒜2条，生菜240克。

制法：鱼头洗净，加味腌过，稍后，用干生粉捞干鱼头，放下滚油内炸香待用。

烧热瓦罉，下油，放下青蒜、姜、肉丝爆香，溅下烧酒，下两碗清水，调适味，放下菇丝及炸香鱼头炆之。好时，加入生菜，片刻即成。

鱼头茄子煲

原料：大鱼头3边，鲜茄子400克，青蒜2条，姜6片和各味料等。

制法：弄净大鱼头，开边，加味捞过；稍后，用干生粉蘸干鱼头，放下沸油内炸，炸至浅金黄色时捞起。

茄子矫花去皮，切开边，浸在清水中片刻，取起，抹干水，放下沸油内稍炸香待用。

烧热瓦罉,下油,放下姜、青蒜爆过,注下1碗清水,调适味,放下茄子、鱼头,加盖煽煮十来分钟即可,吃时洒下胡椒粉。

红炆鱼头煲

原料:大鱼头4边,肉丝60克,冬菇丝3只,姜8小片,青蒜1条,葱2条,胡椒粉适量。

制法:大鱼头原边洗净,沥干水,加味腌过,稍后,用于生粉蘸干鱼头,放下滚油内炸,炸至金黄色时取起待用。

烧热瓦罉下油,爆过肉丝、姜片、青蒜,溅下烧酒,倒入两碗清水,放下冬菇及炸香之鱼头,调适味,加盖炆着。十分钟后,下些粉芡,加葱段,洒下胡椒粉即成。

豉汁白鳝煲

原料:白鳝2条960克,阳江豆豉20克,蒜头4粒,姜4片,葱4条。

制法:削好白鳝,用盐洗擦过,洗净,斩成寸许长段待用。豆豉、蒜头、姜同捣烂。葱洗净,切段。

烧热瓦罉下油,爆香捣烂之豆豉、蒜头、姜,放下鳝件同爆,倾下一碗半清水,调适味,加盖炆五分钟,再调味,下些粉芡,加下葱段,原煲上席。

火腩扣鳝煲

原料:白鲜800克,大粒蒜子肉120克,火腩160克,姜4片。

制法:白鳝剉好,用盐将鳝身擦过,洗净,斩成寸许长段待用。蒜子肉去薄衣。火腩斩碎待用。

烧热瓦罉下油,将蒜肉爆透,放下火腩、鳝件同爆,倒入一碗半清水，调适味，加盖炆煮至熟，原煲上席。

萝卜白鳝煲

原料：白鳝2条800克，萝卜960克，青蒜3条，姜6片等。

制法：削好白鳝，用盐将鳝身擦过，洗净，斩成寸许之长段待用。萝卜去皮，洗过，切厚片件，先行在镬煮焾待用。青蒜洗净，切度。

烧热瓦罉下油，爆香青蒜、姜和鳝件，加入已焾之萝卜，调适味，加盖蚊煮好便成。

什菜鱿鱼煲

原料：靓土鱿鱼120克，瘦肉80克，绍菜120克，生菜160克，萝卜320克，青蒜4条，姜4片，味精、老抽各适量。

制法：用温水浸开土鱿，洗净，挤切成菠萝纹，再切小件候用。瘦肉切片，加味捞匀。绍菜切条。生菜洗净。萝卜去皮，切片。蒜、姜弄净，切好。

烧热瓦罉，下油，放下姜、青蒜、萝卜爆过，倒入一碗半清水，先行煮萝卜半焾时，加入绍菜、肉片同煮至萝卜够焾，调适味，连同土鱿、生菜等煮熟，加些熟油上席。

姜葱鲜蚝煲

原料：新鲜生蚝1000克，姜160克，葱640克，青蒜2条。

制法：生蚝弄净，放入沸水内稍焯即捞起，用筲箕盛着，隔水候用。姜去皮，洗净，拍扁，切碎。肉葱弄净，切开两段。青蒜弄净切段。

烧热瓦罉，下油，放下姜、蒜、葱头爆香，续下生蚝同爆，倒入小

半碗清水，调适味，加盖焖煮七八分钟，加入剩下之葱炒匀，下些粉芡、熟油即成。+

火腿鲜蚝煲

原料：火腿120克，鲜蚝960克，青蒜3条，姜6片，肉葱4条。

制法：火腿斩件。鲜蚝洗净，放入沸水稍焯，即捞起，用筲箕盛着候用。青蒜、姜、葱弄净。

烧热瓦罉，下油，放下青蒜、姜、肉葱爆过，加入火腿、鲜蚝同爆，注下半碗清水，调适味，加盖焖煮七八分钟便熟，下些粉芡，炒匀，原煲上桌。

银丝鲜虾煲

原料：粉丝160克，新鲜大虾650克，蒜头2粒，上汤1汤碗。

制法：粉丝用清水浸软，剪段待用。剪去大虾的须、刺，一只切开两段，洗过，待用。

烧热瓦罉，下油、蒜蓉，放上汤、粉丝；大虾在沸油内泡过后，放下粉丝煲内，调适味，加盖焖煮至熟，原煲上席。

银丝肉蟹煲

原料：粉丝160克，肉蟹1000克，上汤1/2汤碗，蒜头3粒，姜60克，肉葱160克。

制法：用清水浸软粉丝，剪段待用。削好肉蟹，洗净，沥干水分。

肉蟹在滚油内泡过油，原镬留油少许，放姜、蒜、葱头爆香，放下蟹件同爆至香，铲起在瓦罉内，注下上汤，加入粉丝，调适味，加盖焖煮至熟，再加些熟油即成。

葱姜膏蟹煲

原料:膏蟹 800 克,姜 160 克,肉葱 480 克,蒜头 4 粒。

制法:削好膏蟹,洗净,斩件。姜去皮,洗过,切片。葱弄净,切度。

膏蟹在沸油内泡过;再烧热瓦罉,下姜、葱头、蒜头爆香,放下蟹件同爆,溅下烧酒,放少牛碗清水、一茶匙生抽,加盖焖煮,十二分钟后便可原煲上桌。

萝卜奇珍煲

原料:煲焖炝的鲍鱼 2 个或罐头鲍 1 罐,北菇 20 克,萝卜 640 克,肉葱 2 条,姜 4 片等。

制法:鲍鱼切片;北菇浸开,去蒂,洗过;萝卜去皮,洗净,切片,先行煮炝。

烧热瓦罉,下油,放下姜、葱爆过,放 1 碗清水,将北菇先煲十五分钟,然后加入已炝之萝卜同煮五分钟,再加上鲍鱼拌匀同煲片刻,拌入些粉芡,加熟油即成。

蒜肉瑶柱煲

原料:蒜子肉 120 克,中等瑶柱 200 克,姜 2 片,生菜 160 克。

制法:蒜子肉去衣,放下滚油内炸香,置在碗中。瑶柱原粒,稍浸过。

瑶柱连汁水放在蒜子肉面,原钵隔着沸水炖蒸,一小时后取出,放入瓦罉内,再次煲炊着,十五分钟后,加入生菜、熟油即成。

冬菇鲍鱼煲

原料:冬菇60克,罐头鲍鱼1罐,蚝油2汤匙,葱2条,姜4片,烧酒适量。

制法:浸开冬菇,去蒂,洗净。烧热瓦罉,下油,爆过葱条、姜片,放下一碗清水,加入冬菇、烧酒,加盖炆着。

开罐取出鲍鱼,切片,待冬菇够火时,加上鲍鱼片、少许鲍鱼水、蚝油调适味,拌入少许粉芡,再加熟油,即可原煲上席。

七彩海参煲

原料:浸发好的海参320克,浸发好的鱼唇240克,火腩80克,北菇4只,猪润4片,虾仁3只,鲜鱿鱼3件,津菜160克,芫荽2棵。

制法:海参、鱼唇先行用姜、葱锅水滚过,候用。火腩斩件。北菇浸开,去蒂。猪润、虾仁、鱿鱼等准备好。津菜切长条,先行炒熟。

用瓦罉先行炆煮海参、鱼唇、火腩、北菇,续将余下之配料同炆,好时加入芫荽,原煲上席。

海参鸡煲

原料:浸发好的海参960克,光鸡1/2只800克,姜6片,葱4条,青蒜2条,烧酒1/2茶匙,老抽、味精、盐、糖等各适量。

制法:浸好的海参,再在清水中认真洗净。用些姜、葱起镬,放2汤碗水,放下海参煨煮二十分钟,取起海参,切件候用。

洗净光鸡,斩件,加味拌匀,放下慢滚油内泡油捞起,倒起油,下姜、蒜起镬,放下鸡件同爆,溅下烧酒,放2汤碗清水,调适味,改用瓦罉盛起，加海参同炆至焓，下粉芡，炒匀即成。

鱼唇冬菇煲

原料：浸发好鱼唇400克，北菇60克，火腩60克，蒜子4粒，津菜160克，姜3片，蚝油、老抽、调味品各适量。

制法：浸发好的鱼唇在清水中泡过，切件。用姜、葱起镬，溅水，放下鱼唇滚过后，取起待用。北菇浸开，去蒂，洗净。火腩斩件。津菜切长条候用。

烧热瓦罉，下油，放下蒜子、姜、火腩爆过，倾下1汤碗上汤，加下鱼唇件、北菇同炆着。经过二十分钟后，调适味，加上津菜同炆约七八分钟便行，下些粉芡，拌匀原煲上席。

海参鲍鱼煲

原料：浸发好的海参640克，鲍鱼1/2罐，姜6片，葱4条，蚝油2汤匙，味精、盐、糖等各适量。

制法：浸开的海参，洗净，放下姜、葱锅水内滚过二十分钟，取起切件。鲍鱼开罐取出，切片候用。

烧热瓦罉，下油，放下姜、蒜爆过，放入清水，放海参先炆焓，二十分钟后，用蚝油、味精、盐、糖调适味，放下鲍鱼搅匀，下些粉芡、熟油即成。

海参鸭掌煲

原料：浸发好的海参640克，炸好鸭掌480克，蚝油2汤匙，姜6片，肉葱2条，蒜头3粒，盐、糖、味精等各适量。

制法：浸发好的海参在清水中认真洗过，用姜、葱起镬，溅下烧酒，放2汤碗清水，放下海参煨煮二十分钟，取出，切件候用。鸭掌在清水泡过。

起油镬，放下姜、蒜爆香，放 1 汤碗清水，加入海参、鸭掌、蚝油、味精、盐、糖等同炆煮至焾，原煲上席。

蚝豉冬菇煲

原料：中等蚝豉 120 克，北菇 60 克，火腩 80 克，玉竹 80 克，姜 4 片，肉葱 4 条，调味品各适量等。

制法：玉竹折小段，放下沸油内炸香，捞起在清水中浸软候用。蚝豉浸开，逐只洗净。冬菇浸开，去蒂，洗净。火腩斩小件。姜、葱均弄好。

烧热瓦罉，下油，放下姜、葱爆香，又加入火腩同爆至香，蚝豉亦下同爆，放 2 碗清水，连同玉竹，调适味同炆至焾即成。

海参火腩煲

原料：浸发好的海参 640 克，火腩 240 克，冬菇仔 60 克，青蒜 2 条，葱 4 条，姜 8 片，烧酒 1/2 茶匙，味精、老抽、糖、盐等各适量。

制法：浸好的海参，洗净，用姜、葱起锅，溅下烧酒，放 2 汤碗清水，放海参煨煮二十分钟取出，切件候用。火腩斩件。冬菇浸开，去蒂，洗净。

烧热瓦罉，下油，放下姜、葱、蒜、火腩爆香，溅下烧酒，加入冬菇、海参和 1 汤碗清水，调适味，加盖炆煮至海参焾为止，下粉芡，原煲上席。

菜胆鸡项鱼翅煲

原料：白菜胆 480 克，瘦鸡项 1 只 1500 克，浸发好的鱼翅 480 克，瘦肉 200 克，姜 2 片。

制法: 白菜胆洗净,先下沸水内焯焓候用。鸡项劏好,洗净。鱼翅用姜、葱煨煮过后取起待用。

用个企身瓦煲,注下大半煲水煲滚,放下鸡、翅、瘦肉同煲三小时,才下白菜胆同煲一小时,加入备好之火腿肉小片,调味,原煲上席。

柚皮田鸡煲

原料: 柚皮 2 块,田鸡 480 克,上汤 1 汤碗,调味品各适量。

制法: 鲜嫩肉厚柚皮在清水中泡浸过,又在沸水内滚滚,取出,在清水中泡揸干水。田鸡劏好,洗净,斩件。

烧热瓦罉,下猪油,下些蒜蓉爆香,加入上汤,放下柚皮煲煮十五分钟。田鸡加味拌过后,放入沸油内泡油捞起,置下柚皮煲内,调适味,加盖煲煮十来分钟,下些粉芡、猪油、芫荽伴上即成。

冬菇田鸡煲

原料: 冬菇 60 克,田鸡 640 克,姜 4 片,葱 2 条,烧酒、味精、盐、糖等各适量。

制法: 浸开冬菇,去蒂,洗净。田鸡削好,洗净,斩件,加味捞过,并在沸油内泡过,捞起待用。

烧热瓦罉,下油,下姜、葱爆香,续下田鸡同爆,溅下烧酒,加入冬菇及一碗半清水,调适味同炆十五分钟,用些生粉作芡,再下些熟油拌匀即成。

鲜栗子田鸡煲

原料: 鲜栗子肉 240 克,田鸡 640 克,姜 4 片,葱 2 条,味精、烧酒、盐、糖等各适量。

制法:用大热水浸过栗子肉,剥去薄衣,在清水中泡过,用碟盛着,隔水蒸焓候用。田鸡劏好,斩件,加味捞过,并在沸油内泡油捞起。

烧热瓦罉,下油,下姜、葱爆香,放下田鸡同爆,溅下烧酒,放一碗半清水,调适味,加入已焓之栗子肉同炆十五分钟,下些粉芡、熟油即成。

淮山杞子蚬鸭煲

原料:大只蚬鸭(即水鸭)1只,淮山、杞子、圆肉共120克,瘦肉80克,姜4片等。

制法:劏好蚬鸭,洗净,放下沸水内滚滚,取起在冻水中过冻。瘦肉切厚件。

烧沸大半瓦罉清水,放下蚬鸭、瘦肉、淮山、杞子、圆肉、姜片同煲三小时,用盐、生抽调味,趁滚热上席。

冬虫草蚬鸭煲

原料:大只蚬鸭1只,冬虫草20克,瘦肉80克,姜2片。

制法:劏好蚬鸭(即水鸭),洗净,放下沸水内滚滚,捞起在清水中过冻待用。瘦肉切厚片。

烧滚大半瓦罉水,放下蚬鸭、冬虫草、瘦肉、姜片同煲,三小时后,用盐、生抽调味,原瓦罉上席。

金银肝禾花雀煲

原料:金银肝2条,禾花雀12只,姜4片,肉葱2条,烧酒1/2茶匙,胡椒粉和各调味品适量。

制法:禾花雀洗过,沥干水分,加入酌量生抽、糖、盐、味精、烧酒、胡椒粉、姜汁等腌过。

金银肝用温水洗过，切成 12 小件，每一件酿入禾花雀腹腔内。

烧热瓦罉，下油，爆香禾花雀，放入小半碗清水和腌味之汁水，加盖炆煮十二分钟便熟。

姜葱禾花雀煲

原料：禾花雀 18 只，姜 80 克，肉葱 320 克，蒜头 2 粒，味精、盐、糖、烧酒等各适量。

制法：禾花雀洗过，沥干水分，加味腌过。姜去皮，洗净，拍扁，切碎。弄净肉葱，切两段。蒜头捣烂。

烧热瓦罉，下油，放下姜、葱、蒜爆香，续下禾花雀同爆至香，溅下烧酒，放入小半碗清水和腌味之汁水，加盖炆煮十二分钟便熟。

北菇双鸽煲

原料：北菇 60 克，靓乳鸽 2 只，姜 6 片，干葱头 4 粒，烧酒 1/2 茶匙，味精、盐、糖、老抽等各适量。

制法：浸开北菇，去蒂，洗净。乳鸽在街市劏好，洗净，斩成大件，加味拌过，放下滚油内泡油捞起。干葱头弄好，切开边。

烧热瓦罉，下油，放下姜、干葱爆香，续下鸽件同爆，溅下烧酒，放入 2 碗清水，加入北菇，调适味，加煲盖炆煮至好，原煲上桌。

花胶乳鸽煲

原料：浸发好的花胶 400 克，中等乳鸽 2 只，瘦肉 80 克，姜 2 片等。

制法：花胶放在清水中泡过，又放下沸水内滚滚，捞出放在清水中浸片刻取起。乳鸽劏好，洗净，放下沸水内滚滚取起。瘦肉切厚片。

烧沸大半瓦罉水，放下各料同煲三小时以上，用盐、生抽、凋味，原瓦罉煲上席。

果子狸煲

原料：果子狸肉800克，北菇20克，火腩120克，姜40克，马蹄肉2个，陈皮1块，烧酒和各调味品适量。

制法：刮净果子狸肉皮上余毛，洗净斩件，放下沸水内稍焯即捞起候用。北菇浸开，去蒂；火腩斩件；姜切碎；马蹄肉切片。

起油镬，放下姜、火腩、果子狸肉爆香，溅下烧酒，放入1汤碗半清水，加入北菇和各配料，调适味后，倒入瓦罉内炆之，直至果子狸肉够焓时，就可原煲上席了。

红豆水鱼煲

原料：红豆320克，水鱼1000克，陈皮1/2个，蒜头2粒。

制法：红豆洗净，先行和陈皮煲着。水鱼削好，用大热水渌过，洗擦净，斩件。

蒜头起镬，爆过水鱼，加在红豆内同炆，将好时，改用瓦罉盛着，炆焓为止。

冬笋水鱼煲

原料：冬笋肉120克，水鱼1000克，火腩160克，冬菇仔4只，蒜头4粒等。

制法：冬笋洗净，切厚件，放下沸水中滚过，取起。水鱼劏好，放入大热水内浸过，洗擦净，斩件待用。火腩斩件。冬菇浸开，去蒂。

水鱼件和冬笋肉，分别在滚油内泡过油，取出，原镬余油少许，放下火腩、蒜肉爆过，续下水鱼件同爆，放入3碗清水，加入冬笋肉、冬菇，调适味，改用瓦罉炆，三十分钟后，加些粉芡，原煲上席。

蒜子山瑞煲

原料：山瑞1000克，蒜子肉160克，火腩200克，姜6片等。

制法：洗擦净山瑞，斩件。蒜子去薄衣，在油镬内炸香待用。火腩斩件。

山瑞在滚油内泡过，捞起，倒起油，放下火腩、蒜肉、姜片爆过，再下山瑞件同爆，放2碗清水，调适味，加盖炆煮二十五分钟便熟。

红炆山瑞煲

原料：山瑞1000克，火腩200克，冬菇仔20克，蒜子肉80克，姜4片。

制法：山瑞洗擦净，斩件。火腩斩件。菇仔浸开，洗净。蒜子去薄衣。

烧滚一镬油，泡过山瑞，炸香蒜子，取出，原镬留油少许，放下姜片、蒜肉、火腩爆香，续下山瑞件同爆，放3碗清水，加盖炆煮二十五分钟便成。

粉葛扣腩肉煲

原料：粉葛480克，五花腩肉480克，靓南乳1件，八角2粒，青蒜2条，糖、盐、老抽各适量。

制法：粉葛批皮，洗净，横切成片件，放入清水中稍浸，捞起，晾干，放下沸油内炸香候用。

洗刮净腩肉皮上之余毛，放入沸水内滚过，取起，即涂匀老抽，放下沸油内炸，炸至焦黄时取起，切件待用。

起油镬，放下青蒜、南乳、腩肉爆过，放2汤碗清水，加入炸好之葛件，调适味，改用瓦罉盛着炆，直至粉葛和腩肉都焾时便行，原煲上席。

鲜栗排骨煲

原料：鲜栗子肉200克，肉排320克，青蒜2条，姜8片，老抽、味精、糖、盐各适量。

制法：栗子肉去薄衣，用碟盛着，隔水蒸焾候用；肉排洗过，斩碎，加调味品捞过；青蒜弄净，切段；姜切小片。

烧热瓦罉下油，放下青蒜，姜、肉排同爆，放些老抽、1碗清水、适量味精、糖、盐同炆之。炆十分钟后，加入已焾之栗子同炆片刻便成。

香乳大肉煲

原料：五花腩400克，五香粉1/2花匙，八角2粒，南乳1件，老抽、味精各适量。

制法：去净腩肉皮上之余毛，洗净，放入沸水内滚十五分钟，捞起，即搽匀老抽，用梅花针密插皮肉上，即放下滚油内炸，炸至焦香捞起，切成大块件。

用些蒜蓉起镬，爆香南乳，放1汤碗清水，加上五香粉、八角及调味晶，调适味，改用瓦罉盛着，原煲在炉火上焾焾为止。

姜葱腩排煲

原料：腩排480克，姜120克，肉葱400克，红葱头6个，鸡蛋1个，生粉适量。

制法:腩排洗过,斩成6大件,加调味品拌腌,并拌入蛋浆,再用干生粉捞干腩排,放下沸油内炸香取起候用。

姜弄净,切片;葱弄净,切段;干葱去衣,切碎;烧热瓦罉下油,爆过干葱、姜和葱头,放1碗清水,放下炸好之大排,调适味,加盖炆煮十分钟便可。

柱侯烧骨煲

原料:肉排640克,柱侯酱120克,干葱头4粒,蒜头2粒。

制法:肉排斩件,洗净,沥干水,用些生粉、生抽拌腌。干葱去衣,切碎;蒜头捣烂。

烧热瓦罉,下油,放下干葱、蒜蓉、柱侯酱爆香,续下肉排同爆,加入半碗清水拌匀,加盖炆煮(收慢火)十五分钟至香便熟,原煲上席。

桂花鱼扣肉煲

原料:桂花咸鱼干160克,靓五花腩肉480克,青蒜2条,姜6片,老抽、味精、盐、糖等各适量。

制法:洗净桂花咸鱼,斩成小片件待用;洗刮净腩肉皮上之余毛,掉下沸水内滚滚,取起,即用老抽涂匀腩肉,放下沸油内炸,炸至腩肉呈现焦黄时取起;稍摊冻,切件。

青蒜、姜起镬,爆过炸过之腩肉、桂花鱼干,溅下烧酒,放2碗清水,加入酌量味精、盐、糖、老抽等调适味,改用瓦罉盛着炆煮,直至腩肉埝为止。

梅菜心扣肉煲

原料:中等梅菜心120克,靓五花腩肉400克,五香粉1茶匙,老抽、糖、味精等。

制法:刮净腩肉皮上之余毛,洗净,掉下沸水内滚十五分钟,取起,即搽匀老抽,用梅花针密插皮肉,放下沸油内炸,焦香时取起,切件;梅菜洗净,切碎,放下白镬内爆透,又加入些白糖爆香铲起候用。

烧热瓦罉下油,爆香蒜蓉、肉件,下些老抽同爆,放 3 碗清水,加入味精、糖炆着。稍后,加入梅菜同炆,至腩肉焓时,试适味便成。

南乳猪手煲

原料:靓南乳 1 大件,猪手 1 只(960 克),八角 3 粒,五香粉 1/2 茶匙,生菜 400 克,老抽、味精、糖、盐等各适量。

制法:烧刮净猪手皮上之余毛,斩碎,放下沸水内出过水,又在清水中泡过待用。

蒜蓉起镬,爆过南乳,放 1 汤碗清水,加入老抽、味精、盐、糖调适味,再下猪手、八角、五香粉,改用瓦罉盛着炆。

炆至猪手够焓时,加入生菜稍煮,原煲上席。

金华荔芋煲

原料:金华火腿 120 克,荔甫芋 480 克,青蒜 2 条等。

制法:火腿切成小片;荔芋弄净,洗过,切成小件,放下沸油内炸香,捞起待用。

烧热瓦罉,下油,放下青蒜爆过,倾下一碗半清水,放下芋件和火腿肉,调味同煮,直至芋件焓为止。

芋头猪手煲

原料:芋头 480 克,猪手 500 克,南乳 1 件,五香粉 1/2 茶匙,老抽、味精各适量,蒜头 3 粒等。

制法:芋头去皮,洗净,切成排骨件,放下沸油内炸香候用。

猪手弄净,斩件,放下沸水内出过水,捞起在清水中浸过,尽去油腻。

蒜蓉起锅,爆香南乳,放两大汤碗清水,放下猪手、五香粉、调味品适味炆着。炸香之荔芋在瓦罉,待猪手将炝时,铲起盛在有荔芋之煲内同炆煮。

鲜栗子猪尾煲

原料:鲜栗子肉 240 克,猪尾 2 条约 800 克,陈皮 1 小块,味精、老抽等各适量。

制法:去净栗子之薄衣待用。刮净猪尾之余毛,洗净,斩碎,放下沸水内出水候用。烧热瓦罉下油,下些蒜蓉,爆过猪尾,下清水、味精、老抽、糖、盐等调适味,放下陈皮同煲炆。

猪尾煲炆一小时后,加栗子肉同炆至炝,拌入些粉芡,原煲上席。

圆蹄发菜煲

原料:发菜 20 克,猪圆蹄 960 克,八角 3 粒,老抽、味精等各适量。

制法:发菜浸开,下些生油洗过候用。烧净圆蹄皮上之余毛,洗净,放下沸水内滚十五分钟取起,即搽匀老抽,用梅花针密插皮肉,稍后,放下沸油内炸,焦黄时取起。

烧热瓦罉下油，下些蒜蓉，放半瓦罉水，煲底垫上小的竹、篮，放下圆蹄、八角、老抽、味精、盐、糖煲炆着，将炝时，加入发菜同炆，够火时拌入粉芡，原煲上席。

墨鱼火腿煲

原料： 新鲜大只墨鱼 1000 克，火腿 200 克，青蒜 80 克，姜 8 小片，老抽、味精、盐、糖各适量。

制法： 削好墨鱼，洗净，切件，放入滚水中稍焯捞起待用。火腿斩件，青蒜弄净，切段。

烧热镬，下油，放入青蒜、火腿、墨鱼、姜片爆香，溅下烧酒，放一碗半清水，调适味，改用瓦罉盛着，放在火炉上炆着，二十分钟后即可，原煲上席。

双笋猪蹄煲

原料： 冬笋肉 120 克，冬菇仔 20 克，猪手 840 克，蚝油 2 茶匙，老抽、味精各适量。

制法： 冬笋肉批净老皮，切开边，放入沸水滚滚，取起在冻水中浸冻，取起，切厚片。浸开冬菇仔，去蒂，洗净。烧净猪手之余毛，斩件，放入沸水内滚滚，取起在冻水中冲去油腻。

烧热瓦罉，下油，放入蒜蓉、冬笋肉爆过，注下半煲清水，加入猪手、冬菇同炆，猪手焾时，加蚝油、老抽，调适味，下些粉芡，原煲上席。

柳梅猪脑煲

原料： 猪脑 6 副，柳梅瘦肉 120 克，冬菇仔 6 只，姜 6 片，烧酒、盐、糖等各适量。

制法:猪脑浸在清水中,剥去包裹着猪脑之红筋,洗净。柳梅瘦肉起净白筋,切丝,加味捞过。冬菇浸开,去蒂,洗净。

2碗清水置在瓦罉内,加下冬菇、姜片先滚着,十分钟后,加入肉丝、猪脑和半茶匙烧酒,调适味,加盖焗煮十五分钟后,滴下一些熟油,原煲上席。

五香大肠煲

原料:猪大肠,肠头共2000克,八角3粒,丁香约4克,五香粉1茶匙,陈皮1/2个,味精、老抽、冰糖、盐等各适量。

制法:弄净大肠、肠头内之污物,并去掉内裹之肥脂,用生粉、盐拌擦一遍在水龙头下冲洗净,又在沸水内滚过,取起在冻水内漂洗候用。

烧滚半瓦罉清水,放入八角、丁香、陈皮、五香粉滚十五分钟,然后下猪肠,并加入酌量味精、老抽、冰糖、盐同煲。直至肠烩时,取起,摊冻,切件。拣起八角等之物,放回大肠再煲,返滚,即可原煲上席。

沙爹牛柳煲

原料:牛柳肉320克,洋葱160克,姜8片,沙爹酱80克,红辣椒1只。

制法:牛柳肉去净肥脂,洗净,薄片,加味拌腌。洋葱去衣,切碎。红辣椒切碎。

烧热瓦罉下油,爆过洋葱、姜片和沙爹酱,加入牛柳肉同爆至香,溅下烧酒,放少半碗清水,调适味,加姜焖煮四五分钟,下些粉芡搅匀即成。

咖喱牛腩煲

原料:牛腩960,湿咖喱酱80克,姜20克,蒜头8粒,鲜椰汁20克,冰糖约80克,老抽、味精等各适量。

制法:牛腩在沸水中滚过,捞起在冻水内洗过,切件。姜去皮,拍扁,切碎。蒜头去衣,捣烂。

烧热镬,下油,放下姜、蒜头爆香,续下牛腩同爆。溅下些烧酒,放3大汤碗清水,加入冰糖、少许老抽、味精、盐等,改用瓦罉炯炆,将好时加上咖喱同炆至好,吃时可拌入椰汁,其味现馥郁味美。

柱侯牛腩煲

原料:牛腩960克,柱侯酱160克,姜160克,蒜头8粒,陈皮1/2个,冰糖80克,老抽适量。

制法:牛腩在沸水中滚十五分钟,捞起在冻水中洗过,切件。姜去皮,拍扁,切碎;蒜头去衣捣烂;陈皮浸开,洗净。

烧热镬,下油,放下姜、蒜头爆香,续下柱侯酱、牛腩同爆,溅下些烧酒,放3大汤碗清水,加入冰糖、老抽、味精等调适味,加陈皮,改用瓦罉盛起,放在炉火上烩焓为止。

萝卜牛腩煲

原料:萝卜1500克,去净皮,洗净,角件,另在锅内煮炝。法:柱侯牛腩寻时,加入已埝之萝卜,另加些青蒜,再煲炆十五分钟,使萝卜渗透牛腩汁,吃起来倍觉滋味。

玉竹牛腩煲

柱侯牛腩炆埝，另配上240克玉竹，先行将它炸香，放在清水中泡去油腻后，捞起，再加上一些青蒜，半件南乳同加入牛腩内，炆好，原煲上席。

莲藕牛腩煲

柱侯牛腩炆至将埝时，靓的莲藕1000克，去皮，洗净，拍扁，加入牛腩内，再配上一些青蒜，半件南乳同炆至好，吃起来，别具风味。

冬菇牛腱煲

原料：冬菇约20克，牛腱肉320克，云耳120克，红枣4个，金针菜25克，红葱头80克，姜8片，老抽、味精、糖、盐各适量。

制法：冬菇浸开，去蒂，先行蒸熟。牛腱切片，加味腌过。云耳浸开，洗净。红枣去核，切小片。金针菜剪去硬蒂候用。红葱头切碎。

烧热瓦罉下油，将红葱头、姜、牛腱放下同爆，溅下烧酒，加入冬菇、金针、云耳、红枣同炒，放半碗清水，调适味，焗煮七八分钟便熟，下些粉芡，再加些熟油，原煲上席。

冬笋牛腱煲

原料：金钱腱320克，鲜冬笋肉120克，姜80克，干葱头80克，青蒜2条等。

制法：金钱服（即牛腱肉中最靓的一种腱肉）去净肥脂，切片，加味腌过。冬笋批净，切开边，掉下沸水内滚过，捞起浸冻，切片，姜去皮，拍扁，切片。干葱弄净衣，切开边，青蒜弄净，切段。

烧热瓦罉下油，爆过姜、干葱、青蒜，同爆牛腰肉，加下冬笋片、半碗清水，调适味，加盖焗煮七八分钟便熟，原煲上席。

牛蹄筋煲

原料：新鲜牛蹄筋 640 克，南乳 1 件，姜 8 片，蒜头 4 粒，老抽、味粉各适量。

制法：牛筋在滚水内滚二十分钟，取起在冻水中过冻，取起切件；姜、蒜捣烂。

烧热瓦罉，下油，放下姜、蒜和南乳爆过，溅下烧酒，放入两汤碗清水，加入牛筋，调适味，加盖慢火焖煮，直至牛筋焾为止，原煲上席。

五香牛肚煲

牛肚 1000 克，五香粉 1 茶匙、味精、老抽、姜蓉再加上一些丁香、八角同煲炆，直至牛肚埝为止，切件，再放回瓦罉煲内，趁热上席。

萝卜牛肚煲

牛肚 1000 克炆焾时，可另备萝卜 1500 克，弄净，切角件，另在煲内煲焾。

待牛肚切了件，连同已埝之萝卜齐放在瓦罉内，混和后煲炆二十分钟，便可原煲上席。

咖喱羊肉煲

原料:羊肉960克,湿咖喱1汤匙,椰汁,洋葱120克,姜,蒜头4粒,味精少许。

制法:羊肉斩件,另行在锅中煮至半焓。洋葱弄好,切碎;姜、蒜头捣烂。

烧热瓦罉,下油,放下洋葱、姜、蒜爆香,续下羊肉同爆,加入咖喱,调适味,加一碗半上汤同炆着。好时,拌入些粉芡,加下椰汁拌匀即成。

莲藕羊腩煲

原料:羊腩960克,莲藕1000克,南乳1/2件,陈皮1块,青蒜4条,姜120克。

制法:羊腩斩件,在沸水中滚过,取起在冻水中洗净候用。莲藕刮去皮,洗净,拍扁,斩件。青蒜弄净,切段。姜去皮,拍扁,切碎。

起油镬,爆香姜、青蒜头、南乳和羊腩件,溅下烧酒,倾下清水,加入陈皮、莲藕件,改用瓦罉盛起炆着,直至羊腩和莲藕焓为止,试适味,原煲上席。

萝卜羊腩煲

原料:羊腩960克,萝卜1500克,南乳1件,豆豉酱80克,姜120克,青蒜约80克,片糖1件,陈皮1/4块。

制法:羊腩斩件,出过水。萝卜去皮,切成角件另用锅煮至焓候用。

起油镬,放下姜;青蒜爆香,南乳、豆豉酱同爆,续下羊腩同爆,倾下酌量清水，调适味炆之。快焾时改用瓦罉盛起，加入已埝之萝卜同炆，原煲上席。

五香羊什煲

原料：羊内脏1副，萝卜960克，八角3粒，陈皮1/2块，丁香10粒，老抽、味精各少许。

制法：弄净羊内脏，放下沸水滚二十分钟，取出在清水中过冻。萝卜去皮，切角件，先在锅中煮焾。

用个较大之瓦罉，注下小半煲水煲滚，放下八角、陈皮、丁香滚着，又放下出过水之羊什，调适味炆着，羊什焾时，加已焾之萝卜炆卤着，羊什则剪小件，可原煲上席。

羊头蹄煲

原料：羊头蹄1副，枝竹200克，马蹄肉4个，姜10片，白果80克，豆豉酱、南乳共4块，片糖1件等。

制法：烧净羊头蹄余下之毛，洗刮净，斩件，羊头之大骨骼斩去一部分不要，放下沸水内滚滚，十五分钟后取起在冻水中过冻待用。枝竹浸软，切度；马蹄肉切片；白果去壳。

烧热瓦罉，下油，放下姜、豆豉、南乳爆香，加上羊头蹄同爆，注下半煲清水、马蹄、白果、片糖先炆着，一小时后，加入枝竹同炆，直至羊头蹄肉埝为止，原煲上席。

绍菜腊味煲

原料：绍菜400克，腊肠1孖，腊肉200克，腊鸭大腿1只。

制法：菜切成长条，洗净候用。各腊味均用温水洗过。

用些姜在瓦罉内爆过，放下绍菜同爆，下些清水、少许盐、糖，连同3种腊味同煮着。约煮十五分钟便熟，取起腊味切件，放回原煲上席。

芽菇腊肉煲

原料：靓腊肉400克，芽菇480克，青蒜2条，豆豉酱1/2茶匙，调味品各适量。

制法：洗过腊肉，去皮，切片。批去芽菇之皮，洗净，拍碎；青蒜弄净，切段。

烧热瓦罉，下油，放下青蒜头、腊肉、豆豉酱爆香，续下芽菇同爆，注下1碗清水，调适味，加盖焖煮十五分钟，再加入青蒜同煮片刻即成。

腊肠鱼唇煲

原料：靓切肉腊肠3条，浸发好的鱼唇480克，冬菇仔6只，姜2片，葱2条，调味品各适量。

制法：洗过腊肠，切厚片。鱼唇在清水中泡过，又在沸水内滚滚，取出在冻水中过冻，切件。冬菇浸软，去蒂，洗过。

烧热瓦罉，下油，放下姜片、葱头爆过，注下1碗上汤，放下鱼唇、冬菇同煮十五分钟，再加上腊肠，调适味同焖煮至好，拌入些粉芡，下葱段，即可原煲上桌。

荔甫腊肉煲

原料：靓腊肉400克，靓荔甫芋480克，青蒜2条，鲜椰汁40克，调味品各适量。

制法：洗过腊肉，去皮，切件。荔芋去皮，洗过，切成片件，放下沸油内炸香，捞起待用。弄净青蒜，切段。

烧热瓦罉，下油，放下青蒜头、腊肉爆香，放入2碗清水，加入芋件，调适味同炆，待芋件焾时，加入椰汁，返煮滚即可原煲上桌。

腊肠童鸡煲

原料：靓切肉腊肠2条，鸡项760克，冬菇仔6只，姜4片，蒜头1粒，葱2条。

制法：洗过腊肠，切厚片；鸡项洗过，斩件，加味拌过；冬菇浸开，去蒂。

烧热瓦罉，下油，放下姜片、蒜头、鸡件爆过，溅下烧酒，倾下半碗清水，加入冬菇、腊肠，调适味，加盖同煮十二分钟便熟，加上葱度即成。

腊肠肝肠煲

原料：切肉腊肠3条，靓鲜肝肠3条，津菜320克，姜2片。

制法：用温水洗过腊肠和鲜肝肠；津菜切长条，洗过待用。

烧热瓦罉，下油，放下姜片、津菜爆过，下些盐和糖拌匀，放下腊肠等加盖焗煮十五分钟便可原煲上席。

荔芋腊鸭煲

原料：荔甫芋400克，南安腊鸭320克，椰汁，青蒜2条。

制法：荔芋去皮，洗净，切成“骨排”件，放下沸油内炸香，捞起候用。南安腊鸭用温水洗过。青蒜切段。

烧热瓦罉，下油，放下青蒜爆过，倾下2碗清水，下些糖、盐和少许味精调适味，放下芋件，使同南安腊鸭，加盖煮着，二十分钟后，腊鸭件已熟，取出斩件，放回原煲，注下鲜椰汁，待返滚即成，原煲上桌。

大薯腊肉煲

原料:腊肉400克,大薯480克,青蒜2条,豆豉酱1/2汤羹,调味品各适量。

制法:用温水洗过腊肉,去皮,切件。大薯去皮,洗过,切片件。青蒜切段。

烧热瓦罉,下油,放下青蒜、。腊肉、豆豉酱爆过,续下大薯肉、面豉酱爆过,续下大薯搅匀,注下2碗清水,调适味,加盖同煮至大薯焾为止,原煲上席。

白菜腊肉煲

原料:靓腊肉400克,大白菜480克,姜3片,盐、糖等各适量。

制法:用温水洗过腊肉,去皮,切成大件。白菜洗净,切段。

烧热瓦罉,下油,下姜片、腊肉同爆,加入白菜炒,调适味,同煮十五分钟即可,原煲上席。

津菜腊鸭煲

原料:津菜320克,南安腊鸭320克,青蒜1条,糖少许。

制法:津菜切长条,洗过候用。用温水洗过腊鸭。青蒜切段。

烧热瓦罉,下青蒜、津菜爆过,倾下腊鸭同煮至熟,斩件放回原煲即成。

什锦腊味煲

原料:腊鸭大腿1只,腊肠1条,腊肉160克,萝卜480克,鲜猪肝120克,鲜墨鱼320克,现成鱼丸160克,冬菇仔6只,鲜虾球4

个，青蒜1条，姜4片。

制法：萝卜去皮，切片，放下瓦罉内和青蒜、姜片爆过，注下一碗半清水，加入腊鸭大腿同煮着。

稍后，加入腊肠、腊肉、冬菇仔同煮，腊味熟时取起切件放回，余下之各类配料齐放下，再加盖煮七分钟便熟，原煲上席，生窝妙品。

杂烩津菜煲

原料：浸发好的鱼肚3件，鲜鱿鱼4件，猪润4件，猪腰6件，鲜虾球4只，熟猪肚3件，鸡球4件，津菜320克，上汤1碗，姜2片。

制法：津菜切长条，洗净。

烧热瓦罉，下油，放下姜片、津菜爆过，加入上汤，煮十来分钟，再加入准备妥当之八珍，调适味，煲煮六七分钟。再加些熟油便成。

胗肝豆腐煲

原料：板豆腐3件，猪肝4件，胗肝120克，瘦肉5片，鲜鱿鱼3件，虾仁4只，生菜160克。

制法：板豆腐在清水中泡过，切开两件。各种肉类准备妥当，加味拌匀。

瓦罉盛着小半汤碗清水，放下豆腐滚着，续下准备妥当之肉类同滚，调适味，连同生菜同滚片刻即成。

锦绣豆腐煲

原料：板豆腐3件，鲜鱿鱼4件，虾球3只，猪肝4片，瘦肉5片，珍肝120克，冬菇4只，浸开鱼肚、鱼唇各2件，绍菜80克，青蒜

2条，姜2片，上汤一碗。

制法：豆腐在清水中泡过，每件切开两件待用。绍菜切长条。冬姑浸开，去蒂。

烧热瓦罉，下油，放下青蒜、姜片、绍菜爆过，注入上汤，放下冬菇、豆腐滚十分钟，调适味，余下之肉类放下同滚，五分钟后便成。

大肠鸡红煲

原料：咸酸菜200克，猪大肠640克，熟鸡红1个，葱2条，上汤1碗，蒜头2粒等。

制法：洗净咸酸菜，切片，沥干水，在白镬中爆透待用。弄净大肠，放下沸水内滚过，取起放清水内洗净，又放下煲内，加味先行将它卤候用。熟鸡红在清水中泡过，切小件。

烧热瓦罉，下油，放下蒜蓉、咸菜爆过，加些糖拌煮片刻，注入上汤，放下鸡红、大肠（切小件），调适味，加盖煮十分钟便行，有燧又有汤，原煲上席。

咸鱼豆腐煲

原料：香味咸鱼肉80克，半肥瘦猪肉240克，豆腐3件，姜、蒜头等各适量。

制法：弄净咸鱼肉，切细粒。猪肉洗净，剁烂成蓉，加味拌过。豆腐在清水中泡过，每件豆腐切开两半，放在瓦罉内。

烧热镬，下油，放下姜、蒜蓉爆香，放下肉松、咸鱼肉同爆至香，铲起在豆腐上面，注下半碗清水，原煲煮十分钟，调适味，加些葱粒，原煲上席。

菠菜粉丝煲

原料:菠菜320克,粉丝160克,大粒虾米80克,冬菇4只,韭黄60克,调味品各适量。

制法:津菜切丝,洗过。粉丝浸软,剪段。虾米洗过,浸过。冬菇浸过,切丝。韭黄切段候用。

烧热瓦罉,下油,放下虾米、姜蓉爆过,续下津菜同爆,倾下1碗清水,加入冬菇丝、粉丝,调适味同煮,好时,加入韭黄拌匀即成。

白果鹑蛋煲

原料:津菜80克,冬菇4只,磨菇6只,白果肉6粒,发菜12克,云耳8克,炸香腐竹2块,油炸面筋5个,红萝卜4片,荷兰豆适量,鹌鹑蛋18只。

制法:各种蔬菜均弄净,切好,先行炒至半熟,齐放下瓦罉内煲着。

鹌鹑蛋原个浸熟,去壳,加些生抽、糖腌过,再用些生粉捞干蛋身,放下滚油内炸,炸至蛋皮焦黄时取起。

瓦罉内之齐料够火时,加入炸好之鹑蛋,再加熟油,就可原煲上桌。

生菜豆腐煲

原料:虾肉400克,豆腐润10件,咸蛋黄2个,上汤1碗,生菜160克,胡椒粉少许。

制法:弄净虾肉,沥干水,用刀按烂虾肉成蓉,置在碗,加酌量生粉、盐、糖、胡酌量虾胶,酿入豆腐内,放下事先备好之瓦罉内。完全酿妥后,加入上汤。

咸蛋黄按薄,铺在酿好之豆腐面,原煲放在炉火上,十五分钟后,加上生菜、熟油即成,原煲上桌。

虾鱼酿豆腐煲

原料:较实的豆腐6件,鲮鱼脊肉240克,鲜虾肉80克,葱花少许,上汤1碗,芫荽2棵,胡椒粉少许。

制法:豆腐在清水中泡过,对角切开两半待用。鲮鱼脊肉弄净,去皮,切薄片,再剁烂成蓉。虾仁挑去黑肠,弄净,沥干水,按烂成蓉。鱼胶加味拌挞成胶后,加入虾胶、葱花同拌挞胶。

取拌好之鱼虾胶酿入豆腐角内,完全酿好后放下瓦罉内,注下上汤和少许盐调适味煮着。十二分钟便熟,洒下胡椒粉,加芫荽即成。

鲜虾豆腐煲

原料:鲜虾20克,豆腐干6件,肉葱160克,老抽、盐、糖和味精各适量。

制法:先用温水将虾子浸着候用。豆腐干在清水泡过,取出。葱弄净,切段。

烧热瓦罉,下油,爆过葱头,倾下半碗上汤,放下豆腐干劲十足、酌量老抽、盐、糖,加入虾子同煲着。十分钟后,调适味,拌入些粉芡,下葱和熟油便成。

炖品烹饪法

炖品烹饪法

多宝炖全鸡

原料: 光鸡 1 只 1000 克,猪瘦肉 300 克,火腿 40 克,鱿鱼 50 克,冬菇 40 克,栗子肉 80 克,莲子 80 克,苡仁 4 汤匙,猪油 4 汤匙,干虾仁(虾米)1 汤匙,盐 1 茶匙半,味精 1/4 茶匙,胡椒粉少许。

制法: 把光鸡洗净,从鸡尾端开一个约 1 寸半左右的切口,小心取出背骨、胸骨和内脏,切勿将鸡皮弄破,猪瘦肉放沸水中烫熟切粒。鱿鱼、冬菇分别洗净浸软,与火腿肉同切粒。栗子肉和苡仁分别用水煮酥,莲子煮酥去皮去芯。干虾仁用水洗净稍浸备用。

将光鸡、瘦肉、火腿、鱿鱼、冬菇、栗子肉、莲子、苡仁和干虾仁同放大碗中,加盐、味精、胡椒粉腌拌匀,用镬放下猪油 4 汤匙将各料炒熟,同填入鸡肚里,并用线把切口缝好,以免各料散出。取炖盆盛上鸡只,放入蒸笼锅中,盖上蒸笼盖,炖约二小时左右可熟。取出折去缝线,斩件摆成鸡形供用。

圆蹄火腿炖鸡

原料: 肥母鸡 1 只 1000 克,圆蹄 700 克,火腿 40 克,冬菇 6 只,酒 1 汤匙,姜 2 片,盐少许,碎冰糖少许。

制法: 净肥嫩母鸡刬好,去毛洗净,用刀从背脊处剖开,取出内脏,放沸水锅中烫片刻,取出洗净。圆蹄刮洗净,也放沸水锅中烫熟。取出放清水中洗去油腻。火腿切全片,冬菇用清水浸软,去蒂洗净。把鸡放入炖盆内,然后放下元蹄、冬菇、火腿和姜片,注入冷开水至八成满,加酒、盐、糖调味,盖密,上蒸笼锅内炖约一小时半至两小时左右。候肉料酥烘即可端出,调味上桌。

鳖肚炖子鸡

原料:子鸡1只1000克,花胶(鳖鱼肚)50克,瘦肉150克,姜2片、酒半汤匙。

制法:买嫩子鸡削洗干净;瘦肉洗净备用。花胶洗净,用温水浸软,取姜4片、青葱4条、蒜头2粒起锅,洒下半汤匙酒,注入两大碗(汤碗)清水,放下花胶烫水十五分钟左右,取出置炖盅内。

将鸡、瘦肉、姜2片、酒半汤匙先后放入炖盅内,注入大半盅冷开水,盖好盅盖,隔水炖三小时左右,调味端出,即成一款滋阴的炖品。

淮杞炖鸡

原料:嫩光鸡1只700克,淮山角16片,杞子2汤匙,姜4片,陈皮1片,清水(或上汤)5杯。

制法:肥嫩光鸡,洗净斩开两边,用酒1汤匙,生抽2汤匙,腌匀鸡肚内,陈皮用少许清水浸软、洗净。将杞子、姜、陈皮放入炖盅内,放下鸡,注入冷开水适量,加盐调味,盖上盅盖,放入沸水锅中,盖上隔水用大火炖十五分钟,然后改用慢火,炖约三小时左右,原盅端出供用。

冬菇炖春鸡

原料:嫩鸡一只1000克,香菇12只,姜4片,葱白1条,酒1汤匙,鸡油2汤匙。

制法:买肥嫩母鸡,整只劏净去内脏,放入沸水内煮二十分钟取出,从鸡背剖开,放入炖盆内。冬菇浸软,洗净去蒂,与姜、葱、酒同放鸡上,注入适量冷开水,并用纱纸封口,放入锅内隔水炖约两小时左右。浇上鸡油,即可端出供用。

荔枝炖鸡

原料:嫩鸡1只700克,瘦肉150克,糯米糍荔枝500克,元肉12枚,姜两小片,盐少许。

制法:把鸡刨好从背部进刀,除去内脏,洗净。瘦肉切厚片,与鸡同放沸水内烫过,取出置冷水中洗净,同放入炖盆内。买上等糯米糍荔枝,去壳去核后与元肉、姜片同放在鸡上,注入冷开水约八成满,盖上盆盖,放入蒸笼锅内炖约两小时左右,至鸡酥烂即成,以少许盐调味供用。

北芪炖鸡

原料:嫩母鸡1只700克,北芪约40克,淮山10片党参1枝,杞子1汤匙,姜2片。

制法:肥嫩母鸡,放血刭好后,去毛除内脏,洗净放沸水中烫过,以去其血污,然后放入炖盅内。将党参、北芪、淮山、杞子洗净,与姜片同放入炖盅内,注入适当冷开水,盖好.放置沸水锅内用慢火炖约两小时左右,原盅端出,略调味(或不调味)供用。

杜仲炖鸡

原料:小母鸡1只700克,杜仲20克。

制法:将小母鸡刭净,除去油脂,放入炖盅内,放下杜仲,注入适量冷开水,盖上盅盖,隔水炖足四小时左右后供用。

鹿茸炖鸡

原料:嫩母鸡1只700克,鹿茸片约25克,南枣4粒,姜1片。

制法:净嫩母鸡劏净,除去肥脂及内脏,并在热水中稍烫,取出洗净,隔去水分备用。南枣去核,洗净,将鸡放入炖盅内,上放南枣、鹿茸片及姜片,注入大半盅冷开水,盖上盅盖,放入沸水内隔水炖约三小时左右,原盅供用。

墨鱼炖鸡

原料:光鸡1只1200克,墨鱼250克,黄酒1茶匙半,盐1茶匙、味精、胡椒粉少许,姜2片,葱2条。

制法:先净光鸡切块,墨鱼浸透,去筋去皮切成块。起油锅烧熟,放下鸡,加黄酒、姜、葱一起爆炒一下。(这样使汤水色白而香,又能除去腥味)将鸡放入炖盅内(或瓦煲)加墨鱼和适量冷开水,用文火约炖三小时左右,用盐、味精和胡椒粉调味即成。如加入猪手1只,则色味更香浓且富营养。这是四川名菜之一。

清炖老母鸡

原料:老母鸡1只1000克,老姜150克,绍酒1匙。

制法:老母鸡劏洗净,从背脊处进刀将之剖开,并放入沸水中烫片刻,去血水,取出放清水中洗净,隔去水分备用。姜去皮切厚片。将鸡放入炖盅内,上铺放姜片少许盐,溅下绍酒,注入适量冷开水,盖上盅盖,放入沸水锅中,隔水约炖五小时左右,候鸡够酥而成。此炖晶有驱风散寒之作用。

西洋菜炖双鸭

原料:嫩西洋菜500克,光鸭半只500克,腊鸭半只350克,盐半茶匙,姜1片,生抽半汤匙。

制法:将西洋菜之老叶除去,洗净摘段,放入沸水中稍过备用。光鸭洗净切件,放入沸水中烫一烫,取出。腊鸭亦放入沸水中烫片刻,捞出置冷水中,洗去盐分和油腻,切片,与鸭件、西洋菜、姜片先后放入炖盅内,注入八成满沸水,盖上盅盖,然后放入蒸笼锅中炖约三小时左右。供用时,以盐、生抽调味,原盅上席。

清炖多宝鸭

原料:鸭1只1200克,瘦猪肉80克,冬菇5只,芡实20克,栗子12粒,白果12粒、莲子20粒,糯米80克,笋(中)1个,火腿40克。绍酒1汤匙,葱粒1汤匙,姜蓉半汤匙,生抽40克。

制法:将鸭刲好洗净,在其颈处开1寸许小孔,取出颈骨,再从两肩关节部分向后轻轻划开至尾部,不要弄破鸭皮,取出鸭骨和内脏,并去腿骨。再将糯米洗净,笋去皮放入沸水中煮片刻,取出与火腿、瘦肉同切丁,香菇浸软,去蒂洗净切丁,白果去壳去皮去芯,莲子去皮去芯,栗子去皮。全部料放入大碗中加上绍酒、葱粒、姜蓉和生抽拌和。从鸭颈小孔处逐次填入,最后将鸭颈皮也一同填入内,不宜填得大满,以免各料熟后因膨胀而使鸭腹破裂。将鸭放入炖盅内,加适量冷开水,放沸水锅内,隔水炖约三小时左右,用竹筷子插入试鸭及馅料酥烘而成。

柠檬炖鸭

原料:鸭1只1000克,咸柠檬(中)2个。

制法:选嫩鸭削劏,摘去内脏,放入沸水内约过十分钟,取出隔去水分,斩去鸭脚。将柠檬原个放入鸭腔内,切勿弄破柠檬皮,否则汤汁有涩苦酸味。将鸭放入大炖盅内,注入适量沸水,盖上盅盖,放沸水锅内,隔水炖足两小时左右,调味可供用。

冬虫草炖鸭

原料:肥鸭1只2000克,冬虫草35克,料酒1汤匙,姜4片,葱白2条,盐1茶匙半,上汤6杯。

制法:净鸭劏后放净备用,去毛、舌、掌,再去其鸭膝。从鸭背面颈上顺割一刀,并在鸭背面尾部横进一刀,挖去内脏,用清水将鸭洗净,用钩子勾着鸭只,放沸水内连提两三次,使血水洗净后,齐嘴角切去鸭嘴,并将翅膀屈向背上盘起,虫草用温水浸泡十五分钟,用手轻轻洗去泥沙和杂质备用。

将竹筷削成三分长、一分粗的竹签。将鸭腹部向上放平,用竹签从鸭腹部略斜插入,使成一个个深约三分的小孔。将虫草粗的一端(头部)一个个的插入鸭腹小孔上,尾部留在外面。全部插入后将鸭子腹部向下地装入大海碗内,加入上述配料,用纱纸密封碗口,上蒸笼锅内用大火炖约三小时以上,至鸭骨松翅裂即成。炖好后,将鸭子腹部向上摆入汤盆内,去掉姜葱,加入少许精盐,将原汤放入即可上席。

陈皮炖全鸭

原料:上鸭1只1200克,陈皮(大)半个,姜2片。

制法:将肥嫩毛鸭削劏,抹去水分,鸭脚则屈伸入鸭腹内,以少量花生油烧热镬,兜匀镬底,将鸭放入煎至全鸭身呈金黄色,取出,陈皮洗净浸软,切细丝,填入鸭腹腔内,将鸭放入炖盅内,放上姜片,倒入一杯冷开水,盖上盅盖,以纱纸密封盅口,放沸水锅内,隔水约炖三小时左右，可调味原盅供用。

瑶柱炖鸭

原料：光鸭1只1000克，冬瓜750克，江瑶柱50克，陈皮1角，姜6片。

制法：将鸭洗净，抹去水分，斩去鸭尾(可免臊味)，切成两边，分别用酒1茶匙涂匀鸭腹内。冬瓜去瓤去籽，连皮洗净，分切半寸方块。江瑶柱用清水洗净并撕成细条。陈皮用水浸软。取炖盅，先放入整块冬瓜做底，上放鸭，再放上冬瓜、江瑶柱、姜片和陈皮，放入冷开水到浸过炖料面，加盐调匀，盖上盅盖，放入沸水锅中，上盖，先用大火炖约十分钟，即改用慢火炖约三小时左右，调味，原盅供用。

毛瓜炖金银鸭

原料：光鸭1只，烧鸭半只，毛瓜750克，绍酒两汤匙，姜2片，盐适中。

制法：将光鸭洗净斩件，烧鸭也斩件。选鲜嫩毛瓜，刮去外皮，洗净，并放入油锅中炒片刻，使除去毛瓜"青"味，取出用清水洗净，将毛瓜放入炖盅底部，上面排放光鸭件和烧鸭件，加姜片、绍酒和盐，注入冷开水至八成满，上盖，放入锅内，约炖三小时左右，至鸭酥透，即可供用。

香菇炖米鸭

原料：光米鸭1只1250克，香菇60克，冬瓜500克，姜2片、盐1茶匙，生抽1汤匙，味精少许。

制法：将光米鸭洗净，放入沸水内稍烫，取出洗去血水，斩成大块,用生抽稍腌,起油镬加姜片,将鸭块爆炒片刻。冬瓜去皮切块,香菇浸软去蒂洗净,回放瓦锅中,上放鸭块,加入清水浸过鸭面,调味后,盖上锅盖,用大火烧沸后,改用小火炖约两小时左右,至鸭酥烂即可供用,是一款夏季好食品。

燕窝炖鸭

原料:光鸭1只1000克,燕窝50克,火腿60克,火腿皮50克,猪肉150克,排骨150克,熟甘笋花4片,熟冬菇4只,盐1茶匙,味精1/4茶匙,热火腿2片。

制法:将鸭洗净起去骨,燕窝用水浸透拣净绒毛,火腿切粒,与燕窝同放入鸭肚内,用线逢口。把鸭放沸水中稍烫,取出放炖盅内,加入火腿皮、猪上肉和排骨,用纱纸密封盅口,放入锅内蒸约两小时左右至鸭酥透,放上熟火腿片和已调味煮熟的冬菇、甘笋花,调味后便可使用,是潮州名菜之一。

菜胆炖烧鸭

原料:烧米鸭1只1000克,火腿50克,芥菜胆12棵,瘦猪肉150克,姜(大)两片,葱2条,酒1汤匙半,盐1茶匙,二汤4杯。

制法:先净烧鸭用刀由鸭背处剖开,使成一大片,取出鸭肺洗净,放入大碗中,加二汤和上述调味配料,放入蒸笼锅内炖酥,候酥后即轻轻取去鸭骨,切勿将皮撕破。鸭汁留后用,姜葱取去不要。将鲜嫩芥菜原棵洗净,去叶另用,只留菜梗(茎)部分。火腿和瘦肉均切片,瘦肉片放入沸水锅中焯过,以去血污。再将鸭脯放入炖盅或汤盆中,鸭腹朝上,注入炖过鸭的原汁,放下火腿片和瘦肉片,再上蒸笼继续炖之。另将芥菜胆放沸水锅内,加苏打食粉1茶匙煮片刻,捞出用冷水洗净。把菜胆伴放入鸭身周围,再约炖二十分钟,可加盐调味上席。

炖鲜陈鸭肫

原料：鲜鸭肫4个，干鸭肫3个，猪瘦肉80克，西洋菜100克，冷开水5杯。

制法：将鲜鸭肫洗净，割花切厚片；干鸭肫洗净，放大热水中烫约五分钟，取出切片，与鲜鸭肫同放瓦炖盅内，注入冷开水炖约三小时左右。西洋菜洗净，与瘦肉加入已炖约三小时的鸭肫汤中，再炖约一小时，调味供用。

冬虫草炖双鸽

原料：乳鸽两只，冬虫草25克，雪耳20克，莲子20克，淮山10片，龙眼肉8粒，姜4片。

制法：选买肥大乳鸽，可请卖者代为劏之，如自己劏宰，可用扼喉之法使其窒息，也有以酒灌之。把乳鸽放入热水中稍浸，用轻力除毛（以免连鸽皮一齐撕去）、除内脏，洗净并放在沸水中小片刻，隔去水分。莲子用温水浸软，除去外皮，雪耳浸透洗净。取炖盅，先放入莲子、乳鸽，上铺生姜，再放入冬虫草、淮山、元肉，最后放入雪耳，注入八成满沸水，上盖，放沸水锅中隔水炖约三小时左右，原盅端出，调味供用。

鲍翅炖双鸽

原料：发透鲍翅400克，肥乳鸽2只，五花猪肉300克，火腿50克，上汤6杯，酒1汤匙，姜2片，葱2条，盐少许，蜜糖1汤匙，马蹄（荸荠）粉2茶匙。

制法：将发透仔鱼翅放入锅中，加水4杯，姜2片、葱2条同煮三十分钟，取出用清水洗净，去水分。将翅放大碗中，加汤2杯，上蒸笼炖至酥(三小时),取出。五花肉放沸水中烫熟。乳鸽剉净,去除鸽骨。将火腿切细丝,当炖酥的鲍翅拌匀,同放入鸽腹内,用线缝口,然后用蜜糖水(蜜糖一汤匙与水一汤匙调匀)涂匀鸽身,放入热油锅中,炸至鸽皮呈黄色。将炸好的乳鸽取出,放入炖盆内,注入上汤,加酒和姜片,五花肉放鸽上,盖好,上蒸笼锅中炖约两小时至鸽酥烘时,取出姜片、五花肉不用。将鸽转放上席汤盆中,马蹄粉加水调稀与炖鸽的原汁煮成芡,浇在鸽面上供用。进食时,取出鸽肚之缝线,把鸽和鸽腹中的鱼翅拌匀,味道鲜甜甘滑。

银耳炖双鸽

原料:乳鸽(大)2 只,鸭肫 4 只,腊鸭肫 1 只,银耳 40 克,陈皮一小块,姜 4 片,酒 1 茶匙,上汤或冷开水 3 杯半。

制法:选肥大乳鸽,削剉,放在沸水中烫过取出,鲜鸭肫削开,撕去内层黄衣,洗净;腊鸭肫用热水浸软洗净,切成方块,银耳用清水浸软、洗净。取炖盅放入乳鸽、陈皮、姜片、鸭肫、银耳,洒下酒,注入上汤和冷开水,盖上盅盖,放沸水锅中,隔水炖约三小时半左右。原盅上席,是一款味道鲜美、清润的滋补品。

椰子炖乳鸽

原料:乳鸽(大)2 只,椰子 1 个,上汤或冷开水两杯半,姜 4 片,绍酒 1 汤匙半。

制法:选肥大之乳鸽,削剉。并放在沸水中烫片刻,取出隔去水分。椰子割去上盖;倒出椰水,取出椰肉。将乳鸽放入炖盅内,上放姜片,倒入椰汁及椰肉,洒下绍酒,注入沸水或上汤两杯半,盖上盅盖,放在沸水锅内隔水炖约三小时左右,取出调味供用。

香菇炖乳鸽

原料:乳鸽2只,金华火腿40克,香菇40克,江瑶柱2粒,淮山10片,杞子1汤匙,元肉10粒,姜3片。

制法:乳鸽削刲,除去内脏,放入沸水中烫片刻,以去血水,取出滤去水分,放炖盅内,上放姜片。香菇用水浸软,洗净去蒂,与各料同放入炖盅内,淋下1汤匙绍酒,注入适量沸水,盖上盅盖,放沸水锅内,以慢火炖约三小时左右即成,调味供用。

清炖乳鸽

原料:较大乳鸽2只,莲子40克,淮山20片,玉竹10克,元肉10粒,生姜4片。

制法:乳鸽削刲,斩去脚爪,放在沸水中烫片刻,莲子用清水浸透去皮。先将莲子放入炖盅内,上放乳鸽,铺上姜片,其后放入各料,注入适量沸水,盖上盅盖,隔水约炖三小时左右,原盅上席。

党参炖乳鸽

原料:乳鸽2只,党参80克,鸽肫2个,猪瘦肉150克,姜3片,酒1汤匙,盐少许。

制法:乳鸽刨净,除内脏,鸽肠道净,以盐腌片刻,洗净,鸽肫切开,撕去黄衣洗净,以盐腌之。瘦肉分切3块;将上述各料放入大热水中渗过,以去血水或肥腻。鸽肠必须取出转置冷水中洗过。把乳鸽、鸽肠、肫、瘦肉等放入炖盅内,放进党参,面上铺上姜片,加入1汤匙酒,注入冷开水至八成满,将盅盖盖好,用纱纸湿水封口,放锅内隔水炖约三小时左右,吃时以盐少许调味即成供用。

北菇炖双鸽

原料:乳鸽2只,北菇50克,瘦火腿50克,瘦猪肉150克。

制法:将乳鸽削刭,与瘦肉同放沸水中烫片刻,取出放清水中洗过,放入炖盅内,加入瘦火腿,注入沸水4杯(每杯约300克)放下姜片、绍酒和盐,盖好盅盖,然后放入蒸笼锅内隔水炖约三小时左右至酥香即成。买新上市北菇,用水浸软,去蒂洗净,与上汤一杯同放入炖鸽盅内,盖上,用大火再炖约十五分钟,端出调味供用。

冰糖炖猪手

原料:猪前蹄1只1000克,冰糖100克,酱油2汤匙,绍酒2汤匙,葱2条,姜2片。

制法:将猪前蹄用刀刮去毛和污物,洗净后在猪蹄内侧软处切一深刀,使见大骨,然后大骨两侧备切一刀,使肉离开,易于煮烂。将整只猪蹄水分抹干,用1汤匙酱油涂沫在猪蹄皮上,用镬烧油3杯,放入猪蹄炸片刻,捞出再放入冷水中浸约十五分钟左右,取出放炖盆内,放入蒸笼锅内隔水约炖三小时左右,至猪蹄酥透即成。

清炖五花肉

原料:五花猪肉400克,酱油50克,白糖1汤匙,绍酒2茶匙,葱(切段)1条。

制法:先将五花肉洗净,凉干水分,切成长约一寸半、厚约3分肉片,加酱油、绍酒、白糖和姜葱拌均,腌约2小时左右。把腌过的五花肉皮朝下,排放大碗中,把腌过肉片的调料倒在面上,盖好。原碗放在蒸笼锅内,用大火隔水炖约三小时,至肉酥烂,即端出取去姜、葱,覆扣在碟子中上桌。

淮杞炖猪脑

原料:猪脑5副,淮山角16片,杞子2汤匙,圆肉10粒,姜4片,酒1汤匙。

制法:淮山角、杞子及龙眼肉可到中药店购买。猪脑放在清水内稍浸,待猪脑之红筋浮起时,将红筋剥净,盛箕中隔去水分,放入炖盅内,放下各料,注入大半盅冷开水,盖上盅盖,隔水约炖三小时左右,调味即成。此汤有补脑之作用。

姜葱炖狮子头

原料:半肥瘦猪肉500克,大青菜心600克,青菜叶数片,盐1茶匙,姜汁1茶匙,黄酒1汤匙,葱汁少许,生粉1汤匙,鸡汤3杯。

制法:把猪肉分肥瘦切开,把肉切小丁瘦肉切细,再剁成肉泥。将肥肉和瘦肉同放入大碗中,加黄酒、葱汁和盐、生粉及清水少许,用力搅拌匀,取肉泥捏成4个肉球。起油锅炒菜心,加盐炒好,取出放在锅中,加适量鸡汤和清水,用大火烧沸,即将肉球放在菜心上,盖上几片青菜叶,改用慢火继续炖煮两小时即成,撇去汤面上的浮油即可供用,此菜是扬州名菜之一。

川芎炖猎脑

原料:猪脑4副,川芎15克,白芷10克,生姜2片。

制法:先将猪脑之红筋挑除,洗净,切开2~3块,放入炖盅内,加入生姜2片。川芎、白芷放入炖盅后,注入冷开水至八成满,盖上盅盖,用纱纸封好,放入沸水锅中,隔水炖三小时左右,即可调味供用。

天麻炖猪脑

原料:猪脑4副,天麻8克,姜2片。

制法:将猪脑之红筋小心挑除净,洗净后隔去水分。将猪脑、天麻及姜片放入炖盅内,注入大半盅冷开水,盖上盅盖,用纱纸封口,放沸水锅中,隔水炖三小时左右,调味即成。

朱砂炖猪心

原料:鲜猪心1个,朱砂4克,粗盐400克。

制法:买原个无损猪心1个,洗去血污,用筷子轻轻插入通往猪心之血管,清出血水。将朱砂放入猪心之血管内(可用洁净干饮筒吸入朱砂轻轻放下)。精盐放入瓦炖盅内,藏入猪心,只留猪心上部之白色血管凸出盐上。盖上盅盖,放锅中隔水炖约三小时即可供用。

胡椒炖猪肚

原料:猪肚1个,胡椒粒1汤匙半。

制法:用生粉、粗盐将猪肚揉搓数次,冲洗净,放入沸水中煮半小时,捞出置冷水中洗净。胡椒粒洗净后,放入猪肚内,用线缝口,整个放入炖盅内,注冷开水适量,盖上盅盖,放沸水锅中,隔水炖两小时左右即成可用。

清炖猪肚

原料:猪肚1个,姜2片,红头葱4条。

制法:将猪肚用生粉、粗盐揉搓数次,冲洗干净,并放入沸水中煮约半小时,捞出再用清水洗净,切成小片。红头葱 4 条,只取葱白,洗净切段,姜拍碎。烧热油镬,将葱、姜爆香,加猪肚同炒爆片刻,下盐少许,调匀,即取出放入炖盅内,注入冷开水约 1 杯,盖上盅盖用慢火炖约两小时,端出调味即可供用。

淮杞炖牛腩

原料:牛腩 400 克,淮山 40 克,杞子 2 汤匙,姜 5 片,圆肉 6 粒,陈皮小角。

制法:先将牛腩放沸水中浸熟,取出切片。烧红镬,加油一汤匙,放下姜片和牛腩爆透。取出放瓦盅内,加入淮山、杞子、圆肉、陈皮等,注入冷开水浸至牛腩面,盖好,放入沸水锅中,隔水用慢火炖酥即成。

花生炖牛尾

原料:牛尾 1 条 1500 克,花生肉 400 克,生姜 50 克,开水适量,精盐 6 克,味精 5 克。

制法:先将牛尾刮洗干净,斩为段,每段长约 3 厘米,放入瓦罉炖,加入洗干净的花生肉、生姜,用精盐、味精调味。炖熟便成。

当归首乌炖牛脹

原料:牛脹(牛腿筋肉)250 克,核桃仁 20 克,当归 15 克,首乌 15 克,圆肉 8 粒。

制法:牛脹肉洗净,放炖盅内,加上各料,注入 2 杯冷开水,盖上盅盖,放锅内隔水炖约三小时左右即成。

北菇炖牛蹄筋

原料:牛蹄筋1000克,洗干净北菇400克,姜片10件,绍酒50克,精盐1.25克,味精7.5克,开水适量。(上述原料分炖10盅)

制法:将牛蹄筋洗干净放在汤里滚十分钟,取起切段,每段长三厘米(约一寸),分放在炖盅里,加入北菇、姜片、绍酒、精盐、味精、开水,随分放在笼里炖至焓便成。

淮杞炖牛鞭

原料:牛鞭1条1500克,淮山100克,杞子100克,绍酒50克,精盐12.5克,味精7.5克,姜片10件,原汤2000克(上述原料分炖15盅)。

制法:将牛鞭放在汤罉里滚十分钟,取起洗净切成段,随分放在盅内,加上淮山、杞子、绍酒、精盐、味精、姜片、原汤,然后放在笼里炖至焓便成。

淮杞炖兔肉

原料:兔肉250克,杞子2汤匙,淮山10片,圆肉5粒,盐半茶匙,生抽1茶匙。

制法:将兔肉洗净放沸水中稍烫,取出切成小块,与淮山、杞子、圆肉同放炖盅内,加沸水1杯半,盖上盅盖,以大火炖约三小时左右,可加生抽、盐调味供用。

(如用兔头1个,兔肝1副代替兔肉,淮山、杞子各用50克,龙眼肉8粒;将兔肝分成4件,兔头切开两边,加沸水两杯,炖四小时左右,即成一款"淮杞炖兔头肝",清甜鲜美,有补肝之功用。)

北芪党参炖兔肉

原料:白兔 1 只,党参 20 克,北芪 20 克,杞子 2 茶匙,淮山 6 片,糯米酒 150 克,老姜切丝约 2 汤匙。

制法:将兔劏净,放沸水中稍烫,取出斩件,放入炖盅内,然后加党参、北芪、淮山、杞子(配料可酌量加减),注入糯米酒和冷开水 2 杯,姜丝分放兔肉上,盖上盅盖放沸水,隔水约炖一小时,用温火,火要均匀,不要时猛时慢。候将炖好时,才放入油、盐继续炖至肉嫩药味均出时即成。(本炖品有补中益气、健脾之作用。老幼皆宜。)

淮杞炖羊肉

原料:羊肉 650 克,淮山 12 片,杞子,10 克,圆肉 4 粒,鸡汤或沸水 3 杯,姜 6 片。

制法:将羊肉洗净,放沸水内烫过,取出切块,用锅加姜片炒透,然后放入炖盅内。把杞子、淮山及鸡汤同放入盅内,调味,盖上盅盖,放沸水锅中炖约三小时左右即成。

北芪党参炖羊肉

原料:羊腿肉 500 克,北芪 15 克,党参 15 克,黑枣 10 粒,姜片 5 片。

制法:鲜嫩草羊腿,斩成 4 大块,放沸水中烫片刻,取出隔去水分,放入炖盅内,生姜片铺在羊肉面上。黑枣去核,与北芪、党参同放入炖盅内,注入适量沸水盖好,放沸水锅中隔水炖约三小时即成,调味供用。

马蹄炖羊肉

原料:羊肉500克,马蹄(即荸荠)9个,冬菇5只,红枣8粒,生姜4片。

制法:羊肉放在大热水中泡过,去其血水,放清水中冲洗。马蹄去皮洗净,红枣去核,冬菇浸软去蒂。将各料放入炖盅内,加入冷开水约一杯半,盖上盅盖,隔水炖三小时左右,调味即成。此汤水清甜,补而不燥。

清炖羊头蹄

原料:羊头1个,羊蹄1副,马蹄150克,冬菇3只,腐竹80克,红枣5枚,酱油1汤匙,味精少许。

制法:先将羊头、蹄洗净,放沸水中烫片刻,取出刮去小毛,用刀切开两边后斩件,再放入沸水中烫片刻,以去除羊膻味,取出放炖盅内。马蹄去皮洗净,冬菇浸软洗净去蒂,红枣去核,与腐竹等一起放入炖盅内,注入沸水约八成满,盖上盅盖,放入沸水锅内隔水炖约三小时至酥。原盅端出供用。

乌豆炖羊头蹄

原料:羊头1个,羊蹄、脚各1副,乌豆200克,圆肉10枚,陈皮1小块,糯米酒150克,姜3片。

制法:先将羊头、脚蹄放锅中用大火爆片刻,取出置清水浸泡,将其余毛污垢刮洗净,然后斩件,用锅盛水烧沸,放入羊头蹄件烫片刻,血污洗去,再用清水洗净,隔去水分。买大粒乌豆(黑豆),用清水浸洗净,陈皮稍浸软,洗净。将羊头等各料同放入大炖盅内,加酒和盐,注入冷开水至八成满,盖好,用纱纸密封盅口,放锅内隔水炖约四小时左右，候羊头蹄酥透，便可调味供用。

鲜菇炖香肉

原料：狗肉（香肉）500 克，鲜菇 250 克，白糖半茶匙，汾酒两汤匙，味精少许。

制法：狗肉切片，鲜菇批去泥蒂洗净，放入大热水中稍烫即捞出。用汾酒将狗肉腌拌过，放入炖盅内，加入鲜菇，注入沸水 3 杯，炖至三小时左右，即加白糖、味精等调味料供用。

清炖鹿冲

原料：鹿冲 2 副，猪蹄肉 600 克，嫩母鸡 800 克，花椒 7 粒，胡椒粉 1 汤匙，酒 100 克，葱 100 克，姜 100 克，盐 1 茶匙半，味精 1 茶匙。

制法：先将鹿冲外粗皮和杂质刮去，直剖开，刮净里面粗皮和污垢，洗净，切成 1 寸半长段，肥鸡刬洗净，切成约 7 分长、4 分厚的长方块。猪肉选用猪蹄肉，洗刮干净，姜切成 4 块，拍裂。用锅浸入清水 12 杯，放入鹿冲段，加姜 1 块，酒两汤匙，盖上，用旺火煮十五分钟左右，将鹿冲捞出，其他各料倒去不用。依上述用料和做法继续煮两次，捞出鹿冲。用干净瓦锅（砂锅）放入猪蹄肉、鸡块和鹿冲，注入清水约 10 杯，上炉用旺火煮沸，撇去汤面上泡沫，加酒 3 汤匙，葱 3 条、姜 1 块和花椒，改用慢火炖约一小时半，取出姜片、葱条不用，猪睁肉捞出另用。将盐、味精和胡椒粉放入锅中，改用大火，炖至肉料酥烂汤浓（约净汤 3 杯左右）即成。将锅中鸡块取出排垫在上席用的大碗底中，再捞出鹿冲，有次序的铺在鸡块上，然后倒入锅中的原汤上席。

“鹿冲”是公鹿之生殖器。此菜味浓，富于营养，是四川名菜之一。

鸡炖熊掌

原料:熊掌1对,老母鸡1只,光鸭1只,瘦猪肉700克,火腿肉340克,北菇100克,上汤8杯,酒400克,姜100克,葱150克,盐半茶匙,味精、胡椒粉少许。

制法:肥嫩熊掌1对(不包括熊腿部分),放锅中加清水15斤,用大火煮一小时半左右,捞出,除净茧巴,用夹子拔去绒毛,洗刷净。把姜去皮,切6片。葱(约6条)去老叶和须根洗净。北菇用水浸软,洗净去蒂,挤去水分。将锅放炉上烧红,放下猪油1汤匙,葱1条,姜1块,注入上汤约5斤、酒200克,放下熊掌,煮十分钟后捞出熊掌,倒出锅中各料不用。按上述各用料和作法再继续煮3次,捞出熊掌,取去掌骨,然后用刀将熊掌切成长方块10数片。因熊掌之膻味很大,故处理要细致。将削好之鸡,去毛除内脏,与光鸭、瘦肉分别洗净,各切成4大块,放入沸水中烫过,使血渍除去,取出洗净。火腿切片,先与熊掌件排放在炖盆内,然后放下鸡、鸭和瘦肉块,加姜2片,葱两条,酒200克,注入上汤8杯,加盐少许;盖上炖盆盖,放蒸笼锅内隔水炖约五小时左右,将炖盆内之鸡、鸭、瘦肉块捡出不用。最后,将处理好之北菇加入,封好(用纱纸将炖盆盖封密)再上蒸笼锅内炖二十分钟即成,调味供用。

芪杏炖鹧鸪

原料:鹧鸪(大)2只,北芪20克,南杏、北杏各20克。

制法:鹧鸪切开内脏洗净,放沸水内烫过,取出洗去血水,隔干水分放炖盅内。将南杏、北芪放瓦锅内,加清水7杯,用慢火煎之,余下3杯汁水时,去其渣,取其3杯水,注入炖盅内,盖上盅盖,放沸水锅内,隔水炖约三小时左右,调味上席。

冬虫夏草炖鹧鸪

原料:鹧鸪2只,冬虫草40克,花胶150克,陈皮1小块,酒1汤匙,花生油1汤匙,姜4片,盐少许。

制法:将鹧鸪劏好,除内脏,用酒和油涂匀肚腔。冬虫草洗净。花胶用沸水泡浸十五分钟,放清水洗净,切块,然后用清水同放锅中煮三十分钟。陈皮用水浸软洗净。将处理过的冬虫草、花胶、陈皮、姜片同放炖盅内,注入约5杯冷开水,加盐调匀,然后放入鹧鸪,盖好,放沸水锅中隔水炖约四小时,原盅上取出,调味上桌。

花胶炖鹧鸪

原料:鹧鸪(大)2只,鳘鱼肚150克,火腿20克,烧腩150克,上汤4杯,绍酒1茶匙,姜2片,圆肉8枚,盐和味精各少许。

制法:先将花胶(鳘鱼肚)用水浸发,洗净切块,放入沸水中稍烫片刻,取出,用少许油起锅,加上汤、姜汁、绍酒、盐和味精,放下鳘肚同煮三十分钟,取出隔去水分。将鹧鸪削后,去毛除内脏,剥去嘴皮、脚尖趾甲及黄衣,然后放沸水中烫过(亦有人用龙眼叶放水中同煮沸,才放入鹧鸪烫水,这样更佳,以辟去腥味)。如采用瘦肉代替烧腩,就要将瘦肉放入沸水烫过备用。将鹧鸪放入炖盅内,随放下火腿、姜2片,圆肉、盐、味精各少许,洒下绍酒,注入上汤和冷开水,盖上盅盖,放入沸水锅内,隔水炖约一小时半左右,即将爆过花胶加入,再炖约十五分钟即成。取出姜片不用,调味原盅上桌。

党参炖斑鸠

原料:斑鸠2只,党参6枝,杞子2汤匙,淮山15片,圆肉6枚,姜2片。

制法:将斑鸠剉净,去绒毛除内脏,洗净后方入沸水中稍烫过,以使除去血污。将斑鸠放入炖盅内,加入洗净之党参和其他各料,注入冷开水和上汤2杯,放沸水锅中,隔水约炖三小时左右即成,调味供用。

鲍鱼炖蚬鸭

原料:蚬鸭(水鸭)2只(小),麻鲍鱼40克,鳖肚80克,姜4片,陈皮1角,酒1汤匙,盐少许。

制法:将干麻鲍鱼放入瓦锅内,注入清水6杯,用大火煮沸,即离炉火,让鲍鱼在锅内浸泡半天,然后洗净。选约450克左右蚬鸭2只。削剉,剖开两边,以酒涂匀蚬鸭肚腔内。陈皮洗净,将鲍鱼、陈皮、姜片同放入炖盅内,注入冷开水4－5杯放下蚬鸭,盖好,放锅中先用大火隔水炖一小时,即改用慢火炖约四小时左右,即可原盅上桌。

冬虫草炖蚬鸭

原料:蚬鸭2只,响螺800克,瘦猪肉80克,姜4片,冬虫草5克,火腿1片,酒1茶匙半。

制法:将响螺打开,取肉洗净,去肠和尾,切成小块,放沸水内烫一烫,取出用清水洗净,水鸭斩块,放沸水内烫片刻,再用清水洗净。冬虫草用冷水浸片刻,略洗。瘦肉分切4块,放入沸水中略烫一下,以去血水。将处理好的各料全部放入炖盅内,注入适量沸水,盖盅盖,放入沸水锅内隔水炖约四小时即成。

山瑞炖蚬鸭

原料:山瑞鱼肉1000克,蚬鸭1只,火腿40克,瘦猪肉150克,花菇40克,酒1汤匙半,姜4小片,盐少许。

制法:将山瑞鱼肉切片,经沸水中烫过,取出洗净。蚬鸭去净绒毛,从鸭背进刀将之剖开,取出内脏,与切厚片的瘦肉同放入沸水内烫过,取出洗净。花菇用水浸软,去蒂洗净。将山瑞鱼、蚬鸭先后放入炖盅内,火腿切片,与瘦肉分排放在蚬鸭周围,加姜片、酒和盐,注入清汤或冷开水约八成满,盖好,放入锅内约炖两小时左右,将花菇加入,用纱纸将盅盖封密,再炖约二十至三十分钟即成,原盅上桌。

糯米酒炖蚬鸭

原料:蚬鸭2只,火腿40克,响螺肉100克,姜2片,糯米酒80克。

制法:将响螺肉取出,用刷擦去黑污秽,洗净切片,放入沸水烫片刻。将蚬鸭削劏去毛,去内脏,并放入热水中烫过,洗去血污;火腿切片,姜片拍碎。将蚬鸭、螺肉、火腿和姜片先后放入炖盅内,注入糯米酒和适量冷开水,上盖,用纱纸将盅盖密封,放入沸水锅中炖约三小时左右,待蚬鸭酥透即成,调味供用。

冬虫草炖山瑞

原料:山瑞鱼1只1500克,瘦猪肉150克,杞子2汤匙,冬虫草5克,淮山12大片,圆肉10枚,姜2大片。

制法:将山瑞鱼仰放在砧板上,其头即伸出,左手紧握其头竖放,右手取刀垂直将其硬壳削下,除去内脏和黄盖,此盖味极臊,故一定要除尽。把山瑞放入热水中,除去白色外皮,并将其软裙切去,斩去头部不用。其肉则分斩约六分小块。将山瑞肉放大炖盅内,放入烧腩及其他各料,注入沸水,隔水炖三小时左右,调味可食。(山瑞鱼滋补功能高于水鱼,是筵席中之珍品。)

北芪党参炖山瑞

原料:山瑞鱼 1 只 1000 克,北芪 20 克,党参 20 克,杞子 1 汤匙,淮山 6 片,鸡腿 1 只,姜 3 片。

制法:除去山瑞鱼之内脏(见“冬虫草炖山瑞鱼”的制法)。将山瑞鱼放炖盅内,放上姜片,鸡腿去骨放上,加上各料,注入上汤或沸水约四杯,盖上,在沸水锅内隔水炖三小时左右,趁热端出调味供用。

淮杞炖山瑞

原料:山瑞鱼 1 只 1000 克,淮山角 12 片,杞子 2 汤匙,瘦猪肉 150 克,圆肉 12 粒,姜 3 片,绍酒 3 茶匙,上汤 5 杯,盐适量。

制法:将山瑞鱼劏净斩件,瘦肉切片,同放大热水中浸过,取出洗净,放入盅内,加绍酒、姜同拌匀。将各料放入盅内,放下上汤和盐,盖好,用纱纸封密,放入沸水锅中隔水约炖三小时左右,原盅供用。

参芪炖穿山甲

原料:穿山甲 200 克,瘦猪肉或鸡肉 80 克,党参 15 克,北芪 15 克,杞子 2 汤匙,淮山 10 片,圆肉 6 粒。

制法:将穿山甲(又名鲮鲤)洗净切片,放入锅内爆过,与其各配料同放入瓦盅内,加冷开水 4 杯,盖上盅盖,放沸水锅内隔水炖约一小时半左右，原盅端出，到食用时可加调味品。

茯苓龟龄炖穿山甲

原料：穿山甲200克，茯苓20克，淮山12片，圆肉6粒，马蹄6个，龟龄集适量。

制法：将马蹄去皮，如果不用马蹄，可改用红枣（去核）。为加强消毒疗效，可加入一定分量之龟龄集（药材）。穿山甲洗净切件，放入锅内加油爆过，连同各配料加入瓦盅内，注入冷开水3杯，盖好，隔水慢火炖约一小时半左右，吃时才可加调品。

清炖果子狸

原料：果子狸肉1900克，瘦猪肉150克，党参6枝，北芪6枝，淮山6片，杞子2汤匙，圆肉10粒，巴戟60克，老姜4片，酒1汤匙

制法：买速冻果子狸，待解冻后，放沸水内浸过，瘦肉洗净也放入沸水内烫过，切件，与果子狸同放炖盅内，面上排放老姜，将全部药材同放入炖盅内姜片上，洒上1汤匙酒，注入冷开水至八成满，用纱纸密封盅盖，放锅内隔水炖足三小时即可供用。

鲍丝炖五蛇

原料：五蛇肉250克，鲍鱼丝150克，火腿40克，冬菇丝20克，花胶丝60克，猪油适量，绍酒1汤匙，姜汁1汤匙，果友丝汤匙半，生抽、味精、绍酒、胡椒粉各适量，水1500克，菊花、鲜柠檬叶丝、芫荽、薄脆各1小碟。

制法：将蛇劏净，去皮去脏，加水煮至蛇肉能离骨，即取出起去蛇肉，骨放入蛇汤内再熬两小时，取去蛇骨，蛇汤留用。鲍鱼浸软洗净煮焓，切丝，花胶浸透洗净，冬菇浸软，去蒂洗净，陈皮浸软洗

净，切丝。花胶用猪油、姜汁、绍酒煨过，五蛇肉、鲍鱼丝、冬菇丝同放入瓦炖盅内，再用生油、味精、绍酒、胡椒粉拌匀，注入蛇汤，以纱纸密封盅口，放入沸水锅内，隔水炖约三小时即成。原盅端出，揭去纱纸封口，撒上火腿丝，配以鲜柠檬叶丝、芫荽、菊花和薄脆供用。

注：五蛇肉包括乌肉、金脚带、过树榕、三索线和白花蛇。

南蛇炖鸡

原料：毛鸡1只1500克，南蛇肉500克，火腿10片，猪油1汤匙，姜数片，胡椒粉1茶匙，生抽1茶匙，上汤1杯，绍酒1汤匙，圆肉数枚。

制法：将蛇肉用水煮沸，去水，加竹蔗、圆肉、姜片和清水适量同煮熟，去掉圆肉、竹蔗和姜片，蛇汤留用，蛇肉切成细丝（如蛇是生削者，则要剥去皮头，切成小段，去掉骨体，用水略沸后去水，才加竹蔗等煮熟）。烧红镬加猪油、绍酒，将蛇肉略炒拌取出，鸡㓥后去毛除内脏洗净，放沸水中煲一二分钟取出，与南蛇肉同放瓦盅内，加上汤、蛇汤、火腿和姜片，用纱纸封盅口，炖约三小时取出，把鸡起骨后，连骨放回盅内，再封好纱纸，约炖两小时左右即成。食时撒上胡椒粉，配以菊花、鲜柠檬叶、芫荽同吃。

花胶蚬鸭炖三蛇

原料：三蛇肉（金脚带、乌肉、过树榕）共300克，花胶80克，蚬鸭1只，火腿80克，冬菇数片，猪油40克，陈皮1角，绍酒50克，姜汁半汤匙，薄脆、柠檬叶丝、芫荽、菊花各1小碟。

制法：将蛇㓥净，去皮、头、内脏，加水煮至蛇肉能离骨，即取出起去蛇肉，把蛇骨放回蛇汤内，再煮约两小时，然后去掉骨，蛇汤留用（可采用速冻蛇肉）。蚬鸭㓥后，除去毛和内脏，洗净，放于沸水中烫过，然后放入蛇汤内煮酥，捞出拆取其肉，撕成细丝。冬菇洗净，浸软去蒂，切成细丝。陈皮洗后，刮净开切细丝，火腿切丝。花胶用水发透切丝。烧红锅，加猪油、绍酒、姜汁、陈皮和清水 2 杯，将花胶煮三十分钟，取出后，将蛇肉、花胶、蚬鸭肉、冬菇、陈皮等同放入大瓦炖盅内，注入蛇汤，加生抽、味精调味盖好，用纱纸密封盅口，放入沸水锅内隔水炖约三小时即成。原盅端出，撒上火腿丝，配上芫荽、菊花、鲜柠檬叶和薄脆供用。

清炖燕窝

原料：燕窝 40 克，腊鸭肫 1 个，鲜鸭肫 2 个，鸡胸肉 50 克。

制法：燕窝用热水浸软，候软拣去绒毛，用清水泡净，隔去水分，亦有将之加入食用苏打粉少许煮片刻，才洗泡。鲜鸭肫切开去掉污物，撕去内层黄衣，然后洗净，切肫花；腊鸭肫用热水浸软清净，亦切肫花；鸡胸肉沸水中浸过，取出洗净，切细粒。将燕窝放炖盅内，放上肫花和鸡粒，注入沸水两杯，盖好，放沸水锅内，隔水炖约三小时即成，调味供用。

燕窝炖双鸭

原料：燕窝 35 克，烧鸭半只 400 克，熟火腿蓉 30 克，光鸭半只 500 克，上汤 5 杯。

制法：将燕窝用清水浸透，捻去绒毛，放锅中加清水 4 杯，苏打食粉 1 茶匙，煮约二十分钟左右，取出用清水冲洗，隔去水分，放入炖盅内。光鸭、烧鸭均入沸水内烫过，取出洗净，然后放回燕窝盅内，注入上汤，盖好，放锅内约炖一小时半左右，将光鸭、烧鸭取出，分别拆肉撕成细丝，再放回炖盅内，再放下锅内炖约三十五分钟即成。原盅端出，撒上火腿蓉上席。

燕液藏珠

原料:燕窝 35 克,鸽蛋 20 只,猪骨 800 克,江瑶柱 40 克,干大地鱼 2 条,盐 1 茶匙,味精半茶匙,胡椒粉备用。

制法:将燕窝放大碗中,加清水浸透,除去绒毛污物洗净,隔去水分,鸽蛋用水煮熟去壳。把大地干鱼放火上烘片刻,使之香脆,洗去污物,猪骨洗净,与江瑶柱、大地鱼同放锅中,加水 4 大汤碗同煮,至余下汤水 2 大碗时,即成上汤。燕窝放炖盅内,注上汤 2 碗,隔水炖约一小时半,即放下熟鸽蛋,再炖十分钟左右,加盐、味精、胡椒粉调味,原盆端出上桌。

炖三仙一品盆

原料:嫩母鸡 1 只 1000 克,母鸭 1 只 1500 克,猪蹄 1 只 800 克,猪肉油 1 块 70 克,香菇 40 克,笋 12 片,上汤 4 杯,盐 1 茶匙,味精少许。

制法:先将鸡、鸭去毛斩好,除去内脏,起去头骨和脚骨,斩去脚爪、翅尖、嘴尖、猪蹄洗刷干净,和鸡鸭同放沸水锅内煮熟,捞出放清水中洗净,冬菇浸软去蒂洗净。鸡、鸭、猪脚同放较大的炖盆中,加入上汤、盐、味精、香菇、笋,猪肉油洗净铺在上面,用纱纸密封盆口,放入沸水锅内,用大火隔水炖约两小时半左右即成。

鲍翅炖鸡

原料:鲍翅 400 克,老母鸡 1 只 1000 克,火腿 40 克,上汤 5 杯。

制法:把已浸透鱼翅用姜 2 片、葱 2 条,加上汤或清水稍煮过,取去姜葱,用清水泡净。老鸡劏好除毛,从背部进刀剖开,使成一大片。将处理过的鲍翅放入大盅内,上铺老鸡,放上火腿,注入上汤或沸水，盖好，放入沸水锅内，隔水炖约三小时左右，原盅端出供用。

红炖大海螺

原料：海螺 2000 克，排骨 150 克，猪五花肉 100 克，笋肉 100 克，冬菇 30 克，火腿片 40 克，姜 10 克，盐 10 克，粟粉、味精少许，蚝油 1 花匙，上汤 8 杯，绍酒 2 茶匙。

制法：先将海螺去壳取肉，用小刀去净螺肠，用清水把海螺肉洗净，用清水煮，再过冷，如是反复煮三至四次；最后一次水量可少些，并加姜、葱、绍酒少许，煮约十分钟，以彻底除去其腥味。先入下小竹篮在炖盅内，才放海螺，然后将排骨、五花肉放镬中炒香，加入绍酒、糖再炒透，注入上汤加盐煮约十分钟。净汤及排骨等全部放入炖盅内，再加姜、葱各 20 克，盖好，放入沸水中，先用大火后用文火，炖约两小时半左右即成。将炖好之海螺取出切片。把笋尖、冬菇放烧热油镬中泡油，然后放入螺片，淋下炖螺之原汁大半碗，再加蚝油、味精、调下粟粉和麻油，拌匀即上碟，火腿片则铺在海螺面上供用。

淮杞炖水鱼令

原料：水鱼 1 只 500 克，猪瘦肉 100 克，淮山 20 片，杞子 2 汤匙，圆肉 10 枚，蒜头 2 粒，红头葱 2 个，姜 4 片。

制法：买水鱼时可请鱼贩代为劏好。将水鱼放入大热水中烫过，取出用刷洗净，去掉内脏及血水，然后斩件。瘦肉洗净后切开 4 件，汤水。用蒜头、红头葱和姜片起镬，注入两大碗清水，放入水鱼同煮沸，约八分钟左右，捞出隔去水分。将水鱼放炖盅内，加瘦肉和各配料、姜片，注入大半盅沸水，盖好，炖约三小时左右，调味即成。

凤爪鱼肚炖水鱼

原料:水鱼1只1000克,鸡脚12只,水发鱼肚800克,猪瘦肉80克,熟火腿40克,圆肉15粒,上汤4杯,绍酒1汤匙半,姜2'片。

制法:将鱼肚洗净切成一寸半方块,放入锅中加水煮十五分钟,取出。另用锅放入清水2杯、姜2片、葱1条、酒1汤匙和鱼肚同煮三十分钟,只取出鱼肚。将水鱼切开,除去内脏和肥脂,放大热水中烫过。取出洗净,隔去水分。用锅放入猪油2汤匙,即放下水鱼、姜汁1茶匙、酒2汤匙炒匀,注入清水1杯,煮沸,即取出水鱼,放清水中洗过,斩件备用。此处理可使水鱼腥味清除。鸡脚洗净,斩去脚趾,并放沸水中烫片刻。瘦肉洗净,切件,也放沸水中稍烫,使血水除去。用一个较大的炖盆,先放入瘦肉片和火腿片,水鱼放上,鸡脚放周边,加姜、绍酒、上汤调味后,上盖,放沸水锅中,隔水炖约三小时即可。圆肉放碗,加少许水,隔水蒸约一小时,只取汁水。鱼肚片亦蒸熟,候水鱼炖好时,才加入水鱼炖盅内,浇上圆肉汁,即可供用。是一款清而不腻、滋阴美味的炖品。

煎炖鲜鲈鱼

原料:鲜鲈鱼1条1000克,嫩竹笋或干笋适量,香菇6只,酱油80克,生油200克,陈酒100克,葱4根,盐、胡椒粉少许。

制法:买鲜鲈鱼、鲤鱼或鳊鱼均可,将鱼削好,去鳞洗净,放大碗内,加入陈酒,葱、盐、胡椒粉和少许酱油同腌片刻。香菇用水浸软,洗净去蒂,竹笋用水浸软。生油注入锅中烧热,将鱼放入煎至两面呈金黄色,然后用锅铲连油一并铲入炖盅内,放下香菇和笋尖,并加入酱油,注入冷开水约八成满,盖好,放入沸水锅内隔水炖至鱼透可食。

糯米炖鲤鱼

原料:鲤鱼 1 条 750 克,糯米 80 克,双蒸酒 2 汤匙,陈皮 1 小块,生抽半汤匙,姜 3 片。

制法:将鲤鱼剉净,取出内脏。糯米用清水浸二小时,淘洗净,放沸水中滚片刻,取出,加酒和生抽拌匀。把糯米填入鲤鱼肚内,用牙签插紧肚口处,以免米粒散出,然后放入炖盅内,注水冷开水约 1 杯,放下陈皮和姜片,炖至酥软即可。

糯酒炖金鲤

原料:红金鲤鱼 1 条 1000 克,糯米酒(妈红色)80 克,淮山 6 片,圆肉 10 枚,杞子 2 汤匙,南枣 4 粒,茯苓 15 克。

制法:先净红金鲤去鳃去鳞,小心取出内脏,除去鱼胆,以免弄破,剉净后切成 3 段,隔去水分。也有人爱将鲤鱼鳞片保留而不去掉。南枣去核,洗净。将鲤鱼放入炖盅内,加入各用料,注入糯米酒和沸水 1 杯,盖上,用纱纸密封盅口,使气味不至溜出。然后放沸水锅中,用猛火炖约二十分钟,改用文火炖三小时以上,调味上桌。

参芪炖海狗鱼

原料:海狗鱼 1 条 1000 克,党参 4 只,杞子 1 汤匙,淮山 20 片,北芪 8 片,圆肉 8 枚,姜 4 片,绍酒 1 汤匙。

制法:选鲜活海狗鱼(又名娃娃鱼),用刀大力拍其头部,就可割除内脏,用盐洗擦尽,以去粘液,再用清水洗净,并放入大热水中烫片刻,取出隔水,切成两分。将海狗鱼放炖盅内,加上配料,溅下绍酒,注入沸水至八成满,上盖,放入沸水锅内,隔水约炖三小时左右，调味即成。

糯米炖海狗鱼

原料：海狗1条1200克，糯米60克，酒80克，姜40克。

制法：先将海狗鱼削剉，用2汤匙粗盐把海狗身上的滑腻粘液擦去（或将海狗鱼放大热水中稍烫，取出用刀刮净），洗净，然后斩件。糯米放清水中浸片刻，淘洗净。姜去皮洗净，拍碎。把海狗鱼、糯米和姜片同放炖盅内，放下少许盐调味。另将酒放瓦煲内，加水约4杯，煮沸后注入炖盅内，盖上盅盖，用纱纸湿水后密封盅盖，原盅放入沸水锅中炖约四小时左右即成。

清炖鳊鱼

原料：鳊鱼1条1250克，猪肉40克，干虾仁（小）2汤匙，冬菇4只，糖1茶匙，酱油2汤匙，葱2条（切段）。

制法：将鱼剉干净，去内脏洗净，放入炖盆中，加清水1杯，以浸到鱼身为度，酱油与糖同调匀，注入鱼水中。猪肉洗净切薄片，越薄越好，铺贴鱼上，干虾仁洗净撒下。将炖盆放入热水锅内，上盖，隔水用大火炖，约三十至四十分钟可熟。蒸时可加酒少许，以盐调味供用。

川芷炖鱼头

原料：大鱼头（大）2个，川芎20克，白芷20克，老姜15克，绍酒1汤匙。

制法：将大鱼头去除鱼鳃，洗净，每个切开两半，再分切4件，老姜切片。将鱼头块放炖盅内，上铺姜片，随后放川芎、白芷，淋下绍酒，注入2杯沸水，放沸水锅内炖约两小时即成。

清炖生鳝

原料:鳝鱼 1000 克,五花猪肉 40 克,上汤 3 杯,蒜头 20 克,猪油 2 汤匙,花生油 80 克,白糖 2 茶匙,酒 1 汤匙,姜 3 片,葱 1 条。

制法:选鲜活大鳝鱼,劏净,去头及内脏脊骨,用清水洗净后,切成长约一寸半的斜形方块,再用清水洗净滤干水分。将花生油放入镬内烧至八成沸,将鳝块炸至鱼肉发白,油无水声,即用网勺(笊篱)捞起,稍凉三四分钟,再将油烧至八成沸,放下鳝块重炸,至鳝色变金黄,形成卷状时,即用网勺捞起。另将蒜头放入油镬内稍炸,捞出。五花猪肉洗净切薄片,与炸过之鳝块、蒜头同放入瓦锅内,注入上汤,用小火炖约十五分钟,鱼肉发松,放入酱油、白糖、酒继续炖约二十分钟,至全熟即成。另用锅将猪油烧热,放入姜、葱炸至起焦发出香味后,取出姜、葱不要,将油倒入瓦锅内即可供用。

糟鸭头炖鲫鱼

原料:鲫鱼 1 条 500 克,糟鸭头 1 个,葱蓉半汤匙,姜粒半汤匙,盐半茶匙,浓汤 5 杯,黄酒 2 茶匙,味精少许。

制法:糟鸭头,乃用鸭头连鸭颈部分斩成小块,加香糟酒、葱段、姜块、盐、糖和少许鸡汤蒸烘而成。将鲫鱼削开,除去内脏、鳞片,用水洗净,放入烧热猪油内炸片刻。用猪油、葱蓉、姜粒起镬,注入浓上汤,放下炸过之鲫鱼和糟鸭头,加黄酒、盐、味精调味,炖至鱼熟汤浓时即成。

鲜蛋炖蟹蓉

原料:蟹(大)2 只,鸡蛋(大)2 只,江瑶柱 2 粒,生抽 1 汤匙半,姜蓉 1 茶匙半,酒 20 克,葱蓉 1 茶匙,葱粒 1 汤匙,麻油少许。

制法：蟹洗净，放锅内蒸熟，取其肉，江瑶柱用水洗净、浸透、撕扰细丝。鸡蛋去壳放大碗中打散，加生油、酒和葱粒拌匀，再放下蟹肉和江瑶柱丝，注入冷开水至八成满，用筷子搅拌匀，原碗放入锅中隔水炖熟。吃时加以麻油，与姜葱同用，更觉鲜美。

瑶柱炖田鸡

原料：田鸡（青蛙）500克，江瑶柱40克，冬瓜250克，姜4片。

制法：选鲜活田鸡，劏净（开有剥去外皮）切件，放沸水中稍烫片刻，取出隔去水分。瑶柱用水浸软，撕成细丝。冬瓜去皮及瓜瓤，切件，放沸水中约煮片刻，捞起。先放下冬瓜于盅内，随下田鸡，姜片铺在田鸡面上，最后放入江瑶柱，注入大半盅沸水，盖上，隔水炖约两小时左右，取出调味即成。

鲍燕椰子盅

原料：椰子（大）1个，发透鲍鱼40克，发透燕窝20克，火腿肉（瘦）20克，发透蘑菇30克，酒2汤匙，奶油1汤匙，鸡腿肉150克。

制法：选大椰子，撕去外层椰衣，洗擦净，用锯子将椰子顶部锯开，去掉椰心，椰子顶部留着盅盖用。将鸡腿肉放沸水中烫过，取出分切成块，洗净后放入椰子盅内，鲍鱼洗净切成片，与处理好的燕窝、蘑菇、火腿和酒放入椰子盅内，注入沸水3杯，盖上椰子盖，用纱纸密封盖口，放在有架座之沸水锅中，隔水炖足三小时左右。把椰子盅端出放好，调味后，注入奶油即成。

香菇椰子盅

原料：（以一个人计量）。

椰子1个，香菇40克，马蹄粉1茶匙，白糖1茶匙半，玫瑰露酒

1 茶匙半，熟花生油 1 汤匙半，盐适量。

制法：选新上市肥厚的北菇，用清水浸软，去蒂洗净，挤去水分，将上述配料拌匀。椰子上部割开成盅形和盅盖两部分，倒出椰汁，放入处理过的北菇，注入冷开水至八成满，加盐调好后，盖上椰子盅盖，放入沸水锅内用猛火炖足一时半以上，即可端出供用。椰香扑鼻，北菇嫩滑，是一款可口的素菜。

亦有将椰子肉取出切件，与冬菇同炖。

鸡蛋炖禾虫

原料：禾虫 750 克，鸡蛋 7 只，陈皮半块，蒜蓉 1 汤匙半，绍酒 1 茶匙。

制法：取瓦盆装水大半盆，倒入鲜禾虫，让其自动游动，并换水，使游至水清为止，倒入筲箕中，隔去水分。陈皮用水浸软洗净，剪成细丝。鸡蛋去壳放大碗中，加盐味精、胡椒粉、葱粒等打散。将禾虫放大瓦钵中，加 3 汤匙生油，让其爆浆（禾虫饮油胀满而裂破），再用剪刀剪成细段，放下蒜蓉，陈皮丝及鸡蛋等，和匀即放入沸水锅内，隔水炖熟即成，原钵取出，用筷插数孔，淋上麻油、熟油各少许（如淋上烧鹅油更佳），趁热食用。

鲜奶炖鸡蛋

原料：鲜奶 2 瓶，鲜鸡蛋 4－5 只，沙糖 4 汤匙半。

制法：将鸡蛋去壳放大碗中，用筷子顺方向用力打散，直至蛋白和蛋黄均匀即可。

把鲜奶注入蛋汁中搅匀，放入沙糖，搅至糖溶化，原碗放盛

有清水之锅中，盖好锅盖，用中火炖约六七分钟即成。

川贝炖雪梨

原料:雪梨(大)1个,川贝3分,冰糖1粒。

制法:买天津鸭梨1个连皮洗净,只挖去心核;将冰糖川贝(研成粉末)放入梨子内,再将梨子放置在炖盅内(或用汤碗盛之),隔水炖足三小时即成。

将各料放入木瓜盅内,加冰糖及冷开水少许,盖上瓜盅盖,放锅内,隔水炖至木瓜全软够熟即端出。如果喜欢趁热食用,则揭去木瓜盖,加入杂锦水果及桂花酱拌和用。如爱冷吃,应将木瓜盅冷却后,再放入电冰箱中冷冻。

冰糖炖木瓜

原料:木瓜1个1000克,冰糖400克。

制法:买熟木瓜(外皮金黄的),分开两半,除去皮和籽粒,切成寸许方块,放入炖盅内,加冰糖,注入与木瓜块齐平之冷开水,盖上盅盖,隔水炖足两小时即成。

蜜蜡湘莲子

原料:干湘莲子750克,红冰糖600克。

制法:买上等原粒湘莲子,放入烧沸水中泡一二分钟,即以竹筷子用力搅拌;使搅去莲子外皮。要趁热水热时搅拌,才能将莲子皮擦去,水冷则搅不掉。

将莲子芯和莲子头除去,放入瓦罐内,用慢火炖至半熟时,加入红冰糖,再约炖七八小时。莲子炖好后,粒粒乳白,光亮如蜜蜡,清香甜糯,乃延席之甜点珍品。

田鸡冬瓜盅

原料:冬瓜1只3000克,田鸡1200克,冬菇(大)4只,火腿50克,味精1/4茶匙,火腿皮2条,排骨200克,上汤2杯,胡椒粉少许,盐半茶匙。

制法:先将冬瓜蒂部顶端切去,除去瓜瓤瓜籽,在冬瓜盅口刻切齿形或其他图案;将冬瓜盅平放在大碗内,加入火腿皮、排骨和上汤,然后放入锅内隔水炖酥。

田鸡削剉后,去骨切成粒。冬菇浸软,去蒂洗净,与火腿同切粒,用上汤将田鸡、火腿、冬菇各料同煮熟,加味素和盐等调味。

原碗端出炖酥的冬瓜盅,捞去火腿皮和排骨不用,放入调好的田鸡等,撒下少许胡椒粉,即可供用,此汤鲜美可口。

冰糖炖燕窝

原料:燕窝2两,冰糖3两。

制法:燕窝用热水浸软,拣去绒毛,洗净,隔去水分。燕窝洗净后放入炖盅内,加冰糖,注入适量冷开水约2杯盖上盅盖,隔水炖足两小时以上即成。

羹汤烹饪法

花胶鸡丝羹

原料:发好花胶 125 克,鸡丝 100 克,上汤 900 克,湿淀粉 15 克,油 500 克,绍酒 10 克,精盐 1 克,味精 1.5 克,胡椒粉 0.05 克。

制法:将花胶切为粗条,滚煨过,用湿淀粉 7.5 克将鸡丝拌匀。烧镬落油,将鸡丝放入,拉油至熟,倒入竹篱里待用。利用镬中余油,溅入绍酒,注入上汤,用精盐、味精调好味,加入花胶、鸡丝,随后用湿淀粉 7.5 克推芡,加上尾油 5 克、胡椒粉一并和匀,倒入汤窝里便成。

广肚、鱼肚、花肚等烩鸡丝制法相同。

瑶柱鸡丝羹

原料:江瑶柱 20 克,光鸡半只,冬菇 4 只,木耳 6 朵,韭黄 40 克,马蹄粉 1 茶匙,熟油 1 汤匙,胡椒粉少许,盐、白糖、生抽、花生油各适量。

制法:江瑶柱洗净,用水浸软,蒸约半小时,撕成细丝。

新鲜光鸡,起肉(骨留用),切丝,加盐拌匀腌片刻。

冬菇、木耳均洗净,浸软,分别切成丝;韭黄洗净,切 2.5 厘米长段。

将鸡骨加适量清水熬成鸡汤约 4 碗,下鸡丝、冬菇丝滚片刻,调味后,加木耳丝及江瑶柱丝,并用水溶马蹄粉勾芡成稀稠状,加入韭黄离火,下熟油、胡椒粉,推匀即成。

鸡蛋牛肉羹

原料:牛里脊肉 160 克,鸡蛋白 3 只分量,葱 3 条,清汤 4 碗,盐、味精各适量,粟粉 2 汤匙,生抽、白糖各 1 茶匙。

制法:牛肉横纹切细丝,和白糖1茶匙、粟粉半汤匙、生抽1汤匙拌匀,腌约十五分钟。葱白纵切丝,青葱叶亦纵向切丝。

用砂锅烧滚花生油2汤匙,注入清汤,烧滚后下牛肉,调味,再滚起时,以水调粟粉勾芡。把打散的鸡蛋白搅入,即离火,撒下葱丝即成。

鱼蓉豆腐羹

原料:新鲜鲮鱼肉蓉160克,豆腐3块,鲜草菇60克,虾米1汤匙,葱2条,盐1茶匙,粟粉、味精、胡椒粉各适量,花生油、芫荽各少许,清水4碗。

制法:豆腐洗净切成小方粒,滤去水分,草菇去掉泥污,洗净切粒,虾米浸软,剁碎,葱切粒。加入盐、胡椒粉、粟粉各适量,下清水1.5汤匙,搅拌成胶粘状,加葱粒、虾料再拌匀。

烧滚花生油2汤匙,加入清水烧滚,下豆腐粒和鲜菇粒,候再起锅,用小匙取鱼蓉拨入滚汤中,滚熟后,加花生油1汤匙,下调味料,并以水溶粟粉勾芡成浓汤,加入葱粒、芫荽即可装碗。

粟米鱼肚羹

原料:沙爆鱼肚约150克,粟米粒1罐,猪里脊肉约80克,鸡蛋1只,清水4碗,鸡精1.5克,蒜头2瓣,姜2片,盐、熟油、胡椒粉各少许。

制法:鱼肚加温水浸软,用水冲净,切成小方粒。开罐取出粟米捣烂。瘦肉洗净,切粒下生抽、粟粉各少许拌匀;鸡蛋打匀。起油镬,下蒜、姜爆香,溅酒,加清水2碗,倒入鱼肚,盖好滚约十五分钟,捞出,去蒜和姜片。

清水与鸡精同放锅内,烧滚,下粟米,候滚起,加入鱼肚和瘦肉粒,大滚,即调味,以水溶粟粉勾芡,搅入打匀鸡蛋离火。

韭黄瑶柱豆腐羹

原料:瑶柱(干贝)40克,板豆腐4–5块,韭黄60克,冬菇4只,鸡蛋1只,酒1汤匙,花生油2汤匙;a上汤或鸡汤4杯,盐1/4茶匙,胡椒粉少许,沙糖1/2茶匙;b粟粉4汤匙,水1/2杯。

制法:①瑶柱洗过,用水浸过其面约两小时,原碟上锅蒸约四十分钟,够焓取出,撕开成细丝。冬菇浸软,洗净,蒸约十分钟,切细丝。

②豆腐洗过,切粒,沥去水分;韭黄洗净切段;鸡蛋搅散备用。

③烧热花生油2汤匙,烹入酒,下调味a,加入①烧滚,调入b埋芡,芡滚时加入豆腐推匀,候再滚起即熄火,搅入鸡蛋,撒下韭黄搅匀,即可供食。

冬笋猪肚海参羹

原料:熟冬笋3个,水发海参4只,冬菇(大)8只,猪肚1个,鲍鱼1/2罐,粉丝约40克,陈皮1/4个,清水适量。

制法:①熟冬笋洗净切滚刀小块;浸发海参洗净,原只用姜、葱滚水煨过,滤干切小件;冬菇浸软,洗净去蒂;粉丝剪开两段,用温水浸软;鲍鱼分小件。

②猪肚翻转,彻底洗净,用烧红白镬煎碌过,再过滚水,洗净切细条。

清水注入企身瓦煲内约八成满,下陈皮旺火烧滚,把②和鲍鱼、海参放入,煲约一小时半,加冬笋、冬菇,煲约四十分钟,下粉丝再煲二十分钟即成。

冬瓜北菇滑肉羹

原料:冬瓜1斤约800克,猪肉约160克,冬菇约40克,鸡精2克,清水5~6碗,生抽1.5茶匙,粟粉1汤匙,水2汤匙。

制法:冬瓜去皮切小方料;冬菇洗净,浸软,切粒(汁水及菇蒂留用);猪肉切粒,加生粉、盐各少许拌匀。

把冬瓜料、清汤(鸡精与清水混合)、冬菇连浸冬菇之水及菇蒂同放入锅内烧滚,约三十分钟,加入猪肉粒,待再滚起,加生抽调味,并以水溶粟粉勾芡,稍稠即离火。

子姜牛肉羹

原料:鲜嫩子姜约60克,江瑶柱(大)4粒,嫩牛柳约160克,冬菇2只,青豆仁4汤匙,鸡蛋1只,盐1茶匙,清水5碗。

制法:子姜洗净,切成细丝。江瑶柱洗净浸软,撕开。冬菇洗净,浸软(水留用),切丝。牛肉横切薄片,切丝后,再剁碎,下生油少许拌匀。

把清水连浸冬菇水同放锅内,下江瑶柱、冬菇丝和青豆仁,旺火烧滚,改文火煲约半小时;然后放下姜芽丝,待滚起时,即将牛肉放下,并徐徐搅动使散开,随搅入鸡蛋使成蛋花,以水溶粟粉勾芡,下盐调味。

鲜莲子鸭羹

原料:新鲜鸭肉约320克,鸭肫1个,鸭肝1副,鸭心1个,鲜莲子120克,冬菇6只,青豆仁3汤匙,火腿粒约40克,粟粉1茶匙,肉汤4碗;精盐1茶匙,胡椒粉1/3茶匙,麻油1/2汤匙,味素1/3茶匙。

制法:把鲜莲子洗净,去心,煮熟;冬菇浸软,洗净切丁,其余材料均切小丁。将全部材料放入大蒸碗内,注入肉汤使浸过材料,上蒸锅旺火蒸约一小时半左右。

放少许盐调味,调入用冷开水调稀之水溶粟粉,抖匀,再烧片刻即可。

苋菜黄鱼羹

材料:黄花鱼1条640克,鲜嫩青苋菜约320克,酒1/4茶匙,盐1/2茶匙,清水4碗。

制法:将苋菜原棵洗净,滤去水分,焯软,捞出,切约1厘米小段。

把鱼劏净,除内脏去鳞,整条入油镬中,加姜片、葱段煎过,加水4碗,盖好,滚片刻,用镬铲捣烂,用筷子夹除鱼骨,加盐、酒;然后放入处理好之苋菜,上盖,候滚几滚,即以粟粉调水勾芡,离火装碗。

冬瓜火鸭羹

原料:冬瓜640克,罐头云腿1/3罐,火鸭肉160克,鲜草菇120克,盐1/4茶匙,粟粉1茶匙,清水适量。

制法:将冬瓜、云腿、火鸭(即烧鸭)、草菇分别切粒。把清水放瓦煲内烧滚,下冬瓜、草菇滚约十五分钟,加入云腿、火鸭,候滚起,以盐调味,用少许水溶粟粉勾芡即可。

苦瓜黄鳝羹

材料:苦瓜(大)1个,黄鳝1条,红椒丝少许,粟粉1茶匙,生抽少许,盐、粟粉各适量,清汤3碗。

制法: 购买肥大之苦瓜,开边,去囊及籽,切丝。黄鳝起取净肉,切成鳝丝,下粟粉、生抽拌匀。

苦瓜放入烧滚清汤中,旺火烧滚片刻后,下鳝丝,滚熟,下盐调味,并以水溶粟粉勾稍稠芡,撒下红椒丝更佳。

蟹肉海参羹

原料: 水发海参240克,蟹肉1只分量,鸡肝40克,鸡肉粒1/2杯,上汤或鸡汤3-4碗,香菇粒1/4杯,鸡蛋1只分量,胡萝卜粒3汤匙,花生油2汤匙,绍酒1汤匙,盐、胡椒粉各适量,水溶粟粉1汤匙。

制法: 把海参、鸡肝分别洗净,切成粒。蟹肉除去软骨;鸡蛋打匀备用。

用花生油、绍酒起镬,烧滚上汤或鸡汤,以盐、胡椒粉调味,下海参、鸡肝及其余粒料,推匀,以水溶粟粉埋芡,搅入鸡蛋,离火上碗。

虾蟹粟米羹

原料: 新鲜嫩金黄色粟米(大)2条,瘦多肥少的猪肉80克,鲜虾仁80克,熟蟹肉1只分量,火腿2块,冬菇3只,鲜草菇8只,猪骨3块,清水6碗。

制法: 把新鲜粟米之粟粒剥下,用砂盆擂烂或放入搅拌机中捣碎。猪肉切粒,加生粉、生抽各少许拌匀;蟹肉拣去软骨,加酒半茶匙拌和。火腿、冬菇(浸软)、鲜菇(洗净)均切小方粒。

用砂锅烧滚清水,下猪骨熬约一小时,捞出猪骨,加粟米蓉,候滚起,即下其余材料,搅入蛋汁成蛋花;最后,以水溶粟粉埋稍稠芡,以生抽调味,撒下切碎之芫荽蓉供食。

菇笋肉丝羹

原料:冬菇4只,冬笋80克,猪肉120克,豆腐2块,盐1茶匙,生抽、生粉各1茶匙,粟粉1/2汤匙,水2汤匙,清水2碗。

制法:冬菇浸软,洗净,与冬笋分别切丝;猪肉切丝,下生抽、生粉各1茶匙拌匀;豆腐每块开成16件方块。烧熟砂锅,下花生油1汤匙,略爆肉丝,下冬菇腐,加清水推匀,调味,盖好,旺火烧滚,以水溶粟粉埋芡,即成。

竹丝鸡蛇羹

原料:净蛇肉800克,竹丝鸡项1只,瘦肉120克,鱼肚120克,冬笋肉80克,老姜120克,木耳(大)6朵,陈皮1/4个,鲜白菊花40克,鲜柠檬叶片4块,薄脆2小碟,盐、沙糖、味素各适量,马蹄粉1汤匙。

制法:鸡削刬,与蛇肉、瘦肉同放锅内,加水适量煲烩,捞出撕成肉丝。鱼肚用姜、葱水煨过,洗净,切丝;冬笋、老姜均切丝;木耳、陈皮浸软,分别切丝。柠檬叶洗净,切丝,与菊花分盛小碟中。

把汤水滤入锅内,再煲滚,下肉丝及调料,再滚约十五分钟,调合味道,以水溶马蹄粉埋芡即成。

吃时拌入胡椒粉、白菊花、柠檬叶、薄脆,鲜美可口。

火腿火鸭豆腐羹

原料:火鸭肉160克,火腿3片,豆腐2块,西芹1条,胡萝卜1/2个,姜1小片,葱粒1汤匙,盐、胡椒粉少许,清水适量。

制法:火鸭肉切小粒;火腿切成指甲般小片;豆腐切小粒置筲箕上滤去水分;西芹去老筋络,斜切方粒;胡萝卜去皮切粒;姜剁蓉。

起油、盐镬，略爆葱、姜、下西芹、胡萝卜炒匀，加入豆腐，注入清水，候滚起，加入火鸭粒和火腿片，调味，滚好，以少许粟粉水勾芡，推匀，撒下青葱粒供食。

蟹黄豆腐羹

原料：肉蟹（大）1 只，酒 1 茶匙，青豆或毛豆仁 4 汤匙，嫩豆腐 3 块，花生油 3 汤匙，汤 1.5 杯，粟粉 1 汤匙，水少许，盐 1 茶匙，沙糖 1/2 茶匙，酒 1 汤匙。

制法：把蟹洗刷净，蒸熟，拆取蟹肉，拣去软骨。豆腐每块切成 16 件小方块，用热汤浸透。

烧热花生油，下蟹肉炒拌，加青豆，以盐、糖、酒调味，注入清汤，候滚起，把豆腐去水加入。

待花生油滚透，以水溶粟粉勾芡，即可上碗。

鸡蓉豆腐羹

原料：板豆腐 3 块，鸡胸肉 1 ~ 2 个，熟卤蛋黄 1 个，鸡蛋白 2 只分量，鸡精 1 克，清水 1/4 杯，葱粒 1 汤匙，绍酒 1 茶匙，花生油、味素各适量，粟粉 1 汤匙，芫荽蓉 1 汤匙，麻油 1/2 茶匙。

制法：鸡胸起肉去筋，剁成蓉，加生粉、生抽各少许拌匀；卤蛋黄捣烂，加入鸡蓉中拌匀，混合鸡精连水加入，腌片刻。

起油镬爆香姜、葱，下鸡蓉泥，炒一会儿，不断翻炒，使豆腐捣烂混合，注入蛋白炒匀，撒下芫荽蓉，淋下麻油即成。

酸辣鱼云羹

原料：大鱼头 1 斤 800 克，冬菇（大）2 只，木耳 5 朵，半肥瘦猪肉40克,葱3条,姜2片,清汤6碗;花生油2汤匙,绍酒1/2汤匙,生抽2汤匙,盐1/2茶匙,沙糖2茶匙,白醋1汤匙,味素1/4茶匙,胡椒粉1/4茶匙,粟粉3汤匙,麻油1/4茶匙。

制法:鱼头洗净,斩开两半,入滚水煮熟,取出置冷水中浸冻,去骨留鱼脑(谷称鱼头云),分切小块。冬菇浸软,切丝;半肥瘦猪肉切丝,用生粉、生抽各半茶匙拌匀;葱切段;姜切片;木耳浸软切丝。

烧熟花生油,爆香姜、葱,炒肉丝至半熟,溅酒,注入汤,下冬菇丝、木耳丝,以生抽、盐、沙糖调味,候滚起,下鱼头云,加醋、味素和胡椒粉,以水溶粟粉勾芡,候再滚起,淋下麻油,即可供食。

鲜笋冬菇黄鳝羹

原料:黄鳝1条约480克,鲜笋丝160克,冬菇约40克,蒜头4瓣,姜丝少许,花生油、麻油、盐、老抽、粟粉、胡椒粉各适量,上汤(或鸡精2粒调水而成)4碗。

制法:劏好黄鳝,起肉切丝,放碗内,下上汤少许,略蒸片刻。冬菇浸软,洗净,去蒂切丝;蒜头去衣剁蓉。

烧滚花生油2汤匙,爆透姜丝、笋丝,随加入冬菇丝和鳝丝,注入上汤,调味,滚约十五分钟,以水溶粟粉埋稠芡,离火供食。

马蹄猪肚汤

原料:猪肚1个,腐竹100克,马蹄150克,白果150克,薏米50克。

制法:猪肚劏开两边,用刀刮去肚内之"潺",用生盐拌过,洗净,放在滚水中滚三两回后取起,再用清水洗。

白果去除硬壳和薄衣,马蹄去皮切片。腐竹和薏米洗净。用瓦煲放大半煲清水,煮滚后才加白果、薏米、猪肚和马蹄。

煮1个多小时加腐竹,再过1小时左右,猪肚煓熟便可加盐调味。取出猪肚切件,便可饮用。

金针笋肉汤

原料:瘦肉100克,竹笋1只,冬菇2只,金针菜10条,上汤1碗,酒半茶匙,酱油1汤匙,盐1茶匙。

制法:瘦肉切丝,用酱油拌腌。竹笋去壳切丝。金针菜和冬菇先用水发泡几分钟。冬菇去蒂切丝,金针菜将头部干硬部分除去,切成两段撕成数丝。

将上汤放镬内煮滚,再把肉丝、笋丝、冬菇和金针菜一起放进汤内。煮滚几次,加盐调味。盛装后再洒几滴酒,即可享用。

莲藕猪肉汤

原料:莲藕500克,猪蹄肉500克,姜少许,红枣5粒。

制法:将猪睁肉和莲藕洗净,莲藕、猪肉切件同放入汤煲中。

姜去皮用刀拍扁,约加三分二清水于煲中,先用猛火煲滚,然后用中火煲半小时,再用慢火煲一个半小时后加细盐调味即可。

卤菜肉肚汤

原料:猪肚半个,瘦肉250克,卤菜250克,白果10粒,胡椒粉少许。

制法:将猪肚洗净,用盐洗几次,然后切件备用。卤菜用清水浸片刻,取出切件。白果去壳。

用7碗清水倒入煲中,再把全部用料放入,用猛火煮十分钟,加盐后试味,即可饮用。

猪脷蚝豉汤

原料:猪舌1条,蚝豉100克,西洋菜500克,蜜枣4个。

制法:将猪舌洗净,刮除舌苔,用滚水拖过后备用。蚝豉浸软,洗去汤沙,陈皮浸软后刮干净。西洋菜洗净摘好。

水煮滚后入下猪舌、西洋菜、陈皮和蜜枣,约煲一小时。放入蚝豉再煲一小时左右,以猪舌已焾为好。

调味后,捞起猪舌切成薄片,再捞起西洋菜放碟上,猪舌铺面,伴以蚝豉,可以佐膳,汤水十分有味。

韭菜肉丝汤

原料:韭菜250克,瘦肉200克,盐酌量,油酌量。

制法:将清水3碗放进煲内,下油盐煮滚。再把瘦肉切丝,连韭菜一起放下,再煮片刻,便成。

云耳猪尾汤

原料:猪尾1条,云耳100克,黑豆100克,红枣4粒。

制法:先将黑木耳洗净浸软;猪尾去皮毛,洗净斩件。红枣去核,与黑豆一起放进煲内。清水4碗,煲约两小时半,至豆焾已出味即可饮用。

东螺猪手汤

原料:东风螺300克,猪手1000克,芫荽几条。

制法:先将东风螺放入滚水煲中,约十分钟,使螺肉中的异味去除,放在筲箕内隔去水待用。将猪手洗净去毛,然后斩件。芫荽用水洗净撕碎。

用瓦煲，放足够清水后放入猪手。泡熟后的螺肉，初时用猛火，中途转慢火，约煲一小时半。

看猪手和螺肉是否煲焾，假如不够火候，可再煲半小时，跟着落细盐调味，便可以舀起饮用。舀起时不要忘记放下芫荽。

肉片豆腐汤

原料：豆腐1块，猪肉150克，笋片酌量，姜丝半汤匙，葱粒酌量，沙栗油2汤匙，上汤3杯，糖1茶匙，酒1汤匙，豆粉1汤匙，酱油半茶匙，麻油少许。

制法：将豆腐切块，猪肉与笋切片。把油煮热后，爆香姜葱，然后加入猪肉和笋片拌炒。加上汤、糖、盐、酒，煮滚后加豆腐。

煮滚后，以水溶豆粉打芡，淋上麻油。

酸菜粉丝肉片涵

原料：虾米3汤匙，酸菜400克，粉丝100克，干贝4粒，姜4片，上汤7杯，胡椒粉少许，葱粒酌量，牛肉片250克，猪肉400克。

制法：净虾米洗净，以热水泡软。干贝洗净，以热水泡2小时，除去硬部。上汤内加入虾米、姜、葱料和干贝，煮滚后再加猪肉、酸菜、粉丝，再加盐、胡椒调味。再放牛肉片，滚熟即可。

肉丸穿汤

原料：猪肉300克，萝卜秧芽1小撮，鸡蛋1只，胡椒粉少许，姜汁1茶匙，粟粉2汤匙，上汤6杯。

制法：将猪肉剁烂，放姜汁、味素、胡椒粉、鸡蛋、粟粉和盐搅匀。挞至起胶，挤捏成肉丸。萝卜秧芽洗净去根。煮滚上汤，用文火下肉丸，以勺撇去泡沫，至肉丸全部浮起。

以盐、酒、味素和胡椒粉调味，吃前撒下萝卜秧芽。

三鲜酸辣汤

原料：猪肉200克，冬菇200克，海参150克，鲜笋150克，蛋2只，辣油酌量，醋2汤匙，胡椒粉酌量，生粉酌量。

制法：先将猪肉切丝。冬菇用清水浸软，去蒂切丝待用。鲜笋洗净切丝，在热水中煮片刻。海参浸软切丝，蛋打碎放碗中搅匀备用。

起油镬爆香肉丝，连海参炒片刻。溅少许绍酒，转入煲内加7碗水，用猛火煮滚，同时放入冬菇和鲜笋。约煮十五分钟，再加醋、生粉及胡椒粉搅匀。最后将蛋倒下，加辣油少许，再试味道，如酸辣适合，便可饮用。

白果腐竹猪肚汤

原料：猪肚250克，猪肉250克，白果200克，腐竹100克，姜少许。

制法：把猪肉洗净整件放进煲内。

猪肚用粗盐擦匀，用清水洗净，再用盐擦一次，然后切件放进煲内。白果以热水稍浸，除去外皮，连同腐竹及姜放入煲内。

约用清水8碗，先用猛火煮十分钟，然后用慢火煮约两小时。加盐调味便可享用。

广州肉片汤

原料：瘦肉250克，小黄瓜250克，上汤1碗，白酱油1汤匙，豆粉半匙，盐1茶匙，糖少许。

制法：先将瘦肉洗净，切成大薄片，再加入白酱油、豆粉和糖搅匀。小黄瓜去薄皮切成2寸多长之段，再横切成薄皮留用。

将上汤煮滚，加盐和2茶匙白酱油。再放入黄瓜滚片刻，即投入薄肉片，见再滚即可盛起。

莲藕薏米排骨汤

原料：排骨600克，莲藕500克，薏米1茶匙，白酱油2汤匙，盐1茶匙。

制法：将排骨洗净，莲藕刮衣切片。薏米洗净备用。用半煲水，放下莲藕，以中火煮滚。然后用文火煮约半小时，加入排骨和薏米。

待滚后洒一些酒，约炖两小时。视莲藕已软加入调味即可饮用。

番茄牛舌汤

原料：牛舌750克，番茄1400克，白酱油1汤匙，盐1.5茶匙，姜3片，芫荽少许。

制法：牛舌洗净切三段，入沸水煮片刻，捞起刮去舌上白衣。牛舌再入锅，文火炖约两小时，捞起待冷后切片。番茄洗净，逐个一切两半。

牛舌片入锅，滚后入番茄，调入白酱油、盐后，再煮片刻。牛舌在下，番茄在上盛入细碗，面撒芫荽一撮，即可上桌。

牛骨汤

原料：牛骨1700克，红萝卜300克，薯仔250克，番茄250克，姜5片。

制法:碎牛骨以沸水浸过,入清水中浸洗一会,与姜片同放入注满沸水之瓦煲中。红萝卜、薯仔、番茄洗净切件。

牛骨煲两小时半左右,入红萝卜煲一小时。生油起镬,将番茄爆炒后,与薯仔同入煲,再煲半小时。

捞弃牛骨,汤调味后上桌。

番茄牛尾汤

原料:牛尾 1 条,番茄 4 个,薯仔 3 个,洋葱 1 个,姜 2 片,绍酒少许。

制法:牛尾洗净,用小刀刮净后斩件;小锅中置清水 1 碗,放入牛尾、姜、葱、绍酒,猛火煮滚后取出牛尾,用水冲净备用。蕃茄洗净切 4 件。薯仔去皮洗净切片。洋葱去皮切件。

起油镬,油烧热后先放番茄,再放牛尾,略炒后加清水 5 碗,猛火煮滚后,文火煮十五分钟。放入薯仔、洋葱,再煮十五分钟后,加盐调味上桌,饮时可再加胡椒粉。

罗宋汤

原料:牛腩 500 克,薯仔 2 个,椰菜 250 克,红萝卜 200 克,洋葱 150 克,番茄 3 个。

制法:牛腩洗净,入汤煮一小时,捞起切件后,再入汤。薯仔去皮洗净,切粒。椰菜、红萝卜、洋葱洗净切件。番茄洗净 1 个切 4 件。

将薯仔、椰菜、红萝卜、洋葱、番茄入煲,再煲 5 分钟。

调味后即可上桌。

西洋菜牛肉汤

原料:牛肉片150克,西洋菜250克,上汤6杯,糖1茶匙,酱油1汤匙,豆粉1茶匙,油3汤匙,胡椒粉少许,盐少许。

制法:牛肉切片,加糖、酱油、豆粉、油1汤匙拌匀入味。西洋菜洗净切段。

将油加热,入牛肉片快炒,至变色取出盛盘。上汤煮沸,再倒入牛肉、西洋菜煮沸后,加盐、胡椒粉调味。

蔬菜牛肉汤

原料:牛肉500克,洋葱250克,胡萝卜250克,高丽菜100克,西芹200克,葱2棵,薯仔250克,丁香、芫荽、盐、胡椒粉少许。

制法:牛肉用线系紧,抹上盐与胡椒粉,稍腌后入锅煮开,转用小火煮二三小时。洋葱剥皮刺入丁香,高丽菜切段,胡萝卜、薯仔去皮,葱切段。

上述用料除薯仔外入锅煮三十分钟,再入薯仔煮软。自锅中取出牛肉与蔬菜,切成适当大小盛盘,蘸芥末酱进食。

锅内汤汁撒芫荽末上桌。

芥菜牛肉汤

原料:牛肉250克,芥菜500克,卤蛋1只,姜3片。

制法:牛肉洗净切片。芥菜去根及老叶,洗净切寸段。汤煲放入7碗清水,烧滚后放牛肉、姜片,略滚后放芥菜再煮五分钟。卤蛋打落碗中,倒入煲内,加生油少许,再煲五分钟。

加盐少许,便可上桌。

番茄牛肉汤

原料:牛肉250克,大豆芽500克,番茄50克,冬菇3个,姜2片。

制法:牛肉洗净切片。大豆芽去根部。番茄1开4。冬菇用清水浸软,去蒂。

起油镬,将大豆芽炒片刻,加绍酒数滴。煲内加7碗清水,将大豆芽、番茄、冬菇、姜片放入,猛火煮二十分钟。加入牛肉,用文火煮二十分钟,加盐后上桌。

榨菜牛肉汤

原料:牛肉150克,鸡血500克,榨菜100克,鲩鱼肉200克,生油2汤匙,胡椒粉、豆粉少许,生抽1汤匙,苏打粉、姜丝、葱花、盐少许,绍酒数滴。

制法:牛肉洗净切片,以苏打粉腌透,再以生抽、胡椒粉、豆粉、生油半汤匙捞匀。鸡血洗净切丁。鲩鱼肉洗净切片,以生抽捞匀。鸡血入锅,以中火煮滚,然后熄火浸数分钟。视鸡血熟透后,捞起放入冻水中。

清水9碗入煲,滚后入鸡血、榨菜,加生抽1茶匙及盐。煲两分钟后,入牛肉、鱼片,加姜丝、葱花、绍酒,猛火煲一分钟。待牛肉、鱼片熟透,试味后上桌。

鲍鱼鸭汤

原料:鲍鱼2个,光鸭1只,陈皮1块。

制法:鲍鱼(一般用罐头鲍鱼切件。鸭洗净斩件。陈皮洗净。煲内加水,鲍鱼、鸭、陈皮放水煮四小时,调味即成。

白菜鸭汤

原料:鸭半只,白菜500克,竹笋250克,冬菇4个,粉丝50克,绍酒1汤匙,姜4片,糖1茶匙,生抽2汤匙,猪油2汤匙,盐1茶匙。

制法:鸭去毛劏好,洗净斩件,以生抽、糖拌腌。白菜洗净切段。冬菇、粉丝用温水泡开。竹笋洗净切片。

用猪油起镬,爆炒鸭块。然后放入白菜、竹笋、冬菇、姜,加入清水和盐烧沸,改用慢火煲三十分钟。加入粉丝、绍酒,再煲十分钟,调味上桌。

鲍鱼蚬鸭汤

原料:干鲍鱼200克,蚬鸭1只,瘦肉150克,红枣4枚,姜4片,葱、蒜少许。

制法:蚬鸭去毛劏好洗净。

干鲍鱼用水浸三十分钟,洗净以姜、葱、蒜起镬,倒清水1碗,放入鲍鱼爆煮十五分钟捞起。瘦肉洗净切件。红枣洗净。

煲内注清水,烧滚后放入蚬鸭、鲍鱼、瘦肉、红枣同煮,约煲三小时半,以鲍鱼炝熟为准。

调味上桌。

陈皮鸭肫汤

原料:鲜鸭肫1只,瘦猪肉150克,陈皮25克。

制法:鸭肫劏开,洗净切片。瘦肉洗净切片。陈皮洗净。煲内加水4碗,鸭肾、瘦肉、陈皮同煮三小时,调味即成。

红枣生鱼汤

原料:生鱼350克,姜3片,红枣5个,盐酌量。

制法:将生鱼削开,清除内脏后洗净,放下油镬煎香。

红枣去核,加姜片,连生鱼一起放进煲内;清水用4碗,煮约三小时便可。

赤豆鲮鱼汤

原料:鲮鱼2条,粉葛750克,赤小豆200克,土茯苓200克。

制法:鲮鱼削开,清除内脏洗净,然后用油盐落镬煎香。粉葛去皮洗净,然后切成厚片。

将鱼放进盛6碗水的煲内,加土茯苓,煲约五小时,至豆焓熟即可。

粉葛鲮鱼涵

原料:鲮鱼500克,粉葛750克,猪骨300克,蜜枣3个,陈皮1块。

制法:鲮鱼去鳞劏好。粉葛去皮洗净切成块状,猪骨洗好;蜜枣去核冲洗,陈皮浸软刮净。

待瓦煲中的水煮滚后,先放入粉葛、猪骨、红枣和陈皮。用油盐将鲮鱼煎至金黄色,待汤滚约一小时放入煲中,再煮一小时便成一味清甜可口的汤。

生鱼片汤

原料:生鱼1条,菜心250克,芥菜300克,生姜8片。

制法:将生鱼削好起肉切片,砌成飞蝴蝶形,用生粉、盐、糖和生油少许搅匀;鱼头和鱼骨则以少许盐腌之。菜心和芥菜洗净。

用少许油起镬,放入生鱼骨稍煎。然后放2汤碗清水,加生姜4片;滚二十分钟,再加入芥菜滚五分钟,调味后即成生鱼骨汤。再起镬,放生姜4片,将菜心炒几炒,落少许盐,上盖猛火煮三分钟。再以生油起镬,倒下鱼片,然后在盛菜心的碟中倒出少许水分至镬中,将生鱼片一煮即熟,捞起放在菜心上,便是一味生鱼片汤。

鱼丸子汤

原料:鱼肉250克,鸡蛋1只,豆粉1茶匙,姜汁1茶匙,生葱1条,酒酌量。

制法:鱼肉去骨和皮,在板上用刀剁烂,加豆粉、鸡蛋、少许盐、酒和姜汁,充分搅拌。生葱切成粒状。镬内盛水4杯。

将碎鱼肉挤拦成丸子,放入镬中,用大火煮。水滚后再用慢火,见鱼丸浮起便可捞起,再加调味品便可享用。

榨菜鲮鱼汤

原料:鲮鱼肉200克,榨菜50克,香菇4片,豆腐2块,竹笋酌量,生葱2条切粒。

制法:将鲮鱼肉切片,以适量的酒和盐调味,放十分钟左右,再抹上豆粉、轻轻用面杖擀直。用开水把鲮鱼肉烫一下。榨菜切片,浸去一些盐分。竹笋和香菇切成薄片。豆腐切成小方块。

镬内加油煮热,按顺序炒榨菜、竹笋和香菇,再加上汤、少许盐和酒。煮开后放入鲮鱼片,最后加上葱粒。

豆腐黄鱼汤

原料:黄鱼1条,豆腐2块,油炸粉1汤匙,花生油3汤匙,黄豆酱3茶匙,姜汁1茶匙,葱2条,酒1汤匙。

制法:将黄鱼劏开,清除内脏后洗净;鱼背内斜割几条缝,再放入盐、酒和姜汁液内泡两小时,然后取出冲口,滤干留用。油炸粉加水调成糊状,将黄鱼粘粉液,放热油镬中炸至金黄色。

黄豆酱加2碗水调匀与放热油镬内,加入切成小块的豆腐和炸鱼;先用猛火煮滚,再用小火焖两分钟,再加味素搅匀,加葱花便可饮用。

咖喱鲩鱼汤

原料:鲩鱼250克,咖喱粉酌量,鲜奶半杯。

制法:将鲩鱼洗净劏开,清除骨脏,切成薄片。用1碗水把咖喱煮成糊状。

再放3碗水煮滚,跟着放入鱼片和鲜奶,再过片刻便可饮用。

粉葛鲫鱼汤

原料:粉葛750克,鲫鱼500克,猪骨500克,陈皮1块,蜜枣4个。

制法:鲫鱼削好洗净,猪骨略为冲洗,陈皮浸软刮净,粉葛去皮切件。

用大瓦煲,放入适量清水,煮滚后放猪骨、蜜枣,先煲1小时。跟着放入鲫鱼、粉葛,再慢火煲两小时,调味即可。

番茄鱼丸汤

原料:鱼肉250克,番茄2个,马蹄2个,生姜4片,生葱1条。

制法:把鱼肉绞烂加入切碎的马蹄、生粉和少许盐,再用筷子搅至起胶。番茄切成薄片、生葱切段后留用。

镬内的水煮滚后,放下生姜、生油少许,用筷子将鱼肉拌成鱼丸形,慢慢地放进水中。接着放入番茄,滚五分钟,再放生葱,调味便成一味甜酸的好汤。

豆芽鱼蛋汤

原料:鱼肉300克,大豆芽200克,姜4片,葱1条。

制法:鱼肉洗净,加少许盐后绞烂。大豆芽洗净切成幼尾,葱切成葱花。镬中放适量清水,生火后先处理鱼肉,以碗盛载,加葱花和少量生粉,用筷子搅至起胶。

水滚后放下姜片和大豆芽,约煮十五分钟;用筷子将鱼肉拌成鱼蛋形,相继放进镬内,煮十分钟即成。

芥菜鱼片汤

原料:鱼肉150克,芥菜250克,生抽2茶匙,姜2片,盐酌量。

制法:鱼肉切片,用生抽、盐、姜丝和生油腌好留用。芥菜洗净切段。

用油盐起镬,放下清水。水滚后放芥菜,再滚时将鱼片倒下便成。

豆腐鲜鱼汤

原料：豆腐2块，鱼肉2片，红辣椒1只，白菜4片，姜末1小匙，葱1条，香菇2个，沙栗油2汤匙，豆乳2杯。

制法：豆腐切成小块，沥干。鱼肉切片，加酒和酱油腌泡。香菇和葱切丝。油落镬加热，炒辣椒、香菇、葱、加鱼拌炒。

加豆乳和豆腐，煮滚后用豆粉打芡，淋上麻油即可。

山芋鱼肉丸涵

原料：鱼肉山芋饼4片，蛋白1个，豆粉1汤匙，菠菜叶150克，生葱1条，上汤4杯，胡椒酌量。

制法：将鱼肉山芋片磨碎，加蛋白、豆粉和少许盐搅匀。菠菜用水煮过，浸在水里放凉，滤干水分；磨碎后与一半分量的鱼肉山芋搅匀；也可用色粉着色。

把葱斜切成薄片。将汤煮开，加盐，放入双色碎鱼肉，再加葱调味。

丸子豆腐汤

原料：豆腐2块，小萝卜1个，鸡蛋白1个，木耳10克，山芋50克，上汤3杯，陈皮少许。

制法：豆腐在滚水中浸过，滤干水分；山芋去皮磨碎，木耳泡过水后滤干切丝。将豆腐、山芋、木耳混合蛋白一起，放入钵内磨碎制成小丸状，并加少许酒、酱油和味精调味，用慢火煮二十分钟。小萝卜去皮，切成六角形；萝卜叶洗净一起调味，并煮片刻。

把豆腐丸和小萝卜一起盛在汤碗中，加少许陈皮，即可饮用。

豆腐肉片汤

原料:豆腐3块,猪肉150克,葱2条,辣椒1只,香菇3个,姜2片,上汤4杯,沙栗油1汤匙。

制法:把豆腐切成小长条状,沥干水分。猪肉切成薄片。香菇洗净去蒂切成条状,葱切碎。辣椒切成环状,姜切薄片,用沙栗油炒香,顺序放入猪肉和香菇拌炒,加上汤煮滚。

去汁后再放入豆腐,加少量酒、酱油和盐调味。豆粉加水调匀倒入,煮滚后加上麻油和葱即可饮用。

虾丸豆腐汤

原料:虾仁250克,豆腐1块,肥猪肉125克,木耳10朵,青梗菜6棵,鸡蛋白1只,豆粉2汤匙,麻油酌量。

制法:把虾剥壳去肠,洗净沥干;豆腐搅碎,把猪肉煮熟切碎。虾仁和肥猪肉放在碗内,然后加少许酒、盐、麻油、蛋白和豆粉,一起搅匀。用水把虾仁猪肉碎挤捏成丸子,然后放水中煮熟。青梗菜洗净,去除老叶,切成4份,用滚水焯至半熟;木耳浸软,洗净去蒂。

起镬把水煮滚,放入丸子、青梗菜和木耳,再滚片刻,然后用酒和盐调味即可。

杏仁豆腐涵

原料:大菜1/4两,糖2杯,鲜奶2杯,杏仁精1汤匙,清水9杯。

制法:把大菜洗净,加3杯水泡约三十分钟后煮滚,煮至大菜完全溶化,然后加糖半杯、鲜奶1/4杯和杏仁精半汤匙。跟着熄火，倒入铝盘中，冷却后切成小块。

将糖1杯半、杏仁精半汤匙和清水6杯，煮开成糖水，倒入碗中，待凉后便可与杏仁豆腐共食。

食用时，可加冰块和水果罐头。

菠菜豆腐汤

原料：豆腐2块，菠菜250克，红萝卜50克，面粉2汤匙，上汤4杯，姜汁少许。

制法：把豆腐放在热水里浸过沥干，再放在罅里加蛋、面粉、米酒、糖和盐搅匀、拌碎。红萝卜切细条，用水煮软；菠菜用盐水煮过捞起，切成约2寸长条状。

上汤放进镬里煮滚，再将豆腐用汤匙舀块，放进汤内，待浮起时加盐和酱油调味，再放菠菜，滴少许姜汁便可饮用。

鸡丸豆腐汤

原料：豆腐2块，鸡肉碎150克，豆粉1汤匙，酒2茶匙，盐少许，香菇2个，柠檬4片，上汤4杯。

制法：豆腐用滚水浸过，沥干后放入钵内，加鸡肉碎、豆粉、酒和盐搅匀拌碎，挤捏成约1寸直径的丸子。香菇洗净去蒂，切成细丝。把上汤煮滚，然后放入丸子。

撇去灰汁，待丸子煮熟后加香菇丝再煮片刻，再加酱油和盐调味，饮时再加上柠檬片。

鱼头豆腐汤

原料：大鱼头2个，豆腐3块，芥菜250克，绍酒酌量，姜几片。

制法：把鱼头洗净切成几件，芥菜洗净，切寸段。

起油镬,爆香鱼头,同时放姜片,再淋绍酒,即可除去鱼腥味。

转入汤煲,加7碗清水,连同芥菜、豆腐同煮,约半小时,加盐便可。

咸鱼头豆腐汤

原料:咸鱼头1个,鲜鱼尾6条,豆腐2块,姜2片。

制法:咸鱼头用水冲去盐分,切开两半;鲜鱼尾去鳞洗净。起油镬放下姜片,净鱼尾煎香,蘸少许绍酒。转入煲内,加7碗清水。咸鱼头和豆腐放入汤内,用猛火煮十五分钟,再用慢火煮半小时,调味后便可。

鲫鱼豆腐汤

原料:鲫鱼500克,豆腐5块,姜2块,盐酌量。

制法:将鲫鱼削开,清除内脏后洗净,放油镬中煎至微黄。

转放瓦煲内,加6碗水,放入豆腐,煮两小时,至呈现牛奶色,加盐调味,便可享用。

番茄豆腐汤

原料:豆腐1块,番茄2个,蛋1个,虾米1汤匙,洋葱半个,胡椒粉酌量,上汤6杯。

制法:豆腐切成小块。洋葱去皮切小块,番茄去蒂切小块。虾米浸水三十分钟后沥干。

用3汤匙油煮熟,依序炒虾米、洋葱和番茄,再加番茄酱和上汤拌炒,撇去泡沫。

把豆腐倒入,再煮约五分钟便可。

黑豆猪尾汤

原料:黑豆200克,猪尾1条,木耳50克。

制法:猪尾洗净;去皮毛后斩件;黑木耳先浸发二十分钟。

用水4~5碗,将用料一齐放进煲内,煮四小时左右即可。

红豆鲤鱼汤

原料:红豆200克,鲤鱼1条,红枣4粒,盐酌量。

制法:鲤鱼削好洗净,沥干后放下油镬煎至金黄。

把鱼放进企瓦煲内,放入清水煮滚。

再把洗净的红豆和去核的红枣放入煲内,约煮两小时,用盐调味便可饮用。

乌豆塘虱汤

原料:塘虱500克,乌豆200克,瘦肉200克,陈皮1块,红枣5粒。

制法:先将塘虱洗净,放入盆内,用热水浸死,然后用盐把鱼身洗擦,去潺后劏好洗净。

用企身煲放入清水,再把全部用料放入,煮两小时左右便可。

乌豆墨鱼汤

原料:乌豆100克,墨鱼1只,瘦肉200克。

制法:把新鲜墨鱼(连骨)洗净。

乌豆洗净后与瘦肉、墨鱼一起落煲,用水4碗,煮三小时,豆埝后调味即成。

乌豆鱼尾汤

原料:乌豆 100 克,鲩鱼尾 2 条,红枣 4 粒,姜 4 片:

制法:将鲩鱼尾去鳞洗净,以盐腌好;红枣去核洗净后留用:

起油镬将乌豆爆炒五分钟后铲起,然后再将少许生油放镬中,把鲩鱼尾煎至金黄。

在煲内放清水,煮滚后把鱼尾、乌豆和红枣、生姜等放入,先用猛火煮滚,再用慢火煮一小时左右,调味后便可享用:

酸辣香菇汤

原料:豆腐 2 块,香菇 3 个,湿木耳 2 个,胡萝卜酌量,冬笋半支,榨菜 250 克,芫荽酌量。

制法:将豆腐洗净切成长条形,木耳、榨菜洗净切细;冬笋剥壳洗净切丝,香菇浸软去蒂切丝。胡萝卜刨皮洗净切丝,芫荽切成细块。

将香菇丝放入花生油镬内炒香,加约 6 成满大碗清水煮滚;再将其他用料倒入镬内,加盐、酱油和醋调味:

再煮滚后用小火,然后用牛小碗水调拌均匀的豆粉倒进镬内,同时用筷子轻搅汤汁,使豆粉液与汤汁混合:把胡椒粉、麻油和芫荽放入碗内,再将煮好香菇酸辣汤倒上搅匀,便可饮用:

赤豆鲤鱼汤

原料:鲤鱼 500 克,赤小豆 100 克,醋酌量,姜 2 片:

制法:将鲤鱼剖开洗净,去除内脏:

加赤小豆、姜和少许醋煮或炖皆可,制作简便:

芽菜牛肉汤

原料:芽菜300克,牛肉100克,生抽1茶匙,生粉半茶匙,姜汁1茶匙,糖半茶匙。

制法:将牛肉剁碎,用姜汁、糖、生抽和生粉搅匀腌好。

大豆芽切尾洗净,放镬中炒两分钟盛起。

用油盐起镬,放入芽菜再加水;待水滚再落牛肉,再滚便可享用。

豆芽椿骨汤

原料:肉排骨250克,大豆芽250克,炸豆腐泡6块,姜4片。

制法:把大豆芽洗净,肉排骨斩件,用少许盐腌好。

先放肉排骨,煮十五分钟后,再放入其他用料,煮约2小时即可。

绿豆田鸡汤

原料:绿豆100克,田鸡500克,瘦肉250克,发菜20克,陈皮1块。

制法:粑田鸡劏好,清除内脏,用盐洗擦干净。瘦肉原块冲洗,发菜和陈皮浸软洗净。

放适量清水入企身煲内,待水滚后放入全部用料,约煮两小时即可。

绿豆芽猪骨汤

原料:猪骨500克,绿豆芽500克,姜3片。

制法:把绿豆芽拣好洗净,与猪骨和姜一起放进煲内。

用清水3碗,煲约两小时,用盐调味,即可享用。

猪骨黄豆汤

原料:肉排骨500克,黄豆200克,姜2片。

制法:把黄豆洗净,肉排骨斩件,一起放入煲内。

用5碗水煮,先放少许盐,见豆稔时再试味,也可放一些味精。

蟹肉量花汤

原料:蟹肉罐头1罐,鸡蛋2只,豆腐2块,上汤6杯,豆粉1汤匙,胡椒粉酌量。

制法:净蟹肉去软骨后撕碎,鸡蛋打散,豆腐切成小方块。上汤煮滚后加入蟹肉和豆腐。水滚后加盐和胡椒粉调味,以豆粉勾芡。再煮滚后倒进鸡蛋,搅拌成蛋花。

番茄蛋花汤

原料:番茄1个,鸡蛋2只,洋葱半个,青梗菜1棵,上汤4杯,胡椒粉少许。

制法:鸡蛋打在碗中搅匀,番茄用热水烫过,浸冷水去皮和核,切成新月形。洋葱也切成弯月形,青梗菜切成约2寸长。用熟油炒洋葱和青梗菜,再加入上汤,煮开后去泡沫;再用酒、盐和胡椒粉,跟着放番茄。最后倒入鸡蛋搅拌成蛋花即成:

香芒蛋花汤

原料:鸡蛋2只,香芒2个,瘦肉200克,盐酌量。

制法:把已熟的香芒去皮,切成条状,去核。瘦肉洗净切片。鸡蛋在碗内搅匀。瘦肉和香芒先放入煲内,水煮滚后倒入鸡蛋,加少许盐调味便可。

鱼片蛋花汤

原料:鲩鱼肉 300 克,鸡蛋 2 只,姜 4 片,葱 1 条。

制法:将鱼肉洗净切片,用生油、盐、糖、生抽和生粉腌好。鸡蛋打开搅匀,生葱切碎。先把姜片放盛水镬中,滚两分钟,再放鱼片和葱。再煮滚即可倒入蛋液搅匀,调味后便可饮用。

菠萝鸡片汤

原料:菠萝半个,鸡半只,猪油 3 汤匙,姜 1 块,麻油酌量,盐酌量。

制法:菠萝去皮,起出菠萝钉。放在盐水内浸片刻,然后切成扇形。姜切丝。鸡肉切片,放盐、酒和粟粉少许搅匀。烧热瓦罉,放猪油用文火炒姜丝片刻。放入鸡肉用大火炒匀,然后加菠萝一起炒。以盐调味,放入适量清水,盖好煮滚,落麻油少许即可享用。

椰汁田鸡汤

原料:田鸡 1 只,椰汁 1 碗,姜丝酌量。

制法:将椰子截去上盖,取鲜椰汁 1 碗。田鸡剉开洗净,清除内脏。把田鸡切件放入炖盅,加姜丝。盅内不用加水,隔水炖三小时,便可饮用。

冰糖炖雪耳

原料:白木耳25克,水果罐头1个,冰糖250克,水6杯。

制法:将白木耳放入热水浸,见木耳胀开,便可捞起去蒂。白木耳连冰糖一起放入炖盅炖煮,至冰糖溶化,即可倒水果。冷却后放进冰箱,食用时可加冰块。

雪梨猪肉汤

原料:猪肉500克,雪梨几个,蜜枣2个,江瑶柱1两。

制法:将猪肉洗净。雪梨去皮切开,梨心不要,只要梨肉,洗净。把江瑶柱洗净浸软。把滚二汤放入瓦煲中。猪肉、雪梨放入后,再放蜜枣和江瑶柱,猛火来煲。

煲至汤只得一镬,便可把猪肉捞起,切片上碟。煲内温水,用细盐调味后便可享用。

雪梨生鱼汤

原料:雪梨750克,生鱼500克,瘦肉250克,红枣6个,陈皮1块。

制法:生鱼劏好,雪梨(鸭梨)去皮和心,切片。瘦肉原件,红枣去核,陈皮浸软。水煮滚后,放进以上各用料。再煮三小时,用盐调味即可。

荔枝猪肚汤

原料:猪肚1个,荔枝干8粒,生姜2片,盐酌量。

制法:猪肚用盐搽擦内外,重复几次;用滚水冲洗干净。将荔枝干去壳，姜片放进猪肚内。放水 4 碗，煲约三小时即成。

芝麻益肤汤

原料：黑芝麻 50 克，雪梨 1 个，柠檬 4 片，鸡蛋 1 只，红枣 6 粒。

制法：把黑芝麻洗净，放入搅拌机搅匀，成糊状。柠檬切片，红枣去核。用清水 2 碗，先煲红枣，后放雪梨，约十分钟后放入鸡蛋。过片刻，再放黑芝麻，加少许糖，混成汤即可进食。

冬瓜红豆汤

原料：鲜莲叶 1 块，冬瓜 750 克，红豆 200 克。

制法：将莲叶洗净待用。冬瓜洗净后连皮切件。红豆用水洗净。将适量清水注入煲内。待水煲滚后，便将冬瓜，莲叶、红豆放入煲内。将所有材料放落煲后，用慢火煲四小时。煲好后加盐调味便可饮。

冬瓜鸭汤

原料：鸭 1 只 500 克，冬瓜 500 克，瑶柱 50 克，陈皮 1 块。

制法：鸭削刬去细毛后，斩成 4 ~6 件。冬瓜去皮切件。瑶柱用清水浸透。陈皮用清水稍浸。将所有材料洗妥后，便一齐放入煲内。加入适量水分，然后煲三小时便可以。加入盐调味便可饮。

木瓜花生汤

原料：木瓜 1 个（约 500 克），花生 150 克，排骨 300 克，梳罗鱼 300 克，姜 2 块。

制法：木瓜去皮、去瓤，洗净切片。花生用清水洗净。排骨洗净待用。梳罗鱼去鳞,削好洗净。姜要拍扁。起油镬,将梳罗鱼煎香,留后用。将适量清水注入煲,并将水煲滚。水滚后先将木瓜、排骨、花生及姜放落煲。再滚时,便用纱布包载着梳罗鱼,然后放落煲,大约煲两小时半。

加盐调味便可饮。

南瓜海带汤

原料:南瓜 500 克,瘦肉 150 克,海带 200 克。

制法:南瓜可视老嫩而有不同的处理方法。嫩的南瓜可不用去皮及其他,只要洗净便可以。若是老的南瓜,便要去皮、去瓤及籽仁,洗净切件。海带用清水浸软,然后切段。瘦肉原件洗净。所有材料弄妥后,便将适量清水注入煲。将所有材料一齐放落煲。煲三小时便可。加盐调味即可饮。

丝瓜及第汤

原料:丝瓜 250 克,瘦肉 200 克,猪肝 200 克,猪腰 1 个,葱 2 条,姜 4 片,油 3 茶匙,生抽 1 茶匙,豆粉少许。

制法:将丝瓜去角边,洗净切块。瘦肉洗净切薄片,用半茶匙生油捞匀。猪肝、猪腰洗净切成薄片,用半茶匙生油捞匀。葱切条。将 7 碗清水注入煲内,用猛火煲滚。水滚后,先将丝瓜和姜放入煲内,并加 2 茶匙生油。待汤滚时,便将瘦肉、猪肝、猪腰和葱放入煲内。用猛火煲一分钟左右。汤再滚时,便落盐调味,汤成。

冬瓜头菜汤

原料:冬瓜 500 克,头菜 3 片。

制法:冬瓜去皮,洗净后切成块状。头菜用清水稍浸。将 7 碗清水放入煲内。然后放入冬瓜及头菜。放妥材料后,先用猛火将汤水煲至大滚。然后再用中火,大约煲三十分钟便成。

由于头菜带咸味,煲汤后,汤水已有咸味,所以只需要加入少许细盐便可以。

节瓜鲫鱼汤

原料:节瓜500克,鲫鱼1条(400克)。

制法:节瓜刮皮洗净切件(厚些)。鲫鱼去鳞及内脏,洗净。注水入煲,放节瓜,然后开火煲。起油镬,将鲫鱼放入镬中,煎至微黄,然后转入煲中。汤煲好后,加盐调味。煲好汤后,可捞起鱼,淋上豉油熟油,可作链食。

丝瓜肉片汤

原料:丝瓜500克,瘦肉200克,粉丝适量,榨菜50克。

制法:丝瓜去角边,洗净切件。瘦肉洗净切片。榨菜用清水稍浸,然后切片。粉丝用清水浸软。所有材料弄好后,便先将8碗清水注入煲内,然后将瘦肉放入煲内。待汤滚一会后,便将丝瓜、榨菜和粉丝倒落煲内。再煮十五分钟左右。加盐调味便可。

木瓜猪尾汤

原料:猪尾1条(约500克),木瓜(约500克),花生100克,红枣4个。

制法:先将猪尾的猪毛刮去,然后洗净,斩开一段段。木瓜去皮,洗净切件。花生用清水洗净待用。红枣去核洗净。放入适量的清水于煲内,并将水煲滚。水滚后,便将所有已弄妥的材料,一起放入煲内,大约煲两个钟头。

加盐调味便可。

冬瓜三脚汤

原料:冬瓜500克,火腿脚300克,鸭脚6—8只,鸡脚6-8只,姜3片。

制法:冬瓜去皮,洗净后切成厚身方形,待后用。鸡脚及鸭脚的处理方法都是一样,先用滚水滤过,然后脱衣及斩去尖爪。将火腿脚斩件,然后放落滚水中滚十五分钟。跟着捞起,待用。先开火将铁镬烧红,放下少许生油,当镬中生油起烟时,便将姜、鸡脚和鸭脚放落镬中爆一会,然后再下火腿脚。加入适量清水。待滚后便收慢火,跟着再煲一小时左右。然后放冬瓜,再煲三十分钟。加盐调味即可饮。

冬瓜冬菇汤

原料:冬瓜750克,冬菇100克,叉烧150克,瘦肉200克,鲜虾100克,鸡蛋2只,鲜鸡肝1副。

制法:冬瓜去皮,洗净切粒。冬菇用清水浸软,去蒂切粒。瘦肉及鸡肝洗净后切粒。鲜虾洗净去壳,视虾的大小,决定是否要切。鸡蛋搅匀待用。放入镬中,大约半镬水便够,先将水烧滚。然后放冬菇、冬瓜,滚至将熟时,便放瘦肉、叉烧、虾肉,最后放鸡肝,跟着加入鸡蛋便成。

冬瓜鱼尾汤

原料:鲩鱼尾300克,冬瓜500克,姜2片。

制法:鱼尾起鳞后,用清水洗净,然后用布将鱼尾抹干,再用盐抹过。冬瓜洗净后切块。用盐油起镬,先放入姜片。跟着再放入鱼尾，煎片刻。然后将已煎过的鱼尾及姜片转入瓦煲内。加入清水6碗。煲滚后，便将冬瓜放入煲内。然后再煲至大滚便成。

冬瓜火腿汤

原料：冬瓜500克，火腿50克，胡椒粉少许，姜3片，麻油少许，油适量，葱2条。

制法：冬瓜去皮洗净，切成方块，然后在每方块中间切一痕，并将一块薄的火腿片夹在里面。每一方块冬瓜都照样做。所有材料弄妥后，便将5碗清水放煲内，猛火煲滚。水滚后，便将夹了火腿的冬瓜和姜放入煲内，大约滚十分钟，加盐调味，再滚三分钟左右便成。

瓜粒是米汤

原料：虾米50克，冬瓜500克，榨菜75克，瘦肉400克。

制法：虾米用清水浸约半小时。冬瓜洗净去皮切粒。瘦肉洗净切粒。榨菜先用清水稍浸，洗净后，切成片。将所有材料弄妥后，便一齐放落煲内。加5碗清水落煲内，煲两小时便成。加盐调味便可饮。

柴鱼节瓜汤

原料：节瓜500克，柴鱼肉300克，瘦肉300克，红枣2个。

制法：节瓜刮皮净，原个切开3段。柴鱼肉用清水浸软后洗净。瘦肉原块洗净。红枣去核洗净。注入适量清水入煲内，然后将水煲滚。水煲滚后，便将所有材料一起放入煲内。再煲滚后，便将火收慢，再煲四小时。加盐调味便成。

黄瓜瘦肉汤

原料:老黄瓜1000克,瘦肉200克,赤小豆100克,蜜枣6个,陈皮1块。

制法:老黄瓜切开去瓜瓤,洗净,连皮切大件。瘦肉原件洗净。赤小豆和蜜枣用清水洗净。陈皮用水浸软刮净。将适量清水注入煲,并将水煲滚。水滚时,便将全部材料放入煲。大约煲两小时半。加盐调味便可饮。

节瓜蚝豉汤

原料:节瓜500克,蚝豉200克,猪蹄肉250克,八爪鱼干100克,红枣2个。

制法:节瓜原个刮皮洗净。蚝豉及八爪鱼干浸透洗净。红枣去核洗净。猪蹄肉洗净待用。将适量清水注入煲内,并煲滚。水滚后,便将八爪鱼干、猪肉、红枣等放入煲,大约煲一小时左右。然后才放节瓜和蚝豉入煲,大约再煲一小时便成。

凉瓜鱼头汤

原料:凉瓜500克,大鱼头1个,姜5片。

制法:凉瓜去核、瓤,洗净切件。鱼头斩开洗净。材料弄妥后,便将4碗清水注入煲内,并将所有材料及姜片,一齐放落煲。大约煲两小时便可。加盐调味便可饮。

凉瓜肉排汤

原料:凉瓜500克,肉排300克,蒜头2粒。

制法:凉瓜破开两边,去瓤、去核,洗净切块便可。肉排洗净后,落少许盐腌一会,然后斩件。蒜头去衣洗净。所有材料弄好后,便将适量清水注入煲内。然后将所有材料一齐放落煲。煲两小时便成汤。加盐调味便可饮。

发菜田鸡汤

原料:发菜25克,绿豆100克,田鸡750克,陈皮1块。

制法:发菜浸开洗净。绿豆拣净洗好。田鸡剀洗干净。陈皮洗净。煲内放入清水,水沸后放入绿豆、田鸡、陈皮,先煲至绿豆、田鸡熟烩。加入发菜再煲半小时后,以盐调味,即可盛起上桌。

发菜鱼片汤

原料:发菜25克,鲩鱼肉400克,芫荽100克,鸡蛋2只,姜4片,生油、盐、糖少许。

制法:发菜浸开洗净。鲩鱼洗净切片,以油、盐、糖拌腌。鸡蛋磕碗内,打匀。煲内烧滚水,放入发菜滚十分钟,再放鱼片煮滚。将鸡蛋淋入汤内,调味盛起,汤面淋熟油少许,撒芫荽末上桌。

发菜猪手汤

原料:发菜25克,蚝豉100克,猪手750克。

制法:猪手去毛刮净,洗好切件。发菜浸开洗净,以生油去污。蚝豉浸开洗净。水滚放入猪手,煲一小时半。放入蚝豉、发菜,再煲一小时半。待猪手熟烩,与蚝豉同捞出上碟。汤调味后上桌。

塘蒿三鲜汤

原料：塘蒿菜500克，鲜鱼肉100克，猪肝100克，猪腰100克，姜3片，红辣椒1个。

制法：塘蒿菜洗净。鱼肉、猪肝、猪腰均洗净切片。姜、红辣椒洗净切细丝。煲内清汤调味，沸后加入塘蒿菜。鱼肉、猪肝、猪腰生涮，吃时蘸调味料及姜、辣椒丝。此汤吃法最好使用打边炉，以使汤水保持滚开，涮食方便。

西洋菜牛肉汤

原料：牛肉250克，西洋菜500克，姜1块。

制法：牛肉洗净切片。西洋菜去根洗净，切段。姜去皮洗净，以刀拍扁。煲内加7碗清水，烧开后加生油数滴，放入西洋菜、姜，煮五分钟。入牛肉，加少许盐，煮五分钟便可上桌。此汤可视各自口味，加入蜜枣、南北杏、鲜肾或陈肫等配料。

西洋菜排骨汤

原料：排骨250克，西洋菜500克，虾米少许，姜2片。

制法：排骨洗净，斩成细件。西洋菜去根洗净。虾米用清水浸泡。煲内加7碗清水，放入排骨、虾米，以猛火煮滚，转中火煮二十分钟。入西洋菜，加生油数滴，煮五分钟调味上桌。

西洋菜生鱼汤

原料：生鱼500克，猪肉250克，西洋菜500克，南北杏50克，蜜枣少许，姜3片。

制法:生鱼去鳞、鳃,洗净;起油镬入生鱼略煎片刻,加姜、绍酒;瘦猪肉洗净,切片。南北杏、蜜枣以清水冲净。加入清水9碗,放入生鱼、猪肉、南北杏、蜜枣,猛火煲十五分钟后,慢火再煲两小时。西洋菜去根,洗净切段,入煲后加生油数滴,略煮后调味即可上桌。

西洋菜鸭翼汤

原料:西洋菜250克,腊鸭翼6只。

制法:西洋菜去根,洗净。腊鸭翼洗净,放入汤煲,加清水4碗,煲三至四小时。放入西洋菜,略煲片刻,调味上桌。

西洋菜鸭肫汤

原料:西洋菜250克,陈鸭肫2只,猪肉150克,蜜枣6枚,陈皮1块。

制法:西洋菜去根,洗净。猪肉洗净切件。蜜枣洗净。陈皮刮净冲洗。陈鸭肫以温水浸软后切片,与猪肉、蜜枣、陈皮同入煲,加清水4碗,煲二至三小时。汤成,加豉油调味后上桌。

芥菜肉片汤

原料:瘦猪肉250克,芥菜500克,咸蛋1只,姜少许。

制法:猪肉洗净,切片以盐稍腌。芥菜洗净,摘老叶去根,切段。咸蛋洗净,打入碗中搅匀。姜洗净去皮拍扁。煲内放7碗清水,先入猪肉、姜滚至出味。加生油数滴,放入芥菜,煮五分钟。淋入咸蛋,再煮数分钟即好。试味后适当调味上桌。

芥菜猪肝汤

原料:猪肝 100 克,芥菜 250 克,咸蛋 1 只。

制法:芥菜洗净,摘好。煲内水滚后放油、盐少许,放入芥菜后煮片刻。猪肝洗净切片。咸蛋打入碗内搅匀。试味后上桌。

芥菜双头汤

原料:腊鸭头 2 个,咸鱼头 2 个,大芥菜 250 克,姜 1 块。

制法:腊鸭头用温水洗净,切件后再洗净。咸鱼头洗净切件。大芥菜洗净切段。姜块洗净拍扁。豆腐切小块。煲内注入清水,水滚后放入腊鸭头、咸鱼头、豆腐、生姜。水再滚后放入大芥菜,慢火煲四十分钟即成,调味上桌。

白菜鲈鱼头汤

原料:鲈鱼头 500 克,白菜 400 克,豆腐 3 块,姜 5 片。

制法:鲈鱼头洗净斩件。白菜洗净切件,豆腐切件。猛火起油镬,入姜片后,放入鲈鱼头爆炒。加适量清水,水滚后放入豆腐煲十五分钟。放入白菜再滚五分钟,调味上桌。

菜干鲍鱼汤

原料:鲍鱼(干鲜均可)2 个,白菜干 100 克,姜 2 片。

制法:鲍鱼去壳、盖,剖洗净;干品须先浸发。白菜干洗净,清水浸透。煲内放水 3 碗,将鲍鱼、白菜干放入,加盐姜调味。慢火煲四小时,汤成上桌。

猪肺白菜汤

原料:猪肺1个,白菜400克,杏仁50克,姜1块。

制法:此汤在泡制猪肺上,甚讲功夫。将猪肺之气管口套于水喉管口,一面放水,一面以手轻挤压肺叶,使肺内之瘀血及口泡水流出。直至肺尖扩大,颜色渐渐变白而无血水时为止。取下猪肺揸干水分,置镬中干煎(不用油)至水分略干。猪肺切小块,与白菜、杏仁、姜同入煲约煮两小时。汤成,调味上桌。

榨菜粉丝汤

原料:榨菜75克,粉丝50克,糖半茶匙。

制法:榨菜洗净,切粗丝。油盐起锅,注入清水放入榨菜,糖。再滚后放入粉丝,煮片刻便成。

榨菜肉丝汤

原料:榨菜100克,猪肉100克,生粉1茶匙,生抽2茶匙,姜汁1茶匙。

制法:榨菜洗净,切粗丝。猪肉洗净切丝,以生粉、生抽、盐、姜汁拌腌。油盐起锅,入榨菜略炒,注入清水。水滚后放下猪肉,略滚片刻便成。

榨菜豆腐汤

原料:豆腐1块,榨菜50克,竹笋75克,姜丝少许,上汤4杯,绍酒1汤匙,糖1茶匙,盐少许。

制法:豆腐洗净切小方块。榨菜洗净切薄片。竹笋洗净切寸长细丝。上汤煮沸,放入榨菜、竹笋、豆腐,用小火煲一段时间,加入绍酒、糖、盐调味。装盆上桌,汤面撒姜丝。

榨菜黄豆汤

原料:肉排骨250克,黄豆100克,榨菜50克。

制法:黄豆先用温水浸泡至软,洗净。榨菜洗净切丝。排骨洗净斩件。排骨、黄豆、榨菜同放入煲内,慢火煲两小时,调味后上桌。

绍菜鸭头汤

原料:腊鸭头2只,瘦猪肉300克,绍菜500克,姜2片。

制法:腊鸭头洗净,切件。瘦肉洗净切片。绍菜洗净切成寸段。煲内放7碗清水,将鸭头、肉片、姜放入,以猛火煮15分钟。加生油少许,放入绍菜,再以中火煮十五分钟。转文火再煮三十分钟后,调味上桌。

绍菜火腿汤

原料:火腿250克,绍菜250克。

制法:绍菜洗净,切粗块。火腿洗净切片。绍菜、火腿同入煲煮两小时。汤成,调味上桌。

生菜鲮鱼球汤

原料:鲮鱼肉300克,虾米少许,生菜500克,生粉、盐、糖少许。

制法:鲮鱼肉剁蓉,团成球状。虾米用温水浸泡。生菜洗净。煲内加清水6碗,猛火煮滚,将鱼球放入,加生油少许。待汤滚后,放入生菜略煮。调味后即可上桌。

津菜干贝汤

原料:干贝4个,白菜200克,生菜100克,葱1棵,生抽1汤匙,绍酒半汤匙,盐、生油、胡椒粉少许,上汤5杯。

制法:以葱、生抽、绍酒、盐、生油、胡椒粉加适量清水调汁,将干贝泡入浸一日,再连汁蒸二十分钟。上汤烧滚,倒掉蒸汁后调味。白菜、生菜、葱洗净,白菜焯软切1厘米宽长条;生菜切块;葱切丝。生菜、葱置于汤皿之底,上盖白菜条及干贝,以调味后之上汤浇入。上笼用旺火蒸约八分钟,以胡椒粉调味上桌。

枸杞凤肝汤

原料:鸡肝2副,鲩鱼肉300克,枸杞250克,粉丝25克,葱白10支,生油3汤匙,姜4片。

制法:鸡肝洗净切小块。鲩鱼肉洗净切片。枸杞洗净。粉丝用清水浸透。煲内放清水6碗,加入粉丝、姜煲滚,再加枸杞、生油、适量盐。滚数分钟后,再加入鸡肝、鱼片,猛火煮滚,再煲片刻,以熟为度。调味后上桌。

枸杞双片汤

原料:鸡肉200克,鲩鱼肉200克,枸杞250克,水豆腐2块,粉丝25克,姜5片,葱1棵,生油3汤匙,白酒少许,胡椒粉少许,豆粉少许。

制法:鸡肉洗净,切薄片,以白酒、胡椒粉、豆粉拌匀腌好。鲩鱼肉洗净,切薄片。枸杞摘嫩叶,洗净。豆腐洗净,每块分切12小块。粉丝用清水浸透。葱洗净切寸段。煲内注清水6碗,放入姜、粉丝,猛火煲滚。再放入枸杞叶,加生油3汤匙,滚五分钟。放入豆腐,加盐调味,再滚五分钟后,放入葱略滚片刻。放入鸡片、鱼片，猛火煮滚半分钟，调味后上桌。

枸杞蛋花汤

原料：枸杞 250 克，瘦猪肉 150 克，鸡蛋 2 只，姜 4 片。

制法：瘦肉洗净切片。枸杞洗净。以生粉、盐、糖、油各少许腌瘦肉片。煲内清水沸后，放入瘦肉片滚三分钟，再放入枸杞、姜，再滚后，将鸡蛋打匀倒入。汤成，调味后上桌。

菠菜鱼片汤

原料：鲩鱼肉 150 克，菠菜 250 克，姜 2 片，生抽 1 茶匙，熟油 2 茶匙。

制法：菠菜去根，洗净切段。鲩鱼肉切薄片，以生抽、熟油、姜丝、盐拌腌。油盐起锅，放下清水，滚后入菠菜。再滚后入鱼片，调味上桌。

苋菜鱼滑汤

原料：鲮鱼 1 条(250 克)，苋菜 400 克，糖 1 茶匙，粟粉 1 茶匙盐少许，芫荽、葱末少许。

制法：鲮鱼去鳞 NFDA1 净，洗好后取肉切碎。将糖、粟粉、盐、葱末混合，与鲮鱼肉搅拌，打成胶状。锅内清水烧滚，放入苋菜。苋莱熟时，将鱼肉以匙团成球状入锅，煮滚即成，调味后上桌。

薯仔瘦肉汤

原料：瘦肉 250 克，薯仔 2 个。

制法：瘦肉洗净，薯仔去皮洗净，切片。锅内放 3 碗水，将瘦肉、薯仔放入，滚后煮牛小时。瘦肉捞出，切片后蘸食。

粥品烹饪法

鲍鱼滑鸡粥

原料:米 250 克,鸡半只(600 克左右),罐头鲍鱼 1 只,芫荽、葱少许,盐、糖、淀粉、酱油、油各适量。

制法:把鸡洗净,切成小块,用淀粉、盐、糖、酱油、油拌匀。鲍鱼切成丝。米洗净,加入 3500 克沸水中,用旺火煮开,即改用微火煮三十分钟;粥煮好后放入鸡件,待再煮开时调味,最后下鲍鱼丝拌匀,即可上碗。

三色鸡粥

原料:鸡半只(600 克),火腿 50 克,皮蛋 2 只,米 200 克,盐、熟油各适量,姜、葱少许。

制法:把鸡洗净,切成小块,有盐、豆粉、姜汁、料酒加腌。火腿切成小片。皮蛋亦切为小片;洗净白米,放入 2800 克开水煮成粥,约需三十分钟。

人参鸡粥

原料:高丽参 5 克,淮山 10 克,白米 200 克,鸡 1 只(850 克),鸡肝 150 克,盐适量。

制法:鸡肝用开水烫过后待用;全鸡在水中煮熟后,将鸡肉撕成丝状;将高丽参切成片;将高丽参和米一起放入 2800 克鸡汤内煮粥,煮六分钟后加入淮山。待米煮开五分钟后加入切成薄片的鸡肝和鸡肉丝,再在文火上煮二十分钟左右。食前,粥内加盐调味。

鸡汁粥

原料:米 250 克,嫩鸡 1 只(1250 克),盐、滑油各适量。

制法:把鸡洗净,加水,放入锅内煎浓鸡汁;米洗净,放入 2500 克原汁鸡汤内,先用旺火煮沸,再改用微火熬,粥稠即可(约 25 分钟)。食用时可酌加盐或酱油调味。

三鲜粥

原料:米 250 克,鸡肉 150 克,瘦肉 150 克,鱼肉 150 克,芫荽、葱、冲菜各少许,胡椒粉、酱油、油、盐、淀粉各适量。

制法:鸡肉、瘦肉洗净切成片,用少许淀粉、盐、油、酱油拌腌。鱼肉洗清切片,用少许淀粉、酱油拌过;米洗净后,待 3500 克水煮沸时,下米先煮。粥煮好并大滚时加入鸡肉片和瘦肉片,用汤勺在粥底捣转一下,使鸡片、肉片分开,待粥再大滚,即用文火焖一会儿。将鱼片分放在各碗内,加入芫荽、葱粒,然后将粥盛入碗内,再略加胡椒粉、冲菜粒,用汤匙拌匀,即可食。

阳江鸡粥

原料:米 250 克,腐竹 100 克,瑶柱 100 克,红枣 50 克,葱 10 克,陈皮 19 克,盐适量,仔鸡 1 只。

制法:宰仔鸡并去毛,取出内脏,洗净待用;在粥锅内盛清水 5000 克,煮沸备用;把米洗净,加入少许盐拌匀,加入锅煲内的沸水中;用小布袋装入瑶柱、陈皮、红枣,放入锅内,用文火煮,再放入腐竹,共约煮两小时。用草绳绑紧鸡翼,吊在锅里,不要让鸡和粥混合,让蒸气上升,盖上锅盖,焖约二十分钟。鸡熟后取出斩块,放在碗中,加少数葱粒、盐和生油,盛粥入碗内。

什锦鸡粥

原料:鸡翅肉1只,生姜1片,葱10克,虾15只,干香菇3个,米300克,盐、青菜、料酒各适量。

制法:鸡翅洗净,用沸水烫一下取出。葱和生姜都拍碎;锅内倒入4000克水,加入5克油,把鸡翅、姜、葱倒入,用旺火煮开后,改用文火再煮,去其浮油。把鸡翅切成小块。把米洗净滤干。香菇泡开,去蒂,切成小块。青菜也切成小块;把米倒入锅内,再加入鸡汤用中火煮滚;虾去壳去掉肠泥,洗净后切细,用开水烫一下,捞出滤干;米煮约二十五分钟后,依次加入虾、香菇、青菜及盐搅匀,盛于碗内,即可食用。

生滚鸡球粥

原料:白米300克,鸡肉1500克,碎瑶柱(干贝)25克,干米粉50克,芫荽、葱各少许,生油、胡椒粉、盐、糖、酱油、淀粉各适量。

制法:削下鸡肉洗净切块,用淀粉、生油、胡椒粉、盐、糖、酱油腌拌;洗净白米,加4000克水开后放入与瑶柱共煮,鸡骨也可放入粥锅内煮,约煮十五分钟,煮出鲜味;米粉放入慢滚油锅内炸香;粥好后,捞出鸡骨,将鸡肉块放入粥内,调味,待再煮开时即可食用。食时加香炒米粉,格外可口。

美味鸡粥

原料:白米400克,光鸡1只(1500克),碎瑶柱25克,芫荽、葱、盐、油、胡椒粉各适量。

制法:把杀好的鸡,放入水中,加姜,煮沸,除去血污;洗净白米,连用瑶柱及整鸡一起放入5600克水中煮,煮开后用文火再煮二十分钟。粥煮好后把鸡取出，去鸡骨，将鸡肉连皮撕成丝，再放回粥锅内，调味，待再煮开时，便可上碗。吃时可再加芫荽、葱粒和胡椒粉。

鸳鸯鸡粥

原料：鸡脯肉100克，鸡蛋白3只，鸡汤300克，菠菜叶50克，干菱粉50克，精盐少许，湿菱粉30克，猪肥油50克。

制法：把鸡脯、肥猪肉用刀剁成蓉，再把鸡蛋白1只打散加入，继续剁细，再加干菱粉、盐和蛋白2只调开，最后用鸡汤150克徐徐倒入，边倒边搅，直至调匀为止，即成白色“鸡粥”。起锅小火烧，先下鸡汤150克，再下湿菱粉薄芡，取出鸡粥，一面倒入锅内一面用勺子轻轻调稠，起锅装在盘内的一边。菠菜用开水烫熟，取出剁成蓉，再下少许猪油，然后下镬炒熟，加入少许鸡汤，用湿菱粉勾芡，起镬装在盘子的另一边，即可食用。

鲜鸭粥

原料：白米300克，光鸭1只（1000克），花生仁150克，腐竹100克，芫荽、葱、熟油、胡椒粉、盐或酱油各适量。

制法：洗净白米，待4000克水煮沸后加入，腐竹、花生仁也放下锅同煮；光鸭洗净，滤干水分，放入油锅内煎爆至香，铲起加入粥内同煮。煮至鸭酥烂时捞出，待稍凉斩成小块，放回粥锅内。吃时加盐或酱油、熟油、芫荽、葱粒和胡椒粉。

火鸭粥

原料：白米250克，烧鸭（半只）750克，碎瑶柱25克，芫荽、葱适量，熟油、酱油少许。

制法: 瑶柱用温水浸软,撕开。把米洗净。将3500克水煮沸后,下米与瑶柱同煮;起净烧鸭肉,切小片,鸭骨放入粥内同煮,用微火熬三十分钟,粥将煮好;粥煮好时放入鸭肉片,等再煮开即可食用。吃时可加芫荽、葱、熟油和酱油。

金银鸭粥

原料: 光鸭1只(约1000克),烧鸭半只(700克),白米200克,陈皮1块,芫荽、葱、香油、胡椒粉、酱油(或盐)各适量。

制法: 把陈皮洗净,放入2800克清水的粥锅内;米用水浸过洗净,水沸时,放米下锅煮;烧鸭取肉,把鸭骨放入粥锅内同煮。光鸭洗过,放入文火油锅内煎香,注入适量清水。鸭熟,取肉,鸭骨和鸭汤放入粥内;光鸭肉撕成丝条,用熟油、香油、胡椒粉搅拌一遍,烧鸭肉也撕成丝状;微火熬三十分钟,粥煮好后,先将鸭骨捞出,将鸭丝加入粥内,再煮开时,调味。吃时撒下盐或酱油、芫荽、葱粒和油条,更为可口。

冬瓜鸭粥

原料: 白米300克,光鸭1只(1000克),瑶柱25克,冬瓜500克,鲜莲叶半张,陈皮1块,冬菇5个,葱、姜、酱油、熟油各适量。

制法: 冬瓜去皮洗净,切厚块。瑶柱用温水浸软,撕开;把白米洗净,待4000克水煮沸后放入,冬菇、冬瓜、鲜莲叶、陈皮及瑶柱也放入;光鸭在油镬内煎爆至香,铲出,加于粥内同煮。鸭够烂时捞出切块,用葱花、姜蓉、酱油、熟油调味与粥同时上桌。

水姜鸭粥

原料: 糯米300克,鸭肉600克,瘦猪肉100克,嫩姜20克,白糖25克,冬菜50克,韭菜花25克,胡椒粉、味精、酱油各适量。

制法:糯米先浸三十分钟,瘦肉切薄片,嫩姜切丝,韭菜花切成3厘米长的段。把锅放在旺火上,加入750克水,酱油、白糖煮沸,放入鸭肉改用中火卤熟捞起,稍冷后斩成3厘米长的丁块,卤鸭汁留用。煮锅放在旺火上,加入500克水煮沸后,下糯米、卤鸭汁150克及冬菜。待水沸时用铁勺顺锅边搅动。煮十分钟时,加入猪肉片、卤鸭肉同煮,调入味精,然后用微火煮,约十五分钟。食时可加上嫩姜丝、韭菜花和胡椒粉。

鸭羹粥

原料:鸭肉脯300克,火腿肉50克,水发香菇3个,料酒5克,清汤300克,虾米10克,花生仁100克,糯米100克,精盐5克。

制法:将鸭脯肉切成小丁块,放在沸水中立即捞出放在碗内,加料酒、清汤搅匀,然后放在蒸笼中蒸一小时,取出蒸汁和鸭丁备用。将火腿肉、香菇切成同鸭肉一样大小的丁块。糯米浸透洗净放入锅中,加入火腿、香菇、虾米、花生仁、精盐。倒入鸭胸蒸汁和1000克水,沸后用文火煮二十分钟。再把鸭肉丁块放在羹上即成。

腊鸭头菜干粥

原料:米300克,瘦肉150克,腊鸭头颈250克,芫荽少许,白菜干100克,葱少许。

制法:温水洗过腊鸭头颈,斩开。菜干浸透,洗净切段。

瘦肉整块洗净。洗净米,等4000克水沸后放入米、鸭头颈、菜干、瘦肉一起同煮。约煮三十分钟,粥煮好,捞出瘦肉,切开后放回粥内,再加盐、味精调味。食时可加入芫荽、葱粒。

猪骨粥

原料:米 150 克,骨排 250 克,盐适量,葱花适量,味精适量。

制法:洗净骨排,斩成块状,使骨髓渗出;锅内盛冷水 2000 克,放入猪骨,煮沸后再用文火熬一小时,然后将骨头滤去;加入白米,水沸后再文火烧三十分钟,粥成后再加入盐、葱花及味精。

花生柴鱼猪骨粥

原料:白米 300 克,柴鱼 150 克,猪骨 500 克,花生仁 100 克,冲菜 2 片,芫荽、葱、姜片适量。

制法:猪骨(脊骨或排骨)斩成小块,加姜片与花生仁一同下锅,加 4000 克水先煮;米洗净,待锅内水沸后放入;柴鱼肉洗净,斩成小段,放入油锅内稍炒过,待粥用小火煮三十分钟至将好时,加入炒香的柴鱼肉一起煮。食用时可撒下冲菜粒、芫荽(香菜)及葱粒。

鲜陈肫粥

原料:米 300 克,瘦肉 250 克,腊鸭肫 3 个,鲜鸭肫 3 个;芫荽少许,葱少许,盐适量。

制法:洗净白米,以少许盐腌拌之,锅内盛 4000 克水,烧开后放入米煮;鲜、腊鸭肫,瘦肉洗净后放入粥内同煮;文火煮二十分钟粥煮好,捞出鸭肫和瘦肉切成小片后,再放回粥内,煮沸即可食。吃时撒些芫荽、葱粒等。

皮蛋排骨粥

原料:白米250克,排骨500克,皮蛋1只,花生仁100克,冲菜(头菜)1块,葱粒少许,盐适量。

制法:排骨洗净后,切成小块,先用盐腌数小时,放入沸水(约3500克)锅内先煮;水煮开时,将洗过的米连同花生仁一起下锅;皮蛋去壳,弄净切粒,待粥用文火熬三十分钟煮好时放入,调味后即可食。吃时可加冲菜粒与葱粒。

肉丸粥

原料:米200克,猪肉末400克,葱末20-30克,料酒10克,酱油10克,盐5克,淀粉少量。

制法:除米外,把肉末、葱、酒、酱油、盐和淀粉全部混合,用力搅拌至产生粘性,然后把猪肉末混合物搓成直径2-3厘米的丸子。米洗净,放入2800克沸水中先煮;等粥在文火上煮二十五分钟,放入肉丸,待肉煮熟即可食用。

叉烧皮蛋粥

原料:白米250克,蚝豉100克,皮蛋1只,叉烧肉300克,盐适量。

制法:米洗净,用少许盐腌拌,等锅内3500克水沸滚时下米先煮;蚝豉用水浸开,洗净,加入粥内同煮;皮蛋去壳,弄净切粒,等粥约煮三十分钟将煮好时放入,粥煮好再入叉烧粒,再煮两分钟,可以食用。

白果猪小肚粥

原料:米 250 克,腐竹 100 克,猪小肚 10 个,白果 150 克,荸荠 4 个,盐、油、葱各适量。

制法:米先洗净,用少许盐腌拌,锅内放 3500 克清水煮开时加米;白果去壳、去衣及去心,荸荠去皮切片,腐竹弄碎,同放入粥内煮。猪小肚除去油脂,剖开,用少许盐、淀粉揉搓后,冲洗干净,然后放在沸水内烫一烫,捞出放在清水中洗过,切小件,放入粥内煮,约煮三十分钟。食用时可撒些葱粒。

狗仔粥

原料:糯米粉 1500 克,米饭 1000 克,虾米 150 克,冬菇 50 克,腊肉 150 克,瘦肉 200 克,花生仁 150 克,韭菜 400 克,猪油、盐、淀粉、味精酱油、胡椒粉各适量。

制法:虾米洗净,浸开;冬菇浸开,去蒂切成条,加水 3500 克,放锅内先煮;瘦肉切丝,下适量生粉、盐拌过后放入锅内同煮;腊肉切成小片,放入锅中汤内;花生仁放在另一锅内炒香;韭菜洗净,切成 2 厘米长;米饭放入盆内,搅成糊状,再加入糯米粉;少许清水及 10 克精盐和 20 克食油拌搓成粉团;将粉团放入煮好的汤内;锅内汤烧开后,加入盐、猪油、胡椒粉、味精调味。临吃前下韭菜并稍煮,上碗供食时再撒上炒香的花生仁。

美味火腿粥

原料:米 250 克,火腿 150 克,精盐适量,葱花少许,胡椒粉少许。

制法:将火腿上黑黄色表面用刀削刬,去皮,切碎,备用;米洗净,放入锅内,加水3500克,水沸后旺火煮十分钟,再入火腿,然后用文火煨约二十分钟即成。食用时可加精盐、葱花或胡椒粉适量。

及第粥

原料:白米250克,碎瑶柱(干贝)25克,鲜猪肝100克,鲜粉肠250克,猪腰200克,猪心200克,肥瘦猪肉150克,盐适量,淀粉少许。

制法:米洗净,以少许盐腌拌,锅内放入3500克水,煮沸后米同瑶柱同放下煮;猪粉肠洗净,放入粥锅同煮至烂,取出切段。猪肝洗净切片,猪腰、猪心剖开,切除白筋,洗净切片备用;猪肉肥瘦切开,切碎剁烂,下少许淀粉,搓成小肉丸;粥煮好后,放入粉肠段、猪肝片、猪腰、猪心片、小肉丸。滚熟后,调味即成。食时再加熟咸蛋粒或油条小段更为可口。

淮山瘦肉粥

原料:白米200克,瘦肉300克,芡实50克,淮山药150克,葱料少许,精盐适量。

制法:米洗净,用少许盐腌拌,放入2800克沸水中先熬粥;淮山、芡实用水稍浸过,瘦肉洗净切成小块,放入粥内同煮,约三十分钟后加盐调味即可食用。

蚝鼓皮蛋粥

原料:白米300克,蚝豉100克,皮蛋2只,瘦肉400克,盐适量。

制法:先将瘦肉用盐腌一个晚上;米洗净,撒拌少许盐,放入4000克沸水内先煮;蚝豉浸开,洗净,连同清水洗过的瘦肉放入粥锅内同煮。瘦肉煮烂时捞出。加入切成小粒的皮蛋同煮。瘦肉撕成丝条。煮粥约三十分钟后,放入肉丝,调味后可食用。

猪红粥

原料:白米 250 克,猪血 1000 克,瑶柱(干贝)25 克,腐竹 100 克,酱油、葱、胡椒粉各适量。

制法:米洗净,滤干水,以少许盐腌拌,放入 3500 克沸水中先煮,同时放入腐竹及瑶柱;猪血切件,放入清水中泡过;粥煮三十分钟后放入猪血,待锅再煮开时调味即可食用。吃时撒下葱花及胡椒粉,另可加油条小段或熟蛋碎粒同食。

芽菜牛肉粥

原料:白米 300 克,大豆芽 1000 克,牛肉 300 克,盐、糖、芫荽、葱、姜片、酱油、淀粉各适量。

制法:米洗净,滤干水,以盐腌拌,待 4000 克水煮开后下米先煮;大豆芽洗净滤干水后,用热锅加油及姜片,将芽菜炒香放入粥中煮透;牛肉剁烂,用淀粉、盐、糖、酱油适量拌匀,搓成丸子;粥煮三十分钟时调味,下牛肉丸,待锅内粥再沸时即成。吃时可加芫荽粒、葱花、胡椒粉等。

牛肉蓉粥

原料:白米 300 克,牛肉 600 克,干米粉 100 克,冲菜 2 片,芫荽、葱、盐、糖、酱油、淀粉各适量,陈皮 1 片,食油适量。

制法:米洗净,以少许盐腌拌,待锅内 4000 克水沸后先下米和陈皮同煮;牛肉洗净切碎、剁烂成蓉,并用适量淀粉、盐、糖、油、酱油拌匀;米粉用烧开的油炸香,捞起备用;粥煮二十五分钟后,净牛肉蓉下锅,待再煮沸时即成。上碗时加芫荽、葱粒、冲菜粒和炸香的米粉。

滑牛肉粥

原料:白米300克,牛肉600克,干米粉100克,冲菜(头菜)2片,芫荽、葱、姜各适量,陈皮1片。

制法:白米洗净,用盐稍加腌拌,等锅内4000克水沸时下米和陈皮先煮。牛肉切薄片,用少许苏打粉,适量的盐、糖、淀粉、酱油和少许清水,拌匀腌牛肉片;粥用文火煮二十五分钟后,放入牛肉片搅散,待再滚起时即成。吃时可加熟油,炸香米粉、冲菜粒、芫荽、葱粒、姜丝等。

牛肚粥

原料:米250克,牛肚1个,姜数片,盐适量。

制法:米洗净,待锅内3500克水煮沸时下米先煮;牛肚用盐刷净后,用清水洗净,加姜数片,整个牛肚入锅煮烂。锅内粥约用二十五分钟煮好,取出牛草肚,切件,再放回粥内,待滚开即成。

注:本粥品有健胃作用。

牛杂粥

原料:米300克,牛肉100克,牛肝100克,牛大肠400克,牛肚250克,牛胰(膀)150克,牛心100克,米粉100克,姜丝、芫荽、葱各适量。

制法:米洗净,以少许盐腌拌,锅内4000克水煮沸时下米先煮;牛肚、牛大肠、牛膀洗净,放入粥内煮烂;牛肝、牛心、牛肉切片,待粥用文火煮二十五分钟后再放下滚熟,即成。用沸油把米粉炸香;吃时可加炸香米粉、姜丝、芫荽和葱。

羊肉粥

原料:米 300 克,羊肉 600 克,胡椒粉适量、酱油、葱花各适量。

制法:先烧白汤羊肉,烧好后将羊肉捞出冷却;煮粥时用水 1000 克,大滚五分钟后加入羊肉汤,再煮二十分钟即成。粥内加酱油、葱花、胡椒粉拌匀,羊肉切成片,另盛碟内。

生鱼粥

原料:白米 300 克,花生仁 100 克,生鱼 1000 克,冲菜(头菜)1 片,芫荽适量,葱、酱油、生油、盐、糖各适量。

制法:把米洗净,以盐稍腌。待 4000 克水煮沸后,加入米与花生仁一起先煮;将生鱼去背刺及鳍,除去内脏,洗净,滤干水,用少许生油、盐、酱油和糖拌匀;粥煮约三十分钟好后,调味,放入拌好的生鱼片煮熟即可吃。食时可撒下冲菜粒、芫荽和葱花。

泥鯭鱼蓉粥

原料:白米 300 克,鲜活泥鯭鱼 1250 克,冲菜 1 片,芫荽、熟油、酱油各适量,胡椒粉少许,葱适量。

制法:白米洗净,以盐稍腌,4000 克水煮沸后下米煮粥;泥鲑鱼去背刺及鳍,去掉内脏,洗净,滤干水,下油锅煎香,随即倒入 400 克清水,将泥鯭鱼烩熟;取出泥鳐鱼拆肉,鱼骨放回锅内熬汤,熬好的鱼汤倒入粥内同煮;泥鯭鱼肉用少许熟油、酱油拌匀。粥约煮三十分钟时调味,然后放入泥鯭鱼肉再煮开一下。吃时放入冲菜粒、芫荽、葱花和胡椒粉。

生菜鲮鱼蓉粥

原料:白米250克,瘦肉250克,鲜鲮鱼500克,生菜(莴苣)500克,大头菜1片,干草菇50克,芫荽、葱、胡椒粉、生油各适量。

制法:洗净白米,用少许生油、盐拌匀,待3500克水沸时下米先煮;瘦猪肉加盐稍腌,粥滚后放下;草菇洗净浸透,将草菇连浸汁加入粥内;把鲮鱼洗净,起肉,鱼头、脊骨先煎香,熬汁倒入粥内。鱼背肉切薄片,用姜汁、酱油、香油、胡椒粉、料酒拌匀稍腌一会儿,放粥内稍煮。猪肉熬熟后,捞起,撕成细小肉丝,放回粥内;把生菜洗净,切成细丝,用少许盐腌软,滤去水分,放入碗内,用熟油淋之。另加入姜丝,放入粥内,待再煮开,盛入生菜碗内。吃时可加芫荽、葱、胡椒和冲菜粒。

大眼鱼蓉粥

原料:大米300克,大眼鱼1250克,冲菜1片,姜丝少许,芫荽、葱、熟油、酱油各适量。

制法:米洗净,用少许盐拌匀,4000克水煮沸后放下米先煮;大眼鱼(剥皮鱼)剥去外皮,去掉内脏,洗净用盐腌过,放入热油内煎香。注入400克清水,将鱼熬熟,取起拆出鱼肉,余下鱼骨入回汤内再煮。鱼汤倒入粥内同煮;鱼肉用少许熟油、酱油拌匀;粥约煮三十分钟后,调味,放入鱼蓉再煮沸即成。吃时可加冲菜粒、芫荽、葱料即成。

鲮鱼蓉粥

原料:米300克,鲮鱼肉1000克,香菇100克,海蜇100克,芫荽、葱、姜各适量。

制法：把白米洗净，用盐稍腌，待4000克水煮沸后放入锅内煮粥；鲮鱼肉切薄片，香菇切粒，海蜇洗净后切细丝，生姜切丝；粥约煮二十分钟，至米开花状时，把鱼肉片、香菇、海蜇、姜丝下锅，煮至鱼肉糜烂。食时加姜丝、芫荽等。

生菜鲮鱼球粥

原料：白米250克，鲜活鲮鱼1000克，生菜1000克，冲菜1片，芫荽适量，葱适量，胡椒粉少许，熟油少许。

制法：洗净白米，用少许盐腌拌匀，等3500克水煮沸时下米先煮；鲮鱼起净肉，洗净，切薄片，再剁烂，下少许淀粉、细盐拌成胶状；生菜洗净，切细丝，用少许生油、盐腌拌，挤去菜水；粥约用小火煮三十分钟煮熟，将鱼胶弄成小鱼丸，放入粥内，调味，放入生菜，再下熟油，等粥滚起时即好。食时可加芫荽、葱粒、冲菜粒等。

黄花鱼蓉粥

原料：米300克，黄花鱼1尾1250克，姜丝、芫荽、葱、熟油、酱油各适量。

制法：把米洗净，用盐腌拌，待4000克水沸后放入锅内先煮；把黄花鱼去鳞刮净，用盐腌拌，放热油入锅内煎至两面焦黄时，放入400克清水，将鱼烩熟，拆鱼肉，鱼骨放回锅内熬汤，熬好的鱼汤倒入粥内煮；鱼蓉用熟油、酱油拌匀；粥用小火约煮三十分钟后调味，放入鱼蓉，待粥再煮开时即可吃。食时加姜丝、芫荽和葱粒。

鱼片猪红粥

原料：白米200克，猪红1000克，鲩鱼肉300克，瑶柱25克，腐竹50克，酱油、姜丝、葱花、胡椒粉各适量。

制法:把白米洗净,用少许盐、油拌匀。待2500克水煮沸后,加入米、腐竹、瑶柱同煮;把猪红洗净,用刀削去上层浮沫和下层的沉淀,切成小方块;鲩鱼肉切成薄片,用酱油、姜丝拌匀;粥约煮三十分钟时,将猪红、姜丝放入,用盐调味,煮开时放入鲩鱼片,待再煮开时即可食用。吃时可加入油条、咸蛋散、胡椒粉、葱花等。

鲩鱼肠粥

原料:米300克,瑶柱25克,芫荽、葱适量,红枣3粒,腐竹100克,鲩鱼肠150克,白醋100克,胡椒粉、香油适量,油条2根。

制法:把米洗净,用盐拌腌。瑶柱用温水浸开,撕成细丝。腐竹浸软。待4000克水煮沸时,加入米、瑶柱、腐竹、红枣同煮;鱼肠洗净,用醋腌十分钟左右,然后用清水将醋味洗净;粥约煮三十分钟时,下鱼肠,加盐调味,煮开约十多秒钟即可;粥好后把切碎的油条与芫荽、葱等放在粥面上即可食用。

塘虱粥

原料:塘虱1尾,白米200克,瑶柱25克,盐适量,姜丝、葱丝、酱油各少许,生油适量。

制法:把米洗净,滤干水,加少许盐、生油拌腌。瑶柱浸开,撕成细条。待2800克水煮沸时,放入米、瑶柱先煮;用干布抹净塘虱体外粘液,去内脏,用利刀起出鱼肉,切片,加入酱油、熟油拌匀;粥约煮三十分钟时,下鱼片,拌匀,食时可加葱、姜丝等。

什锦鱼球粥

原料:白米250克,瑶柱25克,鲜活鲮鱼1尾,火腿150克,生菜500克,粉丝50克、油、淀粉、盐各适量。

制法：把白米洗净，用少许盐腌拌，待3500克水煮沸后，下米先煮；瑶柱浸开，撕成细条，待粥用小火煮三十分钟时放入粥内；鲮鱼起净肉，洗净切成薄片，剁成蓉，加淀粉、味精和少许葱拌成胶状；火腿切成细丝。生菜洗净，切细丝，用少许生油、盐腌拌，并挤干菜水，粉丝用滚油炸香待用；粥煮好时，将鱼胶弄成小鱼丸放入粥内，加盐调味，加入生菜后，待再煮时，即放火腿丝拌匀。吃时可加炸香之粉丝。

鲜鱼片粥

原料：白米250克，碎瑶柱25克，鲩鱼肉500克，姜丝少许、熟油、酱油、胡椒粉、芫荽各少许。

制法：白米洗净，滤干水，用少许盐腌拌，瑶柱浸开，撕细条，待3500克水煮沸时，下米与瑶柱同煮；鲩鱼肉洗净切薄片，用酱油、盐、生油、姜丝等拌匀；待粥用小火煮三十分钟时，加盐调味，再下鱼片，待粥再滚起，鱼熟即成。

艇仔粥

原料：白米300克，瑶柱25克，烧鸭250克，花生仁150克，鱿鱼150克，沙爆猪皮100克，猪肚1个，米粉100克，盐适量。

制法：把米洗净，用少许盐腌拌，瑶柱浸开，撕成细条，待4000克水煮沸后，米和瑶柱同入锅煮；以食用碱浸泡鱿鱼，使之泡透，洗净切丝；浸发猪皮，洗净，切丝条，放入开水中煮烂；烧鸭斩小条；猪肚洗净，放入粥内同煮烂；花生去衣，放在沸水中，立即捞起，滤干。再放入滚油内，炸至呈金黄色捞起；米粉用沸油炸香；粥约煮三十分钟左右时用盐调味，鱿鱼丝用开水烫过，猪皮丝、鸭条、花生仁、炸米粉放在碗中，吃时盛入正煮开的粥，再加熟油、酱油、葱粒即可食用。

虾球粥

原料：白米 250 克，鲜虾 500 克，瑶柱 25 克，芫荽、葱、淀粉、酱油、生油、盐各适量。

制法：把米洗净，待 3500 克水烧开后连用瑶柱放入；虾去壳，取出黑肠，然后加 15 克砂糖、5 克盐，腌拌二十分钟。洗净，滤干水，用淀粉、生油、酱油、盐拌匀；待粥用小火煮三十分钟左右后，放入虾肉再煮开，用盐调味。吃时撒下芫荽和葱粒。

田鸡粥

原料：白米 250 克，田鸡 600 克，姜几片，芫荽、葱、盐、油、淀粉各适量。

制法：洗净米，用少许盐腌拌，待 3500 克水沸起，下米先煮；田鸡剖开除去内脏，洗净斩件，加姜片、淀粉、盐、油拌匀；约用小火煮粥三十分钟左右，下田鸡件，用盐调味，再烧开时即成。吃时可加芫荽、葱粒。

生滚鲜鱿粥

原料：白米 200 克，鲜鱿鱼 500 克，瑶柱 25 克，姜丝 25 克，胡椒粉适量，腐竹 50 克，芫荽、葱、盐各适量。

制法：白米洗净，待 2800 克水煮沸后连同瑶柱、腐竹放入水中煮；鲜鱿鱼剖开洗净；待粥用文火约煮三十分钟后，投入鱿鱼，等粥再煮开时，即离火，以盐调味；吃时加姜丝、芫荽、葱花、胡椒粉等。

生滚带子粥

原料: 白米200克,鲜带子肉(扇贝)250克,腐竹50克,葱、酱油、姜丝、胡椒粉、盐各适量。

制法: 白米洗净,腐竹浸软,弄碎;待2800克水煮沸时放入米和腐竹;将带子肉横切成片,用少许生油、盐、酱油拌匀;待粥约煮三十分钟左右时,下带子肉拌匀,等粥再煮沸时用盐调味,撒下姜丝即离火。吃时加葱花和胡椒粉。

海蛇肉粥

原料: 活海蛇(扁尾蛇)1条,白米300克,瘦肉150克,姜100克,酱油、盐适量。

制法: 海蛇置盆中,用开水烫死,剖开除去内脏,洗净,放入4000克沸水锅内,加姜片,煮约三小时;把蛇取出,放入米及瘦肉同煮;蛇肉拆丝;待粥用小火煮三十分钟以后,捞出瘦肉,撕成肉丝,与蛇肉一起放入粥内,用盐调味,待再煮开时即可食用。

蚝粥

原料: 糯米250克,蚝肉250克,熟鱼肉100克,熟猪肉50克,骨汤3000克,胡椒粉适量,大蒜50克,姜、酱油、味精、花生油适量。

制法: 把糯米洗净,浸泡1小时。蚝肉洗净,滤干。鱼肉去骨撕碎。熟猪肉切丝。大蒜切成细丝;糯米放在笼屉上蒸熟。锅放在旺火上,下花生油烧热。姜块拍松下锅,熬十五分钟后取出。加入骨汤,烧沸后倒入蒸熟的糯米、蚝肉、肉丝、鱼肉、酱油、味精煮沸即端锅离火。放入碗内前在粥面上撒上胡椒粉、蒜丝。

蚝仔粥

原料:糯米300克,鲜蚝1250克,猪五花肉150,酱油、熟猪油、大蒜、干葱头、味精、胡椒粉各适量。

制法:把糯米洗净,浸三十分钟。鲜蚝洗净去壳。猪五花肉切薄片。葱头切粒。鲜大蒜切斜段。锅放在旺火上,下猪油烧热,放入葱头煸至金黄色捞起。加水3000克煮沸,放入糯米煮沸,再加入蚝肉、五花肉煮沸后,用铁勺顺锅边将物料搅动翻匀。约煮二十分钟时,加入酱油、味精,用微火保温十分钟。食时撒上葱头粒、油、鲜蒜、胡椒粉。

生蚝芹菜粥

原料:米200克,生蚝300克,芹菜150克,鸡蛋1个,盐、料酒、姜末、淀粉各适量。

制法:把生蚝洗净,滤干水分,放入碗中,加盐、料酒、姜末和淀粉拌匀;芹菜去根、叶后,用嫩绿茎的部分切丝,置放冰箱中;把米洗净,待2800克水煮沸后放入锅内;待粥约煮三十分钟后,将打匀的鸡蛋与生蚝调匀,然后倒入粥锅内,搅动,至粥滚开时,再下芹菜丝,加生油少许,再烧开即可起碗。

蚪仔粥

原料:海蚪1只,碎猪肉100克,米100克,芹菜150克,红葱头少许。

制法:把鲟仔烫熟,取肉。把米洗净备用;肉放入锅内与切碎芹菜同炒,半熟取出,将蚪肉及米一同放进锅里,加1000克水,用文火煮半小时即可食用。

小蛤粥

原料:米200克,小蛤(蛤蜊)250克,蒜头少许。

制法:把米洗净,加1000克水,煮沸;蒜头切片,入油镬炒香,然后放蛤,稍加快炒,然后放入粥锅内,煮十五分钟即可。

米沙粥

原料:米250克,生油50克。

制法:洗净白米,用清水浸两小时,使米膨胀;把米放入搅拌机内搅至半烂,成米沙状。清水3500克放锅内煮沸,即放入米沙,同时注入生油煮至半烂,米"开花"即可食用。

明火白果粥

原料:米250克,白果150克,腐竹50克,酱油10克,盐5克,麦片20克。

制法:洗净米,用少许盐拌匀;白果去壳,切开,去掉果中白心。腐竹浸软,弄碎;清水3500克放入锅内,旺火煮沸后,下米、白果和腐竹同煮;煮半小时后,用纱布包住麦片,放进粥锅里再煮半小时;粥煮好后,取出麦片渣包,此时粥像牛奶般洁白,并有腐竹香味。

芋头粥

原料:米250克,去皮芋头300克,猪肉150克,冬菇4只,虾米25克,料酒10克,盐5克,香油3克,胡椒粉少许。

制法:把米洗净,用少许盐腌拌。烧水3500克,煮开后放入米,再煮开后改用微火;芋头、冬菇切成1.5厘米丁方,猪肉切为碎粒,虾米浸软;芋头先在开水中烫一下,然后放入粥中同煮;用油起锅,爆炒葱、虾米、冬菇和肉粒取出。待米煮二十五分钟后,将各料放入粥内,再煮五分钟,然后放入料酒、盐、香油和胡椒粉调味。

香芋粥

原料:米350克,腐竹100克,香芋1000克,瘦肉400克,葱100克,盐适量。

制法:把米洗净,用少许盐拌匀。腐竹浸软。将4800克水煮开后,放入米和腐竹同煮;刮去香芋外皮,原个洗净;把瘦肉洗净,切成小片,用5克淀粉和3克盐腌拌;粥煮三十分钟快好时,放入香芋、瘦肉同煮,煮五分钟后即熟,食用时撒下葱花。

白薯粥

原料:白米200克,鸡肉粒150克,荸荠4个,青豆50克,红萝卜50克,虾米50克,蒜头3个,白薯400克。

制法:各物洗净,荸荠去皮切成粒,白薯切粒,虾米浸软,蒜头捣碎;用蒜蓉起镬,爆香虾米。待2800克水煮沸后放入米、虾米、鸡肉粒、白薯和红萝卜同煮,约煮三十分钟后,粥内加入青豆及荸荠,再煮开一会,用盐、胡椒粉、味精调味即可食用。

牛奶白米粥

原料:白米100克,牛奶300克,砂糖100克,黄油10克。

制法:把白米洗净,放入锅内,加水2800克左右;用旺火煮二十分钟后,再加入牛奶、砂糖、黄油,再大约煮五分钟煮到半烂即成此粥。

牛奶麦片粥

原料:麦片100克,牛奶300克,砂糖100克,黄油10克,盐适量。

制法:放麦片入锅内,加250克水泡半小时;用旺火烧开麦片锅后,放入牛奶,再煮十秒钟下砂糖、黄油,煮二十分钟至麦片已烂,即可盛碗。

菜干粥

原料:白米150克,盐少许,菜干100克。

制法:把米洗净,以盐腌拌,待水2000克煮沸后放入米煮;把菜干浸软,洗净,切成3厘米长的段,与米同放在锅内煮,用小火煮约三十分钟后即可食用。

南瓜粥

原料:南瓜2500克,油少许,米25克,盐少许。

制法:南瓜去皮,洗净,切成块;米洗净,用少许油、盐腌拌,待500克水煮沸后下米与南瓜块同煮,约三十分钟至熟,即可吃。

花生糯米粥

原料:糯米600克,花生仁100克,片糖500克,湿淀粉50克。

制法:把糯米用清水浸两小时洗净,滤干。花生仁用沸水烫去皮,放入清水锅中煮熟;把锅放在旺火上,放入片糖,加些清水熬化后,滤去浮沫杂质,然后倒入糯米、花生仁和2800克水,烧沸后再滤去杂质浮沫,待煮约二十五分钟时用湿淀粉打芡,再用小火煮约五分钟即可吃。

红枣糯米粥

原料:大红枣15枚,糯米100克,砂糖300克。

制法:把红枣洗净,放入装有400克水的小锅,红枣煮烂后捞起,去枣皮和核,将枣肉放入碗内,用匙羹压成枣泥;糯米用清水洗净,用水浸十五分钟;在煮过红枣的水内加入1000克水,烧沸,下米,约煮二十五分钟糯米爆开时,将枣泥和糖一起加入,搅匀,粥再煮开便可上碗。

糯米麦粥

原料:糯米150克,花生仁100克,麦米100克,冰糖750克。

制法:把麦米、花生仁洗净,一起放入盛有3500克水的锅内先煮;待麦粒煮至将爆开时,加入糯米,烧沸后,再用小火煮三十分钟左右,再加冰糖,待粥再煮沸即可食用。

合味粥

原料:米250克,枣250克,栗子250克,莲子250克,青菜300克,慈菇300克,芋头250克,片糖250克。

制法:把枣洗净,栗子去壳及衣皮,莲子去皮去芯;青菜洗净后,只取菜芯,切碎。慈菇和芋头去皮后洗净,切成小块;将菜心放入烧开素油的锅内,略加盐,炒一下备用;米放入盛有3500克水的锅内,煮开十分钟后,加枣、栗子、莲子及菜心、慈菇、芋头,搅匀,再大滚五分钟后,改用文火,熬至米粒开花,干果和菜煮烂即成。粥面上可撒上片糖碎末。

甜藕粥

原料:糯米200克,嫩藕600克,白糖250克,桂花酱少许。

制法:糯米淘净后备用;藕洗净去节,用刀刨成浆,去渣留汁;将藕汁和糯米一起倒入锅内并加水2800克,加盖烧煮,熟透后加入白糖、桂花酱,再煮沸,即可食。

八宝粥

原料:米150克,芡实5克,薏米5克,白扁豆5克,莲子5克,淮山5克,红枣5克,桂圆5克,百合5克,冰糖适量。

制法:把上述各料洗净放入锅内,加水2100克,煮四十分钟;再加入米,继续煮,待米烂即成粥。食时加适量冰糖。

莲子粥

原料:糯米250克,干莲子150克,青梅50克,核桃仁50克,小枣75克,瓜子仁25克,海棠脯75克,白葡萄干50克,瓜条50克,金糕75克,糖桂花50克,白糖150克。

制法:将糯米淘洗净,放入盛3500克水的锅中,在旺火上煮沸后,改用微火煮约三十分钟。要用汤勺旋搅几次,以防糯米粘锅底。待煮至粘稠时,盛在小碗内;莲子去皮,逐个切去两端,去芯,放在凉水盆中,上笼屉蒸三十分钟后备用;青梅切细丝。核桃仁用开水泡开,削去黄皮,切成块。瓜条切成小片。小枣用温水浸泡一小时,洗净后上笼蒸三十分钟。瓜子仁用清水洗后滤干。海棠脯切成圆薄片。白葡萄干用温水泡涨洗净,金糕切成黄豆大的丁;将莲子、青梅等果料按照一定图形花纹分别摆在糯米粥上,浇上糖桂花汁,放入冰箱内冷却。白糖加水,用微火熬成糖汁,也放入冰箱内冷却。吃时,将糖汁浇在八宝莲子粥上。

竹蔗茅根马蹄粥

原料:竹蔗300克,干茅根25克,米100克,马蹄(荸荠)4个,冰糖500克。

制法:把竹蔗洗净,削去外皮,截段;茅根和马蹄洗净;把竹蔗茅根和去皮的马蹄放入锅中,加1500克水,煮沸;水沸后放下米,约煮三十分钟左右。粥煮好后加冰糖调味。

豌豆大麦粥

原料:麦米250克,豌豆100克,片糖250克。

制法:把麦米、豌豆洗净,放入锅内;加3500克水,旺火烧沸后撇去浮沫,改用微火熬一小时,熬时要不断地用汤勺搅动,以防麦米粘锅底。熬至麦米开花、豌豆熟烂时即可。吃时,将片糖放入粥内即可。

百合莲子绿豆粥

原料:百合50克,莲子50克,绿豆200克,白米100克,片糖1000克,陈皮1片。

制法:百合用清水浸泡备用。莲子浸开,去衣;绿豆、米洗净;陈皮浸软,刮洗净;待2000克水煮沸后,加入莲子、绿豆、米和陈皮。约三十分钟后粥将煮好时,放入百合,用片糖调味,待再煮沸时即可食用。

红豆粥

原料:红豆200克,花生仁100克,白米100克,陈皮少许,砂糖800克。

制法:将红豆内混有的杂质除去,洗净;把花生、米洗净,陈皮浸软;待3500克水煮沸后放入以上各料,煮沸后,用微火再煮四十五分钟,各物熟透时,用砂糖调味。

五色粥

原料:绿豆50克,赤豆100克,眉豆50克,赤小豆50克,白米100克,陈皮1小片,片糖100克。

制法:除去豆中杂质,洗净浸水备用;把米洗净。陈皮浸软,洗干净;待水4000克煮沸后放入豆、米及陈皮,约二十五分钟后煮烂;用片糖调味,待粥再煮沸即可食用。

海带绿豆粥

原料:白米100克,海带75克,绿豆150克,片糖750克。

制法:把海带洗净、浸透;洗净绿豆、米;待3500克水煮沸后,加入米、海带和绿豆,约二十五分钟即煮透,加糖调味。

眉豆粥

原料:眉豆200克,白米100克,冰糖800克,陈皮1片。

制法:除去杂质,洗净眉豆,用清水浸着;把米洗净。陈皮浸软,刮洗净;待锅内4000克水沸时,放入米、眉豆和陈皮,煮透。食前用冰糖调味。

乳粥

原料:牛乳或羊乳适量,白糖少许。

制法:先将粳米放入砂锅内,加入适量的水,用大火煮沸后,改用小火煮十五分钟。待煮至半熟时去米汤,再加乳汁,白糖煮成粥。

甘蔗粥

原料:甘蔗汁100-150毫升,粳米50-100克。

制法:用新鲜甘蔗,榨取汁约100-150毫升,加水适量,同粳米一起煮三十分钟即成粥。

冬瓜粥

原料:新鲜连皮冬瓜80-100克(或干冬瓜子10-15克,新鲜冬瓜子30克),粳米适量,水适量。

制法:先将冬瓜洗净,切成小块。同粳米和水一起放入砂锅内,用大火煮沸,后改用小火煮三十分钟即成。或将冬瓜子放入砂锅内,加水煎汁,去渣。然后同米一起煮成粥。

真君粥

原料:杏子5-10枚,粳米50-100克,冰糖适量,水700-1400克。

制法:选用熟杏子,洗净后放入砂锅内,加水煮烂去核。另将粳米和水放入砂锅内,用大火煮沸,后改用小火煮三十分钟。待粥将成时,加入杏子肉、冰糖同煮成粥。

芋头粥

原料:芋头60-90克,砂糖适量,粳米100-150克,水1400-2100克。

制法:将新鲜芋头洗净,去皮,切成小块。然后将芋头块、粳米一起放入砂锅内,加水,用大火煮沸,后改用小火煮三十分钟,粥成后加入砂糖稍煮片刻,即可食用。

甜露品烹饪法

鲜奶甜橙露

原料:甜橙 5 个,鲜奶 500 克,开水 1000 克,白糖 450 克,湿淀粉 75 克。

制法:先将甜橙用刀削去皮(削至看见橙肉)后,用刀将橙肉逐件铲出,用碗盛着,弃掉橙核候用,注开水在镬中,放入白糖,待糖溶解后加入鲜奶,待微滚,用湿淀粉打芡,把橙肉加入后迅速把镬中橙露倒在汤窝中便成。

莲子蛋茶

原料:鸡蛋 12 只,洗干净莲子 72 粒,浓六安茶 12 汤匙,开水 1250 克,白糖 400 克。

制法:先将莲子用瓦钵盛着,加入开水,放在笼内蒸炝,再将鸡蛋烩熟剥去壳,放在小碗里(共分 12 碗),每碗加炝莲子 6 粒、浓六安茶 1 汤匙。将镬洗干净,注入开水,加入白糖,待溶解后倒在各碗内便成。

冰冻西瓜盅

原料:圆形西瓜 1 个,约 4500 克,糖冬瓜、糖马蹄、糖莲藕共 50 克,菠萝、鲜莲、苹果各 50 克,开水 2000 克,白糖 500 克。

制法:先将糖果、鲜果均切丁候用。注开水在镬中,放入白糖,待溶解后用汤窝盛着候冷。将西瓜用刀切出瓜蒂,把瓜瓤挖清,然后将瓜瓤的 1/4 弃掉瓜籽后切丁,放回西瓜里,加入鲜果丁、糖水,盖回瓜蒂放入冰柜冷二十分钟以上,取出加入糖果丁。用洁净毛巾将瓜皮抹干净,把瓜蒂盖上便成。

甜百合露

原料:干百合 150 克,开水 1500 克,白糖 450 克。

制法:先将百合用清水浸发好,洗干净放在瓦钵内,注入开水 400 克、白糖 125 克,随后放入笼里蒸至起粉,取起放在汤窝里。将镬洗干净,注入开水 1100 克、白糖 325 克,待溶解后放入汤窝里便成。

百年好合制法相同,加上白莲子便可。

鲜奶燕窝露

原料:发好燕窝 300 克,鲜奶 500 克,开水 1000 克,白糖 450 克,湿淀粉 75 克。

制法:先将燕窝滚过,倒入竹篱,滤去水分。将镬洗干净,注入开水,加上白糖,待溶解后倒入鲜奶,待微滚,用湿淀粉打芡,加入滚过的燕窝推匀,倒在汤窝内便成。

鸡蛋燕窝

原料:发好燕窝 300 克,鸡蛋 1 只,开水 1500 克,白糖 450 克,油 5 克,湿淀粉 75 克。

制法:先将鸡蛋打沫放在碗内,加入冷却了的糖水 100 克打匀,倒在涂了油的碗里,放在笼内蒸熟候用;再将燕窝滚过,滤过水分。注开水在镬中,放入白糖,待溶解后用湿淀粉打芡,倒入汤窝里,把蒸熟的鸡蛋轻力褪出,倒在燕窝面上中间便成。

鲜奶蛋露

原料:鸡蛋2只,鲜奶500克,开水1000克,白糖450克克,湿淀粉75克。

制法:将镬洗干净,注入开水,加上白糖,待溶解后加入鲜奶,待微滚,用湿淀粉推芡,将芡的2/3倒在汤窝里,将鸡蛋徐徐倒入余下的芡里推匀,用铁壳挠起,沿着窝边一拖,拖在鲜奶的一边,成为太极形,用汤匙将牛奶滴在鸡蛋这一边,再将鸡蛋滴在牛奶那一边(鱼头处),作为鱼的眼睛形状便成。

枣泥雪梨

原料:雪梨4个,红枣150克,白糖150克,开水500克(炖雪梨用);开水250克,冰糖60克(打芡用),白糖50克,湿淀粉15克。

制法:先将雪梨削去皮,再将梨蒂切出留用,随后用尖刀把梨心挖掉,用水洗干净,又将红枣盛在瓦钵里,加开水,放在笼内蒸至焾,取起剥去皮核,用碗盛着,加白糖搓匀,酿入雪梨里,盖回梨蒂,用柳骨固定,放在瓦钵里,放入白糖、开水,随放入笼内炖至焾,取起倒出原水(留回另用),把雪梨轻力取出放在汤碟里,拔去柳骨。将镬洗干净,注入开水,加入冰糖,待糖溶解,用湿淀粉打芡,淋匀在雪梨上便成。

甜溜马蹄粉

原料:鸡蛋3只,开水1500克,白糖600克,湿马蹄粉75克,油15克。

制法:将镬洗干净,注入开水,放上白糖,待溶解后,用洁净毛巾滤去杂质,候冷却;将鸡蛋打开用碗盛着,加入湿马蹄粉打芡,倒在冷却了的糖水里搅匀。用油 15 克起镬，把搅匀的鸡蛋倒入镬中，推至如蛋糊形状，以熟为度，放入在汤窝里便成。

菠萝奶露

原料：菠萝 300 克，鲜奶 500 克，白糖 450 克，开水，1500 克，湿淀粉 75 克。

制法：将镬洗干净，注入开水，放上白糖，待溶解后加入鲜奶，待微滚用湿淀粉推芡，加入菠萝搅匀，放在汤窝里便成。

清甜杏仁

原料：南杏仁 150 克，开水 1500 克，白糖 450 克，食用碱水 2.5 克，湿淀粉 75 克，另开水 125 克作蒸杏仁用。

制法：先将杏仁用开水焖透，把衣褪去，洗干净放在瓦钵里，加入食用碱水、开水 125 克，随放在笼内蒸至焓取起，用水漂去碱水味，放回瓦钵内，加上开水回蒸至透。将镬洗干净，注入开水，加入白糖，待溶解后，用湿淀粉推芡，把杏仁滤去水分，放入搅匀，放在汤窝里便成。

冰糖雪耳

原料：湿雪耳 300 克，开水 1500 克，冰糖 350 克。

制法：先将雪耳洗干净用清水滚过，倒在漏勺里，滤去水分，放在汤窝里。把镬洗干净，注入开水，放入冰糖，待溶解后用洁净毛巾滤去水分，倒在窝内，随放在笼内炖四十分钟便成。

甜芒果露

原料:香芒 3 个,开水 1500 克,白糖 450 克,湿淀粉 10 克。

制法:先将芒果撕去皮,用刀将肉削出盛在碗里,随用手抓烂如蓉。将镬洗干净,注入开水,放入白糖,待溶解后用湿淀粉推芡,把抓烂的芒果肉放入推匀,倒在汤窝里便成。

冰冻菱粉露

原料:净菱粉 150 克,清水 1500 克,白糖 450 克,油 5 克,杏仁油数滴。

制法:先将净菱粉用清水 250 克调匀,再将清水 1250 克倒在镬中,加上白糖,待溶解后,把调匀的净菱粉徐徐倒入推匀,推至熟加入杏仁油再推匀,倒在涂了油的碟上搪平,候冷却后切为三角形薄片。这是制成品之一。

还有一种冷吃法:注开水 1500 克在镬里,加上白糖 450 克,待糖溶解后,用汤窝盛着候冷却,放入冰柜里冷到冰冻,将切为三角形薄片的菱粉 800 克加入,再放入冰柜冷半小时,便可上席。

甜西瓜露

原料:西瓜 750 克,开水 1500 克,白糖 450 克,湿淀粉 75 克。

制法:先将西瓜瓤用刀铲出,弃掉瓜籽,将瓜瓤切丁。将镬洗干净,注入开水,放入白糖,待溶解后用湿淀粉打芡,加入西瓜瓤丁搅匀,倒入汤窝里便成。

清甜凤暴露

原料:净凤果肉300克,开水1500克,白糖450克。

制法:先将凤果用瓦钵盛里,加上白糖150克、开水400克,随放在笼内蒸到炝,取起放在汤窝里。将镬洗干净,注开水1100克在镬中,加入白糖300克,待溶解倒入汤窝中便成。

冰花莲子露制法相同。

核桃奶露

原料:核桃75克,白米50克,开水1000克,白糖450克,鲜奶500克,湿淀粉30克。

制法:先将核桃用沸水浸透剥去衣,再将白米洗干净一同放在沙盆里,用擂浆棍擂到极烂。将镬洗干净,注入开水将白糖溶解,把擂烂的浆加入,待滚,倒入鲜奶到复滚,用湿淀粉打芡,倒在汤窝里便成。

杏仁奶露制法相同,只将核桃改为杏仁便可。

荔枝红菱

原料:菱角肉150克,荔枝250克,开水1500克,白糖450克,食用碱水2.5克。

制法:先将菱角用食用碱水拌匀腌半小时,放在镬中沸水里用笊篱将菱角衣擦掉,用清水洗干净,漂去碱水味,用清水浸着候用。再将荔枝蒂切去后再切为两边,剥去壳核放在汤窝里。将镬洗干净,将开水放入镬中,放进白糖,待溶解后,把菱角捞起放在糖水里,待滚倒入汤窝里便成。

鲜莲奶露

原料:净鲜莲125克,鲜奶500克,开水1000克,白糖450克,湿淀粉75克。

制法:注开水在镬中,放入白糖,待溶解后加入鲜奶、鲜莲,待微滚,用湿淀粉推芡,倒在汤窝里便成。

山楂奶露

原料:山楂糕100克,鲜奶500克,开水1000克,白糖450克,湿淀粉75克。

制法:先将山楂糕用瓦钵盛着,加入少许开水随放在笼内蒸至溶候用。把镬洗干净,注入开水,放上白糖,待溶解后加入鲜奶,待微滚用湿淀粉推芡,将芡的2/3倒在汤窝里,将余下的加入蒸溶的山楂里推匀,倒在汤窝的一边,成为太极形便成。

山楂杏露、山楂核桃露制法相同。

桂花甜芋泥

原料:净芋头300克,桂花糖15克,开水1500克,白糖450克,湿淀粉25克。

制法:先将芋头蒸熟,取起用刀做出蓉状,再将桂花糖放在汤窝里。将镬洗干净,注入开水,加入白糖,待溶解后把芋蓉放入搅(散)匀,待滚,用湿淀粉推芡,倒入汤窝内便成。

甜鲜栗泥制法相同,只将桂花糖减去便可。

粉面饭烹饪法

(1)煎炒面底法

先在锅中烧好开水，将蒸好的熟面放在开水里略浸，随后捞起铺放在按板上候冷却(这叫作炬炒面底)。用油起镬，将炟好的面放在镬中，边煎边移动镬，煎至两面金黄色，溅入少量开水加热面，放在碟上，这叫作煎面底。

煎炒米粉底法：先在锅中将水烧开，把米粉放在开水中略浸，迅速捞起用盖盖着炯透(这叫作坦米粉)，用油起镬，将焗好的米粉放在镬中，边煎边移动镬，煎至两面金黄色放在碟上，这叫作煎米粉底。

煎炒沙河粉底法：将镬烧红，用油搪镬后倒回盆里，随把河粉放在镬中炒热和软，溅入盐开水，再炒匀上碟(这叫作炒河粉底)。

(2)面类品种烹饪法

鸡球炒面

原料：鸡球60克，菜嵘50克，料菇50克，姜片2.5克，蛋白5克，湿淀粉15克，油250克，绍酒2.5克，二汤125克，精盐2.5克，味精少许，胡椒粉0.05克，煎面底180克。

制法：先将煎面底放在碟中，再将蛋白、湿淀粉5克把鸡球拌匀。烧镬放油250克，将鸡球放入拉油至仅熟，倒入笊篱里，把镬放回炉上，将料头、菜嵘放在镬中加入拉过油的鸡球，溅入绍酒，注入二汤，用精盐、味精调味，撒上胡椒粉，用湿淀粉10克打芡，加上包尾油2.5克推匀，盖在面上便成。

虾球炒面

原料:虾球60克,菜远750克,料菇2.5克,姜片0.5克,油250克,二汤125克,精盐2.5克,味精1克,胡椒粉0.05克,湿淀粉10克。煎面底180克。

制法:先将煎面底放在碟中,烧镬放油250克,将虾球放入拉油至熟,倒入笊篱里,把镬放回炉上,将料头、菜远放在镬中,加入虾球,注入二汤,用精盐、味精调味,撒上胡椒粉,用湿淀粉推芡,加入包尾油2.5克和匀,盖在面上便成。

明虾片、生鱼球、鲜虾仁、土鱿等炒面制法相同。

生鱼片炒面

原料:生鱼片60克,直剪菜50克,姜片0.5克,油12.5克,二汤125克,精盐2.5克,味精1克,胡椒粉0.05克,湿淀粉10克,煎面底180克。

制法:先将煎面底放在碟中,用油10克起镬,将直剪菜放在镬中,注入二汤,用精盐、味精调味,放入生鱼片,撒上胡椒粉,用湿淀粉打芡,加用包尾油2.5克和匀,盖在面上便成。

鲩鱼片炒面制法相同。

田鸡炒面

原半斗:田鸡件60克,菜远50克,料菇2.5克,姜片0.5克,湿淀粉15克,油250克,绍酒5克,二汤125克,精盐2.5克,味精2.5克,胡椒粉0.05克,煎面底180克。

制法:先将煎面底放在碟中,再将田鸡件用湿淀粉5克拌匀。烧镬放油250克,将拌匀的田鸡件放入拉油至熟,倒入笊篱里,把镬放回炉上，将料头、菜远放入镬中，加入拉过油的田鸡，溅入绍酒，注入二汤，用精盐、味精调味，撒上胡椒粉，用湿淀粉 10 克，打芡，加上包尾油 2.5 克和匀，盖在面上便成。

滑鸡炒面制法相同。

蟹肉炒面

原料：蟹肉 40 克，叉烧片 10 克，料菇 5 克，指甲笋片 7.5 克，菜远 50 克，油 12.5 克，二汤 125 克，精盐 2.5 克，味精 1 克，湿淀粉 10 克，胡椒粉 0.05 克，煎面底 180 克。

制法：先将煎面底放在碟中。用油 15 克起镬，将菜远、叉烧、料菇、笋片放在镬中，注入二汤，用精盐、味精调味，用湿淀粉打芡，加入蟹肉，撒上胡椒粉，加上包尾油 2.5 克和匀，盖在面上便成。

虾仁炒面

原料：熟虾仁 40 克，叉烧片 10 克，料菇 5 克，指甲笋片 7.5 克，直剪菜 50 克，油 12.5 克，二汤 125 克，精盐 2.5 克，味精 1 克，湿淀粉 10 克，煎面底 180 克。

制法：先将煎面底放在碟中。用油 10 克起镬，将上述的原料一起放在镬中，注入二汤，用精盐、味精调味，用湿淀粉打芡，加包尾油 2.5 克和匀，盖在面上便成。

胗肝炒面

原料：胗肝 60 克，直剪菜 50 克，油 10 克，二汤 125 克，精盐 2.5 克，味精 1 克，湿淀粉 10 克，煎面底 180 克。

制法：先将煎面底放在碟中。用油 10 克起镬，将胗肝、直剪菜放在镬中，注入二汤，用精盐、味精调味，用湿淀粉打芡，盖在面上便成。

牛肉炒面制法相同。

鸡丝炒面

原料：鸡丝60克，笋丝50克，菇丝5克，韭王25克，油12.5克，精盐2.5克，味精1克，湿淀粉10克。煎面底180克。

制法：先将煎面底放在碟中，用油10克起镬，将鸡丝、笋丝、菇丝放在镬中，用精盐、味精调味，用湿淀粉打芡，加入韭王、包尾油2.5克推匀，盖在面上便成。

肉丝炒面制法相同，只将笋丝、菇丝减去，改用银针、韭王便可。

罗汉斋炒面

原料：湿冬菇、发菜、白果肉、草菇、笋片、黄耳等斋料共100克，直剪菜50克，油12.5克，二汤150克，蚝油2.5克，浅色酱油7.5克，味精1克，深色酱油2.5克，湿淀粉10克。煎面底180克。

制法：先将煎面底放在碟中。用油10克起镬，将直剪菜、斋料放在镬中炒匀，注入二汤，用蚝油、浅色酱油、味精调味，用深色酱油调为浅红色泽，用湿淀粉打芡，加包尾油2.5克和匀，盖在面上便成。

柱侯牛腩炒面

原料：炆焓牛腩60克，直剪菜50克，油12.5克，二汤125克，浅色酱油10克，味精0.5克，深色酱油2.5克，湿淀粉10克。煎面底180克。

制法：先将煎面底放在碟中。用油10克起镬，将直剪菜、牛腩放在镬中，注入二汤，用浅色酱油、味精调味，用深色酱油调为浅红色泽，用湿淀粉打芡，加包尾油 2.5 克和匀，盖在面上便成。

对上述各款炒面品种，炒米粉、河粉的制法均相同。

广州窝面

原料：肉片 40 克，膀肝 40 克，叉烧 15 克，熟虾仁 10 克，料菇 10 克，湿海参 15 克，直剪菜 50 克，韭王 10 克，二汤 500 克，精盐 1.5 克，味精 1.5 克，浅色酱油 5 克，胡椒粉 0.05 克，熟油 10 克，湿淀粉 25 克。坦好的生面底 180 克。

制法：先将坦好的生面底放在窝里，加入韭王，注二汤在镬中，将上述原料放在镬中（肉片要用湿淀粉拌匀），用精盐、味精、浅色酱油调味，撒上胡椒粉，待滚，加入熟油，倒入窝中便成。

（上述原料是小窝面的规格，如大窝面，则面底肉料均加倍便可）。

草菇窝面

原料：蟹肉 50 克，湿草菇 10 克，鸡蛋白 40 克，上汤 200 克，二汤 400 克，精盐 1.5 克，味精 1.5 克，湿淀粉 5 克，胡椒粉 0.05 克，油 2.5 克，火腿蓉 0.15 克。坦好的伊面 180 克。

制法：先将上汤 150 克、二汤 350 克放在镬里，把炟好的伊面加入，用精盐、味精调味炆好，倒在汤窝里，再注上汤 50 克，二汤 50 克在镬中，调味后用湿淀粉打芡，放入草菇、蟹肉，随将蛋白徐徐倒入推匀，撒上胡椒粉，加包尾油 2.5 克和匀，盖匀在伊面上，撒上火腿蓉便成。

蟹肉面片

原料:蟹肉50克,蛋白40克,上汤200克,二汤400克,精盐1.5克,味精1.5克,湿淀粉5克,胡椒粉0.05克,油2.5克。炸好的片儿面180克。

制法:先将上汤150克、二汤350克放在镬中,放上炸好的片儿面,用精盐、味精调味,拌好倒在汤窝里,再注入上汤50克、二汤50克,调味后用湿淀粉打芡,放入蟹肉,将蛋白倒入推匀,撒上胡椒粉,加包尾油2.5克和匀,盖匀在面片上便成。

鸡球窝面

原料:鸡球60克,菜远50克,料菇5克,姜片0.5克,二汤325克,上汤150克,精盐1.85克,味精1.75克,蛋白5克,湿淀粉10克,油250克,绍酒5克。坦好的生面180克。

制法:先将烜好的生面放在窝里,注上汤150克、二汤250克在镬中,用精盐1.5克、味精1.5克调味,放入窝内,将鸡球用蛋白、湿淀粉5克拌匀。烧镬放油250克,把鸡球放入拉油至仅熟,倒入笊篱里,将镬放回炉上,把料头、菜远放在镬中,溅入绍酒,注入二汤75克,用精盐0.35克、味精0.25克调味,用湿淀粉5克打芡,加尾油2.5克和匀,放在面上便成。

虾球窝面

原料:明虾球60克,菜远50克,冬菇5克,姜片0.5克,上汤150克,二汤325克,精盐1.85克,味精1.75克,油250克,绍酒5克,湿淀粉5克。烜好的生面180克。

制法:先将烜好的生面放在窝里,注上汤、二汤250克在镬中,用精盐 1.5 克、味精 1.5 克调味，待滚，放入窝内。烧镬放油 250 克，将虾球放入拉油至熟，倒入笊篱里，把镬放回炉上，将菜远、冬菇放在镬中，溅入绍酒，注入二汤 75 克，用精盐 0.35 克，味精 0.25 克调味，加入虾球，用湿淀粉打芡，加包尾油 2.5 克和匀，放在面上便成。

生鱼球、鲜虾仁窝面等制法相同。

蟹肉窝面

原料：蟹肉 50 克，瘦叉烧 10 克，料菇 5 克，指甲笋片 7.5 克，菜远 50 克，上汤 150 克，二汤 350 克，精盐 1.5 克，味精 1.5 克，胡椒粉 0.05 克，熟油 2.5 克。炟好的生面 180 克。

制法：先将炟好的生面放在窝里，注上汤、二汤在镬中，放入菜远、笋片、料菇、叉烧，用精盐、味精调味，加上蟹肉，撒上胡椒粉，加上熟油，放入窝内便成。

胗肝窝面

原料：胗肝 100 克，直剪菜 50 克，上汤 150 克，二汤 350 克，精盐 1.5 克，味精 1.5 克，胡椒粉 0.05 克，熟油 2.5 克。炟好的生面 180 克。

制法：先将炬好的生面放在窝里，注上汤、二汤在镬中，放入直剪菜、胗肝，用精盐、味精调味，撒上胡椒粉，加上熟油，倾入窝内便成。

牛肉窝面制法相同。

姜葱拌面

原料：姜丝 7.5 克，葱丝 10 克，油 10 克，二汤 75 克，浅色酱油 5

克，味精1克，胡椒粉0.05克。坦好的生面180克。

制法：用油10克起镬，将姜、葱丝放在镬中略爆，注入二汤，用浅色酱油、味精调味，撒上胡椒粉，随将炟好的生面放入炒匀上碟便成。

鲜菇拌面

原料：湿鲜菇60克，菜远50克，油12.5克，汤100克，蚝油5克，浅色酱油2.5克，味精1克，胡椒粉0.05克，湿淀粉5克。炟好的生面180克。

制法：先将坦好的生面放在碟上。用油10克起镬，将菜远、鲜菇片放在镬中，注入汤，用蚝油、浅色酱油、味精调味，撒上胡椒粉，用湿淀粉打芡，加上包尾油2.5克和匀，盖在面上便成。

北菇拌面制法相同。

鸡球拌面

原料：鸡球60克，菜远50克，料菇1.5克，姜片0.1克，油250克，汤100克，精盐2.5克，味精1.5克，胡椒粉0.05克，湿淀粉5克。炬好的生面180克。

制法：先将坦好的生面放在碟上。烧镬放油250克，将拌匀的鸡球放入拉油至熟，倒入笊篱里，把镬放回炉上，将料头、菜远放在镬中，加入鸡球，注入汤，用精盐、味精调味，撒上胡椒粉，用湿淀粉打芡，加上包尾油2.5克和匀，盖在面上便成。

虾球、生鱼球、鲜虾仁等拌面制法相同。

（此外，面类品种的配料和烹饪制作方法亦可用于米粉和沙河粉品种的制作，因此，米粉、沙河粉的烹饪不单独列出。）

(3)饭品种烹饪法

云彩西炒饭

原料:鸡丁30克,鲜虾仁30克,火腿丁10克,青豆(罐头)40克,冬菇丁10克,净鸡蛋40克,油250克,精盐1克,味精1克,上汤125克,湿淀粉5克,白饭150克。

制法:用油15克起镬,将鸡蛋放在镬中炒熟,放入白饭,加精盐、味精炒好,放在碟中。烧镬放油约50克,将鸡丁、虾仁放入拉油至熟,倒入笊篱里,把镬放回炉上,将青豆、冬菇丁、火腿丁放在镬内,注入汤,调味后加入鸡丁、虾仁,用湿淀粉打芡,盖在炒好的饭上便可。

火腿鸡蛋饭

原料:火腿5片约37.5克,鸡蛋1只,蚝油5克,油10克,白饭150克,二汤75克,湿淀粉10克。

制法:先将热白饭放在碟中,砌火腿在饭的周围,随煎蛋放在火腿的中间,淋上蚝油芡(烧镬,溅入二汤、蚝油、湿淀粉调成蚝油芡)便成。

咖喱鸡丝饭

原料:鸡丝60克,油11克,上汤100克,油咖喱7.5克,精盐1克,味精1克,湿淀粉5克,白饭150克。

制法:先将热白饭放在碟中。用油10克起镬,将鸡丝放在镬中,注入汤,用油咖喱、精盐、味精调味,用湿淀粉打芡,加上包尾油

1 克和匀,盖在白饭上便成。

咖喱牛肉、肉丝等饭制法相同。

蚝油牛肉饭

原料: 腌牛肉 60 克,葱段 5 克,姜片 0.5 克,油 10 克,汤 100 克,蚝油 5 克,浅色酱油 2.5 克,味精 1 克,湿淀粉 5 克,白饭 150 克。

制法: 先将热白饭放在碟中。用油 10 克起镬,将牛肉放在镬中,注入汤,用蚝油、浅色酱油、味精调味,放入料头,用湿淀粉打芡,盖在饭上便成。

菜远鸡球饭

原料: 鸡球 50 克,菜远 50 克,料菇 5 克,姜 0.5 克,蛋白 5 克,湿淀粉 10 克,油 250 克,汤 125 克,精盐 1 克,味精 1 克,胡椒粉 0.05 克,白饭 150 克。

制法: 先将热白饭放在碟中,再将鸡球用蛋白、湿淀粉 5 克拌匀。烧镬放油,将鸡球放入拉油至仅熟,倒入笊篱里,将镬放回炉上,将料头、菜远、鸡球放在镬中,注入二汤,用精盐、味精调味,撒上胡椒粉,用湿淀粉 5 克打芡,加上包尾油和匀,盖在饭上便成。

蚝油肉丝饭

原料: 肉丝 60 克,油 12.5 克,汤 100 克,蚝油 5 克,浅色酱油 2.5 克,味精 1 克,湿淀粉 5 克,白饭 150 克。

制法: 先将热白饭放在碟中。用油 10 克起镬,把肉丝放入镬中,注入汤,用蚝油、浅色酱油、味精调味,用湿淀粉打芡,加上包尾油 2.5 克和匀,盖在饭上便成。

蚝油鸡丝饭制法相同。

茄汁鸡丝饭

原料:鸡丝 60 克,油 12.5 克,汤 100 克,精盐 1.25 克,味精 1 克,白糖 1.5 克,茄汁 15 克,湿淀粉 5 克,白饭 150 克。

制法:先将热白饭放在碟中,用油 10 克起镬,将鸡丝放在镬中,注入汤,加精盐、味精、白糖、茄汁调味,用湿淀粉打芡,加上包尾油 2.5 克和匀,盖在饭上便成。

茄汁肉丝、牛肉饭等制法相同。

菜牛肉饭

原料:腌牛肉 60 克,直剪菜 50 克,油 12.5 克,汤 1250 克,浅色酱油 5 克,味精 1 克,湿淀粉 5 克,白饭 150 克。

制法:先将热白饭放在碟中。用油 10 克起镬,将直剪菜、牛肉放在镬中,注入汤,用浅色酱油、味精调味,用湿淀粉打芡,加包尾油 2.5 克和匀,盖在饭上便成。

菜滑鸡饭

原料:鸡件 60 克,直剪菜 50 克,姜片 0.5 克,湿淀粉 10 克,油 250 克,汤 150 克,精盐 1 克,味精 1 克,胡椒粉少许,白饭 150 克。

制法:先将热白饭放在碟中,再将鸡件用湿淀粉 5 克拌匀。烧镬放油 250 克,将鸡件放入拉油至仅熟,倒入笊篱里,把镬放回炉上,将料头、直剪菜、拉过油的鸡件放在镬中,注入汤,用精盐、味精调味,撒上胡椒粉,用湿淀粉 5 克打芡,加上包尾油 2.5 克和匀,盖在饭上便成。

窝量牛肉饭

原料:腌牛肉 60 克,鸡蛋 1 只,油 12.5 克,汤 100 克,浅色酱油 5 克,味精 1 克,湿淀粉 5 克,白饭 150 克。

制法:先将热白饭放在碟上。用油 10 克起镬,将牛肉放在镬中,注入汤,用浅色酱油、味精调味,用湿淀粉打芡,加上包尾油 2.5 克和匀,盖在饭上,在饭中挖一小孔,把鸡蛋打开放在孔中便成。

滑蛋牛肉饭

原料:腌牛肉 60 克,净蛋 50 克,油 10 克,二汤 125 克,精盐 1 克,味精 1 克,白饭 150 克。

制法:先将热白饭放在碟上。用油 10 克起镬,放牛肉在镬中,注入二汤,用精盐、味精调味,用湿淀粉打芡,将鸡蛋加入推匀,盖在饭上便成。

菜远虾仁饭

原料:腌虾仁 60 克,菜远 50 克,油 250 克,汤 125 克,精盐 1 克,味精 1 克,湿淀粉 5 克,白饭 150 克。

制法:先将热白饭放在碟上。烧镬放油 250 克,将虾仁放入拉油至熟,倒入笊篱里,将镬放回炉上,把菜远放在镬中,注入汤,用精盐、味精调味,放入拉过油的虾仁,用湿淀粉打芡,加上包尾油 2.5 克和匀,盖在饭上便成。

洋葱牛肉饭

原料:腌牛肉 60 克,洋葱 50 克,油 10 克,汤 100 克,精盐 1 克,味精1克,湿淀粉5克,白饭150克。

制法:先将牛肉剁烂,再将洋葱切为米粒形,将热白饭放在碟上。用油10克起镬,把剁烂的牛肉、洋葱放在镬中炒透,注入汤,用精盐、味精调味,用湿淀粉打芡,盖在饭上便成。

鲜虾仁炒饭

原料:腌虾仁60克,净蛋40克,味精1克,精盐1.25克,油250克,汤100克,湿淀粉5克,白饭150克。

制法:用油10克起镬,将鸡蛋放在镬中炒熟,加入白饭,放入精盐1克炒透,放在碟中,烧镬放油约250克,把虾仁放入拉油至熟,倒入笊篱里,将镬放回炉上,注入汤,用精盐0.25克、味精调味,加入拉过油的虾仁,用湿淀粉打芡,加上包尾油2.5克和匀,盖在饭上便成。

广州炒饭

原料:熟虾肉20克,叉烧细丁40克,菇丁10克,葱花5克,净蛋40克,油10克,精盐1克,味精1克,白饭150克。

制法:用油10克起镬,将鸡蛋放在镬中,加入精盐、味精、白饭炒透,把叉烧、熟虾肉、葱花、菇丁等放入炒匀上碟便成。

说明:炒饭有:一卖(将4碗炒饭倒在大碟上。现港、澳地区仍这样叫法)、半卖(将两碗炒饭倒在中碟上)、一碗等制售,码料则按增、减便可。

上汤烩饭

原料:鲜虾仁40克,料菇5克,汤150克,精盐0.5克,味精0.5克,白饭100克。

制法：先将白饭用碗盛着（8分满），注汤在镬中，放入虾仁、料菇，用精盐、味精调味，待滚，倒在碗中便成。

上述的饭品码料各不相同，有些是用瘦肉丁、火腿丁、丝瓜丁或菜梗丁、料菇丁，也有不用虾仁而改用蟹肉的。

上汤炒饭

原料：熟虾仁10克，叉烧丁25克，净蛋25克，油7.4克，精盐0.5克，上汤100克，白饭100克。**制法**：用油7.5克起镬，将鸡蛋放在镬中炒熟，加入白饭，放精盐炒透，加上熟虾仁、叉烧丁炒匀，盛在碗内，再将上汤烧滚倒入碗中便成。

这饭品有两种制法，一种如上述，另一种则是将饭炒好，溅入上汤炒匀，上碗便成。

此外，还有双肠饭、油鸡饭、火鹅饭、叉烧饭等。制法如上述。

原煲白饭

原料：洗干净白米1500克，开水2550克，猪油50克。

制法：先用瓦钵将水煲滚，把白米放入煲内，加盖盖着煲至起眼，加入猪油焖至熟便成。

原煲有味饭

原料：洗干净白米500克，开水850克，肉码（肉的分量）另定。肉类随意，如田鸡、滑鸡、牛肉、腊味等均可。

制法：如田鸡、滑鸡等，先用精盐、味精拌匀，再用干淀粉、猪油拌匀；倘若是牛肉、腊味等都要待饭水煲至起蟛蜞眼才放在饭面焖至熟，将肉码取起，放在碟上。如是腊味，要斩切好砌在碟上。上饭时，跟猪油、浅色酱油同上。